VG, la référen...

C...

VG
Editions

MES DERNIERS DOSSIERS ECN

35 dossiers transversaux
dont 5 dossiers QCM pour le concours 2015

Ophtalmologie

A. MARTEL

Editions Vernazobres-Grego | 99 bd de l'Hôpital
75013 Paris - Tél. : 01 44 24 13 61
www.vg-editions.com

Octobre 2014 - ISBN : 978-2-8183-1257-5

1re préface :

Dans le cadre des études médicales, la rédaction des cours destinés à l'enseignement de l'ophtalmologie n'est pas facile car il s'agit d'une spécialité très technique. En effet, si les diverses étapes dans l'examen médical d'un patient sont l'observation, l'interrogatoire, la palpation et l'auscultation, l'ophtalmologie nécessite l'utilisation d'une lampe à fente et divers systèmes optiques qui permettent de visualiser les différentes structures oculaires.

L'enseignement dispensé pour le programme de l'internat concerne pour l'essentiel l'acquisition synthétique d'un certain nombre de pathologies, connaissances restant abstraites pour un étudiant n'ayant jamais utilisé le matériel d'exploration. Je félicite, donc, Arnaud Martel, brillant major de sa promotion, d'avoir réussi à concevoir des cas cliniques compréhensibles pour tous, sans l'acquisition basique de l'observation avec une lampe à fente.

Il était sans doute le mieux placé pour rédiger ces questions avec l'expérience d'un jeune interne et la vision pratique d'un vieil étudiant en médecine.

Pr GASTAUD,
Chef de service d'Ophtalmologie,
CHU de Nice.

2e préface :

L'ophtalmologie a toujours été considérée par les étudiants comme une spécialité un peu ésotérique et complexe. Cela vient du fait qu'elle n'est accessible qu'indirectement : l'examen clinique se fait grâce à une lampe à fente ou un ophtalmoscope qu'il faut savoir manier. Puis nos examens complémentaires sont très nombreux, techniques et souvent spécifiques d'une de nos sous spécialités.

La diffusion des données numériques est une aubaine pour l'enseignement de notre spécialité. Comme vous le verrez dans cet ouvrage, l'ophtalmologie est, sans jeu de mots, une spécialité visuelle. Le docteur MARTEL a sélectionné une imagerie appropriée : elle vous permettra de comprendre et de retenir facilement les signes cliniques ou les pathologies que les descriptions livresques peinent à restituer correctement.

Vous verrez aussi que l'ophtalmologie est une spécialité riche et très transversale. En dehors des pathologies uniquement oculaires, l'ophtalmologiste interagit avec de nombreuses spécialités. Une baisse d'acuité visuelle ou un œil rouge peuvent mener à la découverte d'une maladie de Behçet, d'une maladie de Hodgkin, d'une syphilis ou encore d'un cancer pulmonaire. La liste est longue…

Cet ouvrage de cas cliniques met certes l'accent sur ce que vous devez savoir pour l'ECN, mais le docteur MARTEL l'a aussi enrichi de commentaires pratiques et d'astuces didactiques qui vous serviront lors de votre futur parcours de médecin.

Dr Stephanie Baillif-Gostoli,
Praticien Hospitalier,
CHU de Nice.

Pourquoi ce livre ?

Car l'ophtalmologie est trop souvent négligée aux ECN. Pourtant, il s'agit d'une spécialité extrêmement transversale (avec la neurologie, la neurochirurgie, la médecine interne...). Il est donc particulièrement aisé de rédiger des cas cliniques transversaux dans l'esprit du CNCI.

Quels sont les objectifs de ce livre ?

- Etre court et synthétique : entre **30 et 35 mots clés** en moyenne par dossier, comme aux ECN. C'est, je pense, le critère le plus important dans un livre de cas cliniques ECN.
- Vous montrer un maximum d'iconographie afin de vous permettre de mieux visualiser les différentes pathologies.
- Fournir des explications simples mais claires à la fin de chaque dossier.
- Traiter en priorité les sujets les plus « tombables » tout en abordant la quasi-totalité des items d'ophtalmologie.
- Rédiger des cas de la vie quotidienne +++. La plupart des cas sont issus de vraies constatations cliniques. L'objectif n'est pas de « tirer dans les coins » mais d'être le plus près de la pratique quotidienne. Ce sont bien des cliniciens qui rédigent les cas cliniques aux ECN.
- Vous donner goût à cette spécialité médico-chirurgicale.

REMERCIEMENTS :

- A titre personnel : en premier lieu à toute **ma famille et à Julie**, pour leur soutien inconditionnel depuis le tout début. A mes amis, notamment Guitou pour tous nos soirées niçoises et parisiennes.
- A titre professionnel : A l'ensemble de l'équipe d'ophtalmologie du CHU de NICE, notamment le Pr GASTAUD chef de service d'ophtalmologie et le Dr BAILLIF-GOSTOLI pour leur relecture complète de l'ouvrage, leurs corrections et bien sûr leurs conseils, sans oublier l'ensemble des praticiens hospitaliers niçois, mes co internes et l'ensemble du personnel médical et paramédical.
  A l'équipe d'ophtalmologie de l'Hôpital de Cannes (mention spéciale pour le Dr PAYAN) pour leur bonne humeur légendaire.
  ...et au service de neurochirurgie du CHU de Nice pour ce semestre magique !!

BONNE LECTURE ET BON COURAGE A TOUS !!!

SOMMAIRE GENERAL

SOMMAIRE PAR ITEMS

Notes personnelles

Dossier thématique transversal 1

Enoncé

Un patient de 67 ans consulte aux urgences ophtalmologiques de votre hôpital pour baisse d'acuité visuelle brutale de l'œil gauche, indolore.
Ses principaux antécédents sont un infarctus du myocarde il y a 5 ans stenté, une hypertension artérielle mal équilibrée, une dyslipidémie, un diabète de type 2 récemment découvert, une insuffisance rénale (diagnostiquée 15 jours après l'introduction du perindopril en cardiologie), une hypertrophie bénigne de prostate, et une coxarthrose.
Son ordonnance comprend : paracétamol, kardégic, aténolol, furosémide, urapidil (Eupressyl®), metformine, lexomil.
Il n'a pas d'allergies connues.
Il vous tend les résultats de sa dernière prise de sang : Hb = 10 g/dl, VGM = 78fl, GB = 7800 / mm3, Plaquettes = 235 000/mm3, Na = 137 mmol/l, K= 3,2 mmol/l, Cl = 97 mmol/l, créatinine = 127 µmol/l (DFG = 62), ASAT = 21 U/L, ALAT = 25 U/L, TP = 97%, TCA = 30s (témoin à 32s), VS = 25, CRP = 3 mg/l.

Les constantes, prises à l'accueil sont les suivantes : FC = 70/min, TA = 175/85 mm Hg, FR = 12/min, Sp02 = 100%, T° = 37,5°.

L'examen ophtalmologique est le suivant :

- **Acuité visuelle avec correction :**
  OD = 8/10e P2
  OG = compte les doigts > P14
- **Examen des segments antérieurs à la lampe à fente : œil blanc, cornée claire, sans prise de fluorescéine, chambre antérieure calme et profonde, légère anisocorie avec semi mydriase à gauche avec déficit pupillaire afférent relatif gauche mais persistance du consensuel, cataracte corticale débutante bilatérale.**
- **Pression intra oculaire par aplanation : 25 mm Hg (OD) / 27 mm Hg (OG).**

1/ Donnez 5 diagnostics ophtalmologiques compatibles, à priori, avec ce tableau clinique.

Le fond d'œil dilaté et l'angiographie rétinienne à la fluorescéine sont présentés ci dessous :

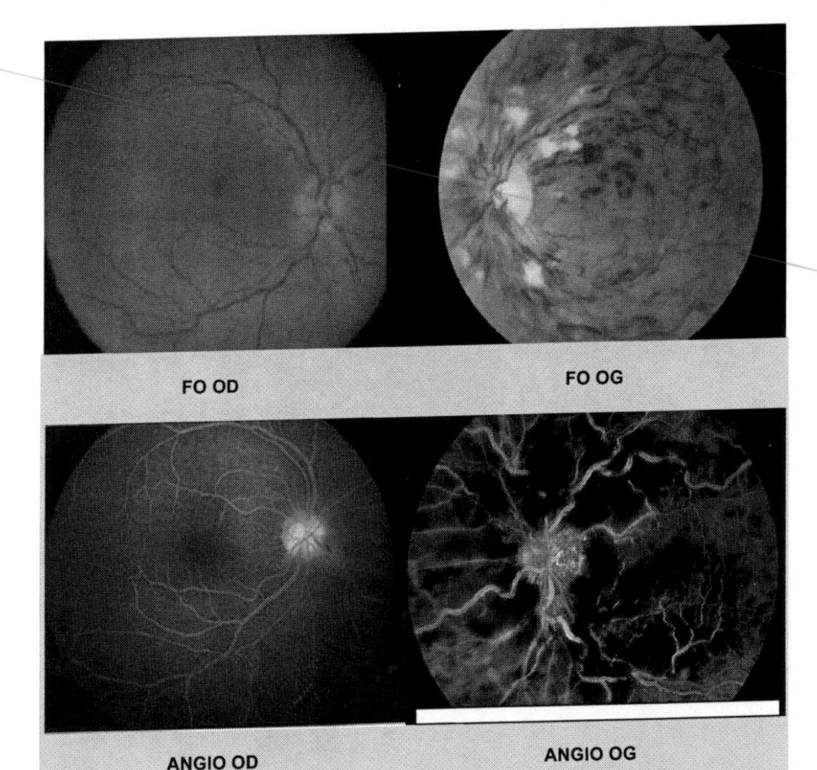

2/ Quel diagnostic retenez-vous ?
3/ Donnez 4 éléments du fond d'œil en faveur de ce diagnostic.
4/ Donnez 4 éléments en faveur d'une forme ischémique de cette pathologie.
5/ Donnez 5 facteurs de risque de cette pathologie présents dans l'énoncé.
6/ Votre externe, après avoir relu ses cours, vous propose, dans le but de vous impressionner, une hémodilution isovolémique. Que lui répondez-vous ?

Vous prenez en charge, de manière pluridisciplinaire, votre patient.

7/ Quels sont vos objectifs chiffrés concernant ses facteurs de risque cardiovasculaires ?
8/ Donnez 4 arguments en faveur d'une sténose bilatérale des artères rénales chez ce patient.

Finalement, le patient est rapidement perdu de vue.

Vous le revoyez 3 mois plus tard, un dimanche, aux urgences ophtalmologiques, pour un œil gauche rouge et douloureux évoluant depuis 1 semaine environ.
L'examen ophtalmologique est le suivant :

- Acuité visuelle corrigée :
  OD = 8/10e P2
  OG = Compte les doigts > P14
- Pression intra oculaire par aplanation : 25 mm Hg (OD) / 54 mm Hg (OG)
- L'examen du segment antérieur de l'œil gauche à la lampe à fente est le suivant :

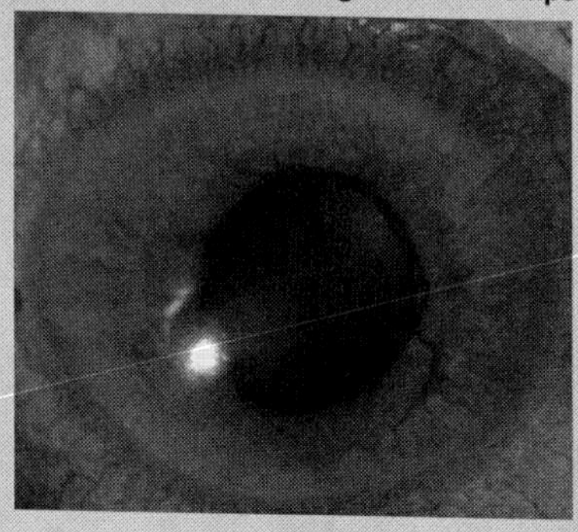

9/ Quel diagnostic ophtalmologique posez-vous ? De quel traitement ophtalmologique préventif aurait dû bénéficier le patient afin d'éviter la survenue d'un tel tableau clinique ?

Corrigé

PREMIERE LECTURE

Difficulté du dossier : 1/3

A classer en 1ere position parmi les 3 dossiers de l'épreuve.

Mots clés à inscrire sur le brouillon :

Diabète = HbA1c.

Sujet d'ophtalmo : examen bilatéral et comparatif => penser à l'oeil adelphe +++.

GRILLE DE CORRECTION

1	Donnez 5 diagnostics ophtalmologiques compatibles, à priori, avec ce tableau clinique ?	Grille classique	Grille ECN
	• OVCR / Occlusion veine centrale de la rétine • OACR / Occlusion artère centrale de la rétine • NOIAA / Neuropathie optique ischémique antérieure aigüe • NORB / Névrite optique rétro bulbaire • DR / Décollement de rétine • HIV / Hémorragie intra vitréenne • DMLA exsudative / Dégénérescence maculaire liée à l'âge • Uveite postérieure • Œdème maculaire / Hématome maculaire		**2 points pour chaque réponse ci contre.** **PLUS DE 5 REPONSES = ZERO A LA QUESTION**
			10

2	Quel diagnostic retenez-vous?	Grille classique	Grille ECN
	• OVCR / Occlusion veine centrale de la rétine	**8**	**10**
	• Œil gauche	**2**	**-**
		10	

3	Donnez les 4 éléments du Fond d'œil en faveur de ce diagnostic ?	Grille classique	Grille ECN
•	Œdème papillaire	2	2
•	Tortuosité veineuse / vasculaire	2	2
•	Hémorragies	2	2
•	Nodules cotonneux	2	2
		8 PLUS DE 4 REPONSES = ZERO	

4	Donnez 4 éléments en faveur d'une forme ischémique de cette pathologie.	Grille classique	Grille ECN
•	Acuité visuelle effondrée / <2/10^{e}	2	2
•	Déficit pupillaire afférent relatif gauche / Anisocorie / Semi mydriase gauche	2	2
•	Nodules cotonneux	2	2
•	Plages d' hypo fluorescence à l'angiographie	2	2
		8 PLUS DE 4 REPONSES = ZERO	

5	Donnez 5 facteurs de risque de cette pathologie présents dans l'énoncé.	Grille classique	Grille ECN
•	Âge élevé / > 65 ans	2	2
•	Diabète	2	2
•	Hypertension artérielle	2	2
•	Dyslipidémie	2	2
•	Hypertonie oculaire / PIO > 21 mm Hg	2	2
		10 PLUS DE 5 REPONSES = ZERO	

6	Votre externe, après avoir relu ses cours, vous propose, dans le but de vous impressionner, une hémodilution isovolémique. Que lui répondez-vous ?	Grille classique	Grille ECN
•	NON / Contre indiqué	5	5
•	Car	-	-
•	Patient coronarien	5	5
•	Anémique (risque angor fonctionnel)	5	5
		15	

7	Quels sont vos objectifs chiffrés concernant ses facteurs de risque cardiovasculaires ?	Grille classique	Grille ECN
•	TA < 130 / 80 mm Hg	3	4
•	HbA1c < 6,5%	3	4
•	LDLc < 1 g/l (ou 0,7 g/l selon les recommandations)	3	4
•	IMC < 30 kg/m2	3	-
		12	

8	Donnez 4 arguments en faveur d'une sténose bilatérale des artères rénales chez ce patient.	Grille classique	Grille ECN
•	Hypertension artérielle	-	-
•	Manométriquement élevée / chiffres élevés (175/85 mm Hg)	3	3
•	Malgré une trithérapie anti hypertensive	3	3
•	Hypokaliémie :	3	3
	- Par hyperaldostéronisme secondaire	-	-
•	Notion d'insuffisance rénale aigue sous IEC / périndopril :	3	3
	- Aigüe car n'a plus d'insuffisance rénale actuellement (DFG > 60)	-	-
		12 PLUS DE 4 REPONSES = ZERO	

9	Quel est votre diagnostic ophtalmologique ? De quel traitement préventif aurait dû bénéficier le patient afin d'éviter la survenue d'un tel tableau clinique ?	Grille classique	Grille ECN
•	Glaucome néovasculaire	8	10
•	De l'œil gauche	2	-
•	Traitement préventif :	-	-
•	PPR / Pan photo coagulation rétinienne	3	5
	- Au laser ARGON	2	-
		10	

COMMENTAIRES

Questions	Commentaires
Général	• 31 MOTS CLES => court, comme à l'ECN. • Sujet classique d'OVCR ischémique chez un patient polyvasculaire se compliquant de glaucome néovasculaire.
1	• Cf OD devant BAV rapide et indolore. Toute BAV unilatérale avec œil blanc indolore correspond soit à une atteinte du segment postérieur de l'œil, soit à une atteinte des voies visuelles jusqu' au cortex occipital. Ici, on demandait les diagnostics ophtalmologiques donc il ne faut pas citer les AVC.
2	• L'OVCR : c'est le « feu d'artifice » au FO. Les signes cardinaux sont l'œdème papillaire, les hémorragies en flammèches diffuses, la tortuosité veineuse et parfois les nodules cotonneux qui sont souvent un signe d'ischémie rétinienne.
3	• Ne pas confondre les exsudats ressemblant plutôt à des petits points jaunâtres et signes d' hyperperméabilité vasculaire avec les nodules cotonneux plutôt blancs et en nappe et signes d'ischémie rétinienne.
4	• <u>**Rappel N°1**</u> : les signes d'ischémie rétinienne (rétinopathie diabétique, OVCR, drépanocytose...) • Au FO : nodules cotonneux et hémorragies PROFONDES « en nappe » (les hémorragies superficielles en flammèche non !!) • En angiographie : zones en hypo fluorescence (ne correspondant pas à des hémorragies). • L'ischémie rétinienne entraine une néo vascularisation : les néo vaisseaux peuvent saigner et donner une hémorragie pré rétinienne voire une HIV, peuvent tirer la rétine et faire un DR tractionnel, et proliférer dans l'angle irido cornéen et faire un glaucome néo vasculaire (cf après). • <u>**Rappel N°2 :**</u> • En cas de baisse très profonde de la vision (OACR, NORB, NOIAA, OVCR ischémique...), on a un déficit pupillaire car aucune lumière n'arrive au nerf optique (version simplifiée) donc semi mydriase peu réactive. Par contre le consensuel est normal, c'est à dire que l'éclairement de l'œil sain provoque une contraction pupillaire de l'œil atteint car le nerf III qui fait le myosis est intact (seul le II est atteint). • Dans la NORB, cela s'appelle le signe de Marcus Gunn.
5	• En gros, l'hypertonie oculaire « écrase » la veine centrale de la rétine.
6	• Hémodilution isovolémique : consiste à fluidifier le sang en diminuant l'hématocrite aux alentours de 30%. On fait une soustraction sanguine et on compense volume par volume (sérum physiologique, macromolécules).
7	• Il faut bien connaître les chiffres cibles des FDRCV. Concernant les LDLc, les 2 valeurs 1 g/l et 0,7 g/l sont valables suivant si on suit les recommandations françaises ou européennes.
8	• Ici, il s'agit vraisemblablement d'une sténose athéromateuse des artères rénales bilatérale responsable d'une hypertension artérielle secondaire. • Si la sténose est unilatérale, il n'y a pas d'insuffisance rénale aux IEC.
9	• Car hypertonie oculaire importante + rubéose irienne dans un contexte d'ischémie rétinienne. • PPR : coaguler / détruire les zones d'ischémie rétinienne pour éviter ou faire régresser la néo vascularisation.

ITEMS ABORDEES

Items	Intitulés
130	• Hypertension artérielle / Occlusion veine centrale rétine
187	• Anomalies de la vision d'apparition brutale
212	• Œil rouge et/ou douloureux

Notes personnelles

Dossier thématique transversal 2

Enoncé

Un patient de 72 ans se présente aux consultations d'ophtalmologie de votre hôpital pour une baisse d'acuité visuelle bilatérale chronique, indolore, devenue gênante. En effet, le patient ne parvient plus à conduire la nuit ni à lire son journal comme il le faisait autrefois.

Ses principaux antécédents sont une hypertension artérielle, une dyslipidémie, un cancer de la prostate traité et guéri il y a 2 ans, une dépression chronique ayant nécessité plusieurs hospitalisations, une notion de tuberculose ancienne et une constipation chronique.

Son ordonnance comprend : atorvastatine, enalapril, amitryptiline, lexomil®, debridat®.

L'examen ophtalmologique est le suivant :

- Acuité visuelle avec correction :
  OD = 5/10° P4
  OG = 3/10° P6
- Segments antérieurs à la lampe à fente : cornée claire, sans prise de fluorescéine, reflexes photomoteurs normaux, cataracte cortico-nucléaire dense bilatérale prédominant à gauche.
- Pression intra oculaire (PIO) par aplanation : 15 mm Hg (OD) / 17 mm Hg (OG).
- L'examen du fond d'œil non dilaté est sans particularités.

Vous décidez de proposer une chirurgie de la cataracte de l'œil gauche. Votre patient accepte.

1/ Citez les 2 examens que vous allez effectuer pour calculer la puissance de l'implant.

Le délai d'attente chirurgical est de 3 mois. 1 mois plus tard, le patient se présente aux urgences ophtalmologiques pour une douleur oculaire gauche intense, EVA = 9/10e, depuis 24 heures, irradiant dans toute l' hémiface homolatérale associée à un œil rouge et un « voile important» devant les yeux. Il a quelques nausées.

2/ Donnez les 3 diagnostics ophtalmologiques que vous devez évoquer avant tout examen clinique.

Les constantes prises par l'IAO (infirmière d'accueil et d'orientation) sont les suivantes : TA = 145/85, FC = 80/min, FR = 12/min, T° = 37,5.

L'examen ophtalmologique est le suivant :

- Acuité visuelle corrigée :

OD = 5/10^{e}

OG : simple perception lumineuse

- Pression intra oculaire (PIO) par aplanation : 15 mm Hg (OD) / 68 mm Hg (OG).
- L'examen du segment antérieur à la lampe à fente de l'œil gauche est le suivant :

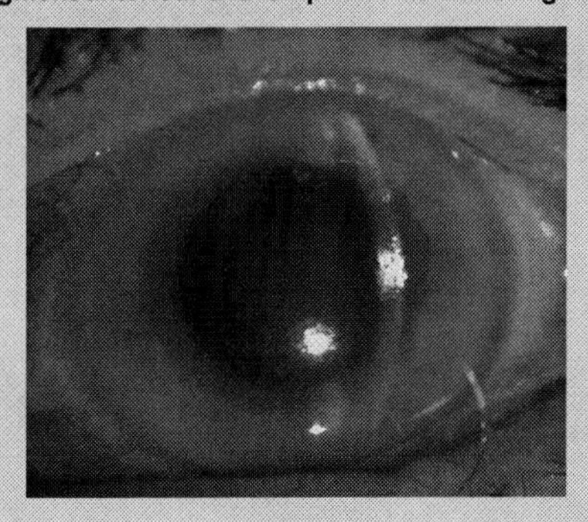

- Fond d'œil gauche : inaccessible.

3/ Quelle est votre diagnostic ? Justifiez-le à partir de 3 éléments issus de l'examen du segment antérieur.

4/ Citez 2 facteurs prédisposant à ce tableau clinique présents dans l'observation.

Votre prise en charge en urgence a consisté en une hospitalisation en ophtalmologie, un bilan sanguin standard, une pose de voie veineuse périphérique, l'administration locale sur l'œil gauche de collyres hypotonisants et anti inflammatoires, l'administration de 500 mg d' acétazolamide IV avec relai per os (250 mg x 3/jour) et de paracétamol (1g x 3) IV avec relai per os par 1g x 3/jour le lendemain.

3 jours plus tard, le patient va mieux, il n'a plus de douleurs et l'acuité visuelle est remontée à 2/10e.

Cependant, il se plaint de paresthésies des extrémités depuis 24H environ.

Dans l'après midi, vous êtes appelé en urgence par l'infirmière du service car le patient présente un malaise avec anxiété, sueurs et palpitations.

Ses constantes sont les suivantes : TA = 120 /70, FC = 200/min, FR = 28/min, T° = 37,8°, Glasgow 15.

Vous réalisez l'ECG suivant :

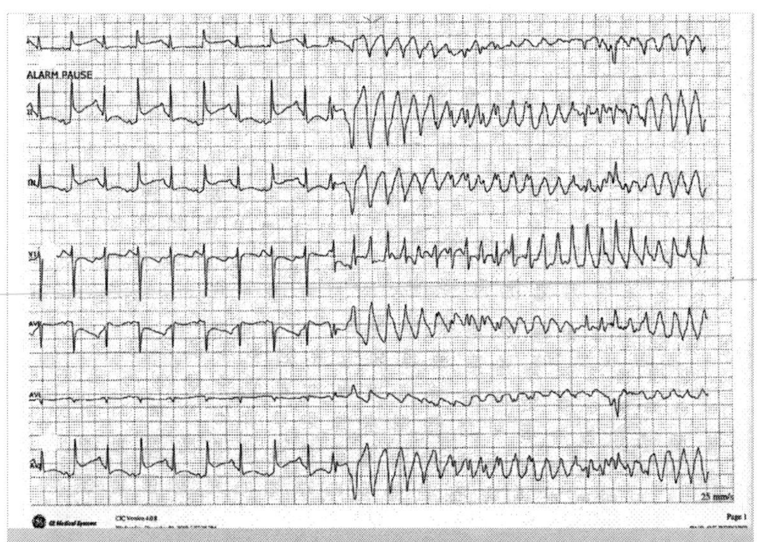

5/ Interprétez cet ECG.
6/ Quelle est votre prise en charge en urgence ?

Quelques minutes plus tard, votre patient va mieux. Vous refaites un ECG présenté ci dessous :

ECG

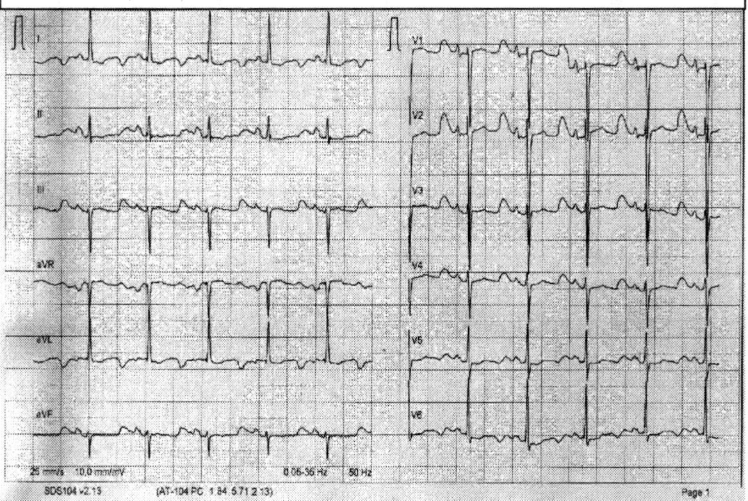

7/ Interprétez le.

8/ Comment expliquez-vous la survenue d'un tel tableau clinique ? Quelle mesure préventive aurait permis d'éviter cela (1 seule réponse) ?

9/ Quel geste ophtalmologique préventif indispensable devez vous réaliser avant la sortie du patient ?

Finalement, les suites sont simples et le patient est opéré, en ambulatoire, de sa cataracte gauche 1 mois plus tard. Les suites opératoires sont également simples.

Lors de la consultation de contrôle au 1er mois, l'acuité visuelle corrigée de l'œil gauche est de 7/10e, l'examen du segment antérieur, du fond d'œil et la tension intra oculaires sont sans particularités hormis une atrophie optique gauche modérée séquellaire.

1 mois plus tard, le patient vous reconsulte en urgence car il a constaté une baisse de vision importante de son œil gauche.

L'examen ophtalmologique de son œil gauche retrouve une acuité visuelle corrigée à 3/10e, un œil blanc, indolore, un segment antérieur normal avec ICP (implant de chambre postérieur) en place, une tension intra oculaire à 17 mm Hg.

L'examen du fond d'œil et l'OCT (tomographie Cohérence Optique) maculaire sont présentés ci dessous :

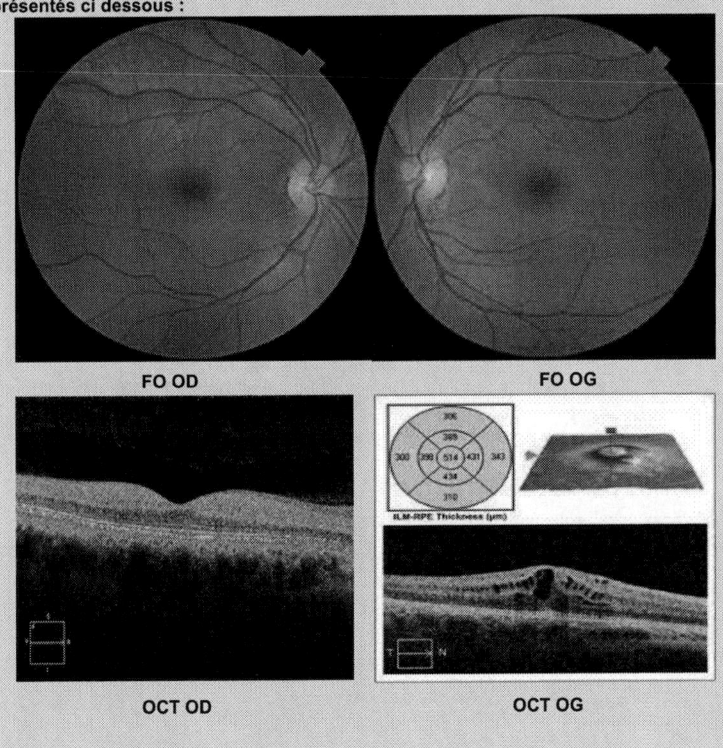

10/ Quel est votre diagnostic ophtalmologique ?

Corrigé

PREMIERE LECTURE

Difficulté du dossier : 2/3

Dossier classique : crise de glaucome aigu sur cataracte mûre.
A classer en 2eme position parmi les 3 dossiers de l'épreuve.

GRILLE DE CORRECTION

1	Citez les 2 examens que vous allez effectuer pour calculer la puissance de l'implant.	Grille classique	Grille ECN
•	Kératométrie	2	2
•	Longueur axiale (échographie en mode A)	2	2
		4 PLUS DE 2 REPONSES = ZERO	

2	Donnez les 3 diagnostics ophtalmologiques que vous devez évoquer avant tout examen clinique.	Grille classique	Grille ECN
•	Kératite aigüe/ ulcère cornéen	5	5
•	Uvéite antérieure aigüe	5	5
•	GAFA / glaucome aigu par fermeture de l'angle	5	5
		15 PLUS DE 3 REPONSES = ZERO	

3	Quelle est votre diagnostic ? Justifiez-le à partir de 3 éléments issus de l'examen du segment antérieur.	Grille classique	Grille ECN
	• GAFA / glaucome aigu par fermeture de l'angle	8	10
	• De l'oeil gauche	2	-
	Justification :	-	-
	• Cercle périkératique / oeil rouge	3	3
	• Œdème cornéen	3	3
	• Semi-mydriase	3	3
		19 PLUS DE 3 ELEMENTS JUSTIFICATIFS = ZERO	

4	Citez 2 facteurs prédisposant à ce tableau clinique présents dans l'observation.	Grille classique	Grille ECN
	• Cataracte	2	3
	- Mûre	1	-
	• Tricycliques / amitryptiline / médicament à effet anti cholinergique	3	3
		6 PLUS DE 2 REPONSES = ZERO	

5	Interprétez-le.	Grille classique	Grille ECN
	• Torsade de pointes	4	5
	• Déclenchée par un phénomène R sur T	1	-
		5	

6	Quelle est votre prise en charge en urgence ?	Grille classique	Grille ECN
	• Urgence médicale	-	-
	• **ARRET DU DIAMOX / ACETAZOLAMIDE +++**	2	3
	• Mise en conditions :	-	-
	- Scope cardiotensionnel	1	-
	- Oxygénothérapie	-	-
	- Voie veineuse périphérique :	1	2
	o **Sulfate de magnésium IV**	2	3
	o **Supplémentation potassique** IV diluée dans du G5 ou NaCl 0,9%	2	3
	o **Isoprénaline** (ISUPREL®) IV	2	3
	▪ Pour accélérer la fréquence cardiaque	-	-

	Grille classique	Grille ECN
o Voire SEES (sonde entrainement électro systolique) si besoin	2	-
• Surveillance : efficacité / tolérance :	2	2
- Clinique : constantes (FC, TA....), ECG	1	-
- Paraclinique : Kaliémie...	1	-
	16 SI OUBLI ARRET DIAMOX = moins 5 POINTS	

7 **Interprétez-le.**	Grille classique	Grille ECN
• Ondes T plates	2	2
• Onde U	2	2
• Sous décalage du segment ST	2	2
• QT long	2	2
• Signes diffus	2	2
• => Hypokaliémie	-	-
	10	

8 **Comment expliquez-vous la survenue d'un tel tableau clinique ? Quelle mesure préventive aurait permis d'éviter cela ?**	Grille classique	Grille ECN
• Hypokaliémie	5	5
• Iatrogéne / médicamenteuse	2	-
• Due à l'acétazolamide / DIAMOX®	3	5
• Prévention : Supplémentation potassique / Diffu K® associé au DIAMOX®	5	5
	15 PLUS D'1 MESURE PREVENTIVE = ZERO	

9 **Quel geste ophtalmologique préventif indispensable devez-vous réaliser avant la sortie du patient ?**	Grille classique	Grille ECN
• Iridotomie	2	3
• Bilatérale	2	2
• Au laser YAG	1	-
	5	

10	**Quel est votre diagnostic ophtalmologique ?**	**Grille classique**	**Grille ECN**
•	Œdème maculaire cystoïde / syndrome d'IRVINE GASS	**3**	**5**
•	Post opératoire	**1**	**-**
•	De l'oeil gauche	**1**	**-**
		5	

COMMENTAIRES

Questions	Commentaires
Général	• 29 MOTS CLES : à l'ECN, on va à l'essentiel !!! • Dossier assez classique. Pas de pièges.
1	• La biométrie oculaire comprend la kératométrie et la longueur axiale de l'œil. • Kératométrie = calcul de la puissance réfractive de la cornée. • La mesure de la longueur axiale de l'oeil s'effectue avec l'échographie en mode A.
2	• OD devant BAV + oeil rouge + douleur => kératite ou ulcère cornéen (le + fréquent), uvéite antérieure, GAFA, endophtalmie. • Ici, non à l'endophtalmie car pas de contexte chirurgical. L'endophtalmie endogène est exceptionnelle (toxico, patient de réanimation multi infecté avec candidosémie...).
3	• Tout oeil rouge douloureux avec BAV et hypertonie oculaire n'est pas forcément un GAFA. Il peut aussi s'agir d'uvéites antérieures aigues compliquées d'hypertonie oculaire (uvéites dites hypertensives, dont la 1ere cause est l'herpes +++). Mais bon, c'est peut être un peu trop poussé pour l'ECN.
4	• En pratique, les 2 principaux facteurs de risque de GAFA sont l'hypermétropie / un angle irido cornéen trop étroit et la cataracte mûre. • En effet, avec l'âge, le cristallin s'opacifie (cataracte) et grossit. Ce dernier va donc venir pousser vers l'avant et provoquer un **blocage pupillaire** (mot clé) ce qui va déclencher le glaucome aigu.
5	• Les torsades de pointes sont souvent déclenchées par un phénomène R sur T (un QRS tombe sur l'onde T de repolarisation).
6	• Le principe de prise en charge d une torsade de pointes est d'accélérer la FC et de compenser une éventuelle / probable hypokaliémie.
7	• Vous savez que c'est une hypokaliémie donc vous écrivez tous les signes que vous connaissez sans chercher à comprendre. Regardez quand même l'ECG...On peut avoir des surprises.
8	• Effet secondaire classique du DIAMOX®. Le DIAMOX® se prescrit toujours avec du Diffu K.
9 et 10	• L'iridotomie préventive se fait TOUJOURS sur l'oeil adelphe. Elle s'effectue immédiatement sur l'oeil adelphe et se fait dès résorption de l'œdème de cornée sur l'oeil glaucomateux. • Le syndrome d'IRVINE GASS est **fréquent** et largement sous estimé. Il correspond à un œdème maculaire inflammatoire difficilement visible au FO mais évident à l'OCT (logettes cystoïdes intra rétiniennes +/- décollement séreux rétinien). Il survient dans les semaines qui suivent la chirurgie, classiquement entre la 6e et la 12e semaine. Son traitement associe des gouttes AINS et de l'acétazolamide à faibles doses voire une corticothérapie locale. L'évolution est en général favorable.

ITEMS ABORDEES

Items	Intitulés
58	• Cataracte
212	• Œil rouge et/ou douloureux
219	• Troubles hydro-électrolytiques
309	• Electrocardiogramme

Dossier thématique transversal 3

Enoncé

Mr Zombaye, 35 ans, se présente aux urgences ophtalmologiques de votre hôpital pour un oeil droit rouge, douloureux, larmoyant, photophobe suite à l'utilisation de sa disqueuse. Ce patient, ferrailleur, n'a comme antécédent qu'une tendance à l'hypertension artérielle constatée l'an passé par le médecin du travail et un asthme nécessitant parfois des bouffées de salbutamol. Il n'a pas d'allergies ni de traitement au long cours.

L'examen ophtalmologique est le suivant :

- **Auto réfractométrie :**
  OD : -2 (-0,75, 105°)
  OG : -1,50 (-0,50, 100°)
- **Acuité visuelle corrigée :**
  OD : 10/10e
  OG : 10/10e
- **L'examen à la lampe à fente du segment antérieur de l'oeil droit est présenté ci dessous. La chambre antérieure est calme et profonde, le cristallin clair, le reflexe photomoteur normal.**

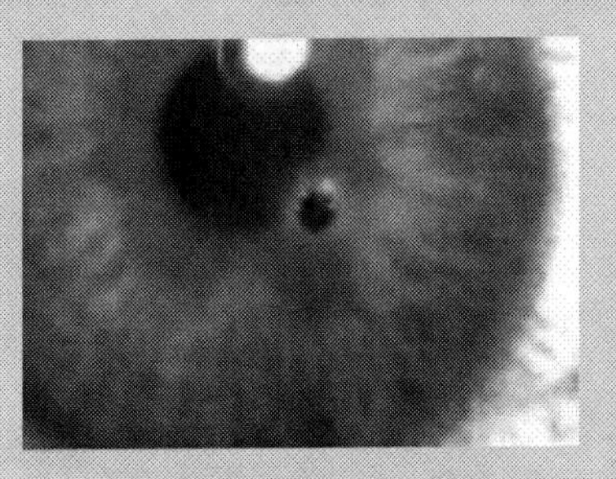

- **La pression intra oculaire (PIO) par aplanation est : 28 mm Hg (OD) / 31 mm Hg (OG).**
- **Le fond d'oeil non dilaté est présenté ci dessous :**

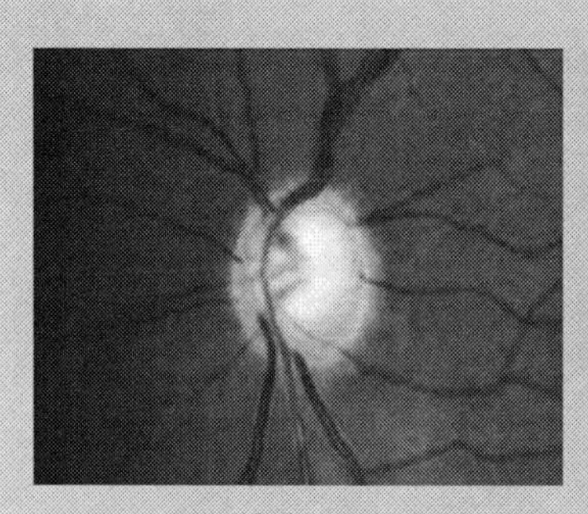

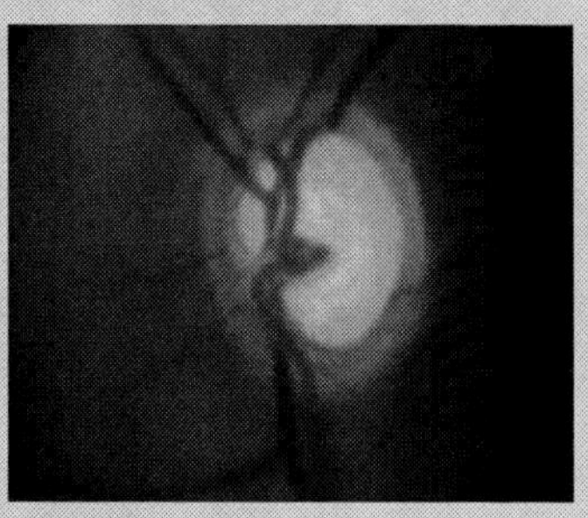

FO OD FO OG

1/ Quel diagnostic posez-vous concernant son oeil droit douloureux ?
2/ Comment interprétez-vous les valeurs de l'auto-réfractomètre de son oeil gauche ?
3/ Donnez 2 autres anomalies cliniques présentes dans cette observation.

La prise en charge de l'épisode aigu est efficace. Vous reconvoquez le patient 1 semaine plus tard pour lui faire réaliser l'examen suivant :

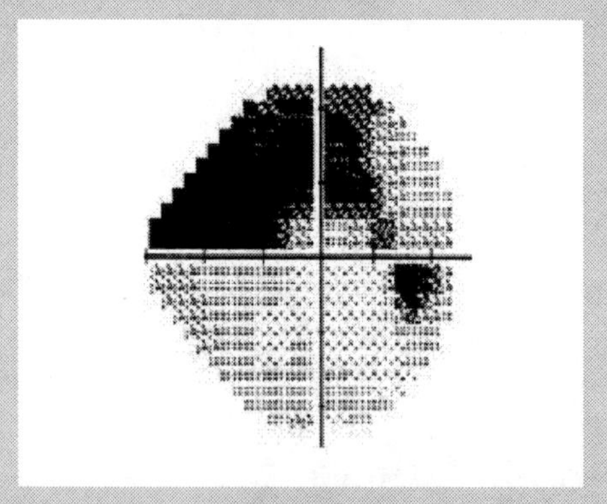

OEIL DROIT (OEIL GAUCHE IDENTIQUE)

4/ Quel est cet examen ? Quelle en est votre interprétation ?
5/ Quel diagnostic suspectez-vous ? Dans ce contexte, quel élément clé de l'examen clinique ophtalmologique est manquant dans cette observation ?
6/ Donnez 4 facteurs de risque de cette pathologie présents dans cette observation.
7/ Quelle est votre prise en charge de 1ere intention de cette pathologie, hors surveillance ?
8/ Quelle surveillance instaurez-vous ?

Lors du contrôle à 3 mois, le patient va bien. L'examen ophtalmologique est inchangé par rapport à la dernière fois. Vous réalisez à nouveau l'examen suivant :

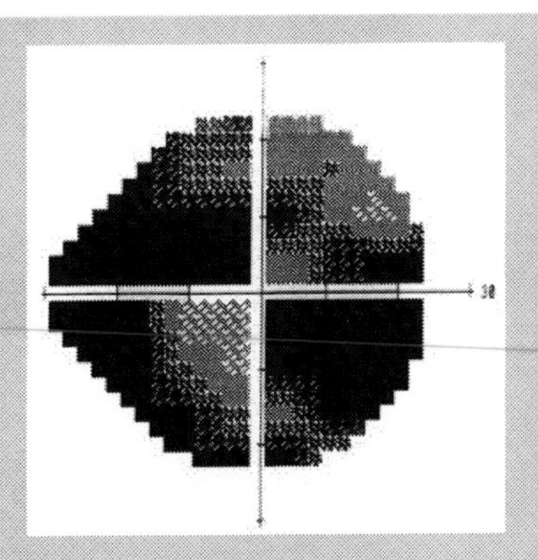

OEIL DROIT (OEIL GAUCHE IDENTIQUE)

9/ Quelle question devez vous obligatoirement poser à votre patient ? (1 seule réponse)

10/ Donnez les grandes lignes de votre prise en charge de 2eme puis de 3eme intention.

Notes personnelles

Corrigé

PREMIERE LECTURE

Difficulté du dossier : 3/3

Difficile car dossier long donc risque de perdre du temps. Sinon, très classique.
A classer en 3e position parmi les 3 dossiers de l'épreuve.

GRILLE DE CORRECTION

1	Quel diagnostic posez-vous concernant son oeil droit douloureux ?	Grille classique	Grille ECN
•	Kératite aigüe	2	3
•	Sur corps étranger (CE)	2	3
•	Cornéen	1	2
•	Superficiel	1	-
•	Métallique	1	-
•	De l'oeil droit	1	-
•	Dans le cadre d'un accident du travail	-	-
		8	

2	Comment interprétez-vous les valeurs de l'auto-réfractomètre de son oeil gauche ?	Grille classique	Grille ECN
•	Myopie de -1,50 dioptries	2	2
•	Astigmatisme de -0,50 dioptries	2	2
	- A 100°	1	1
		5	

3	Donnez 2 autres anomalies cliniques présentes dans cette observation.	Grille classique	Grille ECN
•	Hypertonie oculaire :	2	4
	- Car PIO > 21 mm Hg	2	-
•	Excavation papillaire :	2	4
	- Car rapport Cup / Disc > 0,3 (ou > 0,5 selon les auteurs)	2	-
		8 SI PLUS DE 2 REPONSES = ZERO	

4	Quel est cet examen ? Quelle en est votre interprétation ?	Grille classique	Grille ECN
	Examen :	-	-
	• Champ visuel / périmétrie	2	3
	• Statique	2	2
	• De Humphrey	1	-
	Interprétation :	-	-
	• Scotome	3	3
	• Arciforme de Bjerrum	2	2
		10 CHAMP VISUEL DE GOLDMAN = MOINS 5 POINTS	

5	Quel diagnostic suspectez-vous ? Quel élément clé de l'examen clinique ophtalmologique est manquant dans cette observation ?	Grille classique	Grille ECN
	• Glaucome Primitif à Angle Ouvert (GPAO)	3	5
	• Chronique	-	-
	• Bilatéral	2	-
	• Elément manquant = Gonioscopie / étude de l'angle irido cornéen	5	5
		10	

6	Donnez 4 facteurs de risque de cette pathologie présents dans cette observation.	Grille classique	Grille ECN
	• Hypertonie oculaire +++ **OUBLI = ZERO A LA QUESTION**	2	2
	• Origine africaine / mélanoderme	2	2
	• Myopie	2	2
	• Hypertension artérielle	2	2
		8 PLUS DE 4 REPONSES = ZERO	

7	Quelle est votre prise en charge de 1ere intention de cette pathologie, hors surveillance ?	Grille classique	Grille ECN
•	Ambulatoire	-	-
•	Traitement médical :	1	-
	- A vie	1	2
	- Hypotonisant / baisse de la PIO	2	2
	- Dans les 2 yeux	2	2
	- Gouttes / traitement local :	2	4
	- En 1ere intention : analogues des prostaglandines	3	3
	- Exemple : TRAVATAN® ou XALATAN®	-	-
	- 1 / jour le soir	-	-
	- Autres classes acceptées : analogues des prostamides, inhibiteurs de l'anhydrase carbonique, alpha 2 adrénergiques	-	-
	SI PRESCIPTION BETA BLOQUANT = ZERO A LA QUESTION +++		
•	Traitement de l'hypertension artérielle	2	2
•	Information du patient	2	2
•	Education thérapeutique +++ / observance	2	2
		19	

8	Quelle surveillance instaurez-vous ?	Grille classique	Grille ECN
•	A vie	2	2
•	Efficacité :	1	2
	- Acuité visuelle	1	-
	- Pression intra oculaire (PIO)	2	2
	- Fond d'oeil / excavation papillaire	2	2
	- Champ visuel	2	2
	- HRT ou papillemétrie à l'OCT (un peu hors programme)	-	-
•	Tolérance	2	2
	- Locale : hyperhémie conjonctivale, pousse des cils et coloration des paupières et de l'iris avec les analogues des prostaglandines par exemple	-	-
	- Systémique (asthénie, palpitations...)	-	-
•	Observance ++	2	2
		14	

9	Quelle question devez-vous obligatoirement poser à votre patient ? (1 seule réponse)	Grille classique	Grille ECN
•	Prenez vous bien votre traitement / observance ?	5	5
		5	

10	Donnez les grandes lignes de votre prise en charge de 2eme puis de 3eme intention.	Grille classique	Grille ECN
•	En 2e intention :	-	-
	- Bithérapie / association de collyres	1	2
	- Voire trithérapie	1	2
	- Trabéculoplastie (au laser argon ou SLT)	1	1
	- Hypotonisant systémique / acétazolamide (DIAMOX®) per os (+ Diffu K®)	1	-
•	En 3e intention :	-	-
	- Chirurgie filtrante	2	4
	- Trabéculectomie	2	2
	- Ou sclérectomie profonde non perforante	2	2
	- +/- Anti mitotiques associés	2	-
		13	

COMMENTAIRES

Questions	Commentaires
Général	• 40 MOTS CLES = dossier long. • Dossier classique de glaucome primitif chronique à angle ouvert (GPAO). Le GPAO est déjà tombé (a fait des dégâts) et retombera !!!
1	• Les corps étrangers cornéens superficiels sont EXTREMEMENT fréquents ++++ (on en voit tous les jours donc ca peut tomber !!!!). • Pensez aux corps étrangers vicieux qui vont sous la paupière supérieure et qui, à chaque clignement palpébral, vont frotter et rayer la cornée et provoquer une kératite à la partie SUPERIEURE de la cornée (prise de fluorescéine linéaire verticale). • Traitement des corps étrangers cornéens : exérèse à l' aiguille (facile) puis grattage à l' aiguille de la « rouille » (parfois plus difficile) puis traitement local par antiseptiques ou antibiotiques + cicatrisants cornéens pendant 7 jours +/- déclaration accident du travail.
2	• Rappel : anomalies sphériques = myopie ou hypermétropie. Anomalies cylindriques = astigmatisme. • Quand on est myope on est « - » et on corrige avec des verres sphériques concaves. Quand on est hypermétrope on est « + » et on corrige avec des verres sphériques convexes.
3	• La découverte d'un glaucome est souvent fortuite lors d'un examen ophtalmologique systématique ou pour une autre cause. • Ne pas oublier de dépister les parentés de 1er degré d'un patient de 50 ans chez qui on découvre un glaucome.
4	• Il existe 2 types de champ visuel : statique (humphrey et octopus pour les 2 principaux) et cinétique (Goldman). • Les 2 statiques sont utilisés pour le glaucome. Le Goldman pour les pathologies neurologiques (adénomes hypophysaires). • Cependant, aujourd'hui, la périmétrie statique tend à devenir l'examen de référence même en neuro ophtalmologie (tumeurs cérébrales...). Le Goldman garde quand même un intérêt chez les patients peu compliants par exemple. • Le scotome arciforme de Bjerrum correspond à un scotome partant de la tâche aveugle (nerf optique), contournant le point de fixation (= macula = centre de la croix) et se dirigeant en nasal. Le scotome arciforme et le ressaut nasal sont les 2 premières anomalies du champ visuel dans le glaucome. • Le glaucome touche le champ visuel périphérique et épargne très longtemps la vision centrale (la macula). Donc, on peut avoir des glaucomes terminaux avec acuité visuelle à 10/10e P2 mais avec un handicap massif (plus de champ visuel périphérique => vision dite tubulaire ou en canon de fusil).
5	• Glaucome chronique = tétrade = hypertonie / excavation papillaire / déficits du champ visuel / angle ouvert. L'ouverture de l'angle se voit avec la gonioscopie (c'est un des verres du V3M). Cela permet d'éliminer les glaucomes chroniques secondaires à une fermeture de l'angle (hors programme).
6	• L'hypertonie oculaire est le facteur de risque MAJEUR de GPAO. Il existe aussi des glaucomes à pression normale (mais un peu hors programme).
7	• En général, béta bloquant et analogues prostaglandines en 1ere intention. • N'oubliez pas les contre indications des betas bloquants ++++ (ASTHME+++).

	• N'oubliez pas non plus la prise en charge des FDRCV (permet de lutter contre l'ischémie du nerf optique). • L'éducation thérapeutique, comme toute maladie chronique, est CAPITALE +++ d' autant que le glaucome est asymptomatique quasiment jusqu' au stade terminal !! (intérêt de montrer au patient les altérations de son champ visuel pour qu'il comprenne l'enjeu du traitement).
8	• Rythme de surveillance : tous les 3 mois si instable. Tous les 6 mois si moyennement équilibré ou GPAO avancé, tous les ans si bien équilibré et GPAO peu avancé.
9 et 10	• Devant toute aggravation, il faut toujours évoquer la malobservance avant de remettre en cause l'efficacité du traitement. • Le DIAMOX® est une solution transitoire car trop d'effets secondaires. Il permet de contrôler la tension en attendant une chirurgie filtrante. (le mot filtrante est un mot clé).

ITEMS ABORDEES

Items	Intitulés
201	• Traumatisme oculaire
287	• Trouble de la réfraction
240	• Glaucome chronique

Dossier thématique transversal 4

Enoncé

Une patiente de 27 ans, d'origine africaine, se présente aux urgences de votre hôpital pour un oeil droit rouge et douloureux évoluant depuis 3 jours, ne s'améliorant pas malgré le traitement local par gouttes prescrit par son pharmacien associant du dacryosérum® (sérum physiologique) et du vitabact® (antiseptique).
La patiente n'a aucun antécédent connu. Elle se plaint néanmoins d'une fatigue généralisée depuis environ 6 mois, de douleurs abdominales diffuses, de diarrhées profuses jusqu' à 6 fois par jour et parfois de sang rouge vif dans les selles.
Elle ne prend aucun traitement, n'a pas d'allergie et séjourne en France depuis 1 an environ.
L'infirmière d'accueil relève les constantes suivantes : TA = 110/70 mm Hg, FC = 90/min, FR = 16/min, T° = 37,5°, taille = 1,80 m, poids = 52 kg.
L'examen ophtalmologique est le suivant :

- **Oculomotricité normale.**
- **Acuité visuelle avec correction :**
  OD : 5/10° P5
  OG : 10/10° P2

1/ Donnez 3 diagnostics ophtalmologiques compatibles avec ce tableau clinique.

L'examen du tonus oculaire retrouve : 10 mm Hg (OD) et 14 mm Hg (OG). L'analyse du segment antérieur droit à la lampe à fente retrouve une cornée claire sans prise de fluorescéine. Une photographie est prise :

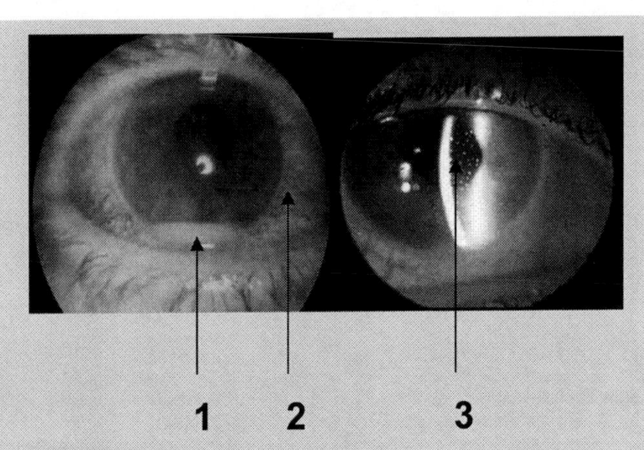

2/ Légendez les anomalies fléchées. Quel diagnostic retenez-vous ?

3/ Quel élément de l'examen clinique ophtalmologique est manquant. Pourquoi est-il important ?

4/ Quel traitement ophtalmologique proposez-vous ?

5/ Citez les 2 étiologies sous jacentes les plus probables chez cette patiente.

Sept jours plus tard, vous revoyez votre patiente en consultation de contrôle. Elle va beaucoup mieux. L'examen ophtalmologique est le suivant :

- **Acuité visuelle corrigée :**
  OD : 10/10e P2
  OG : 10/10e P2
- **Pression intra oculaire par aplanation : 27 mm Hg (OD) / 15 mm Hg (OG).**
- **L'examen du segment antérieur de l'oeil droit est le suivant :**

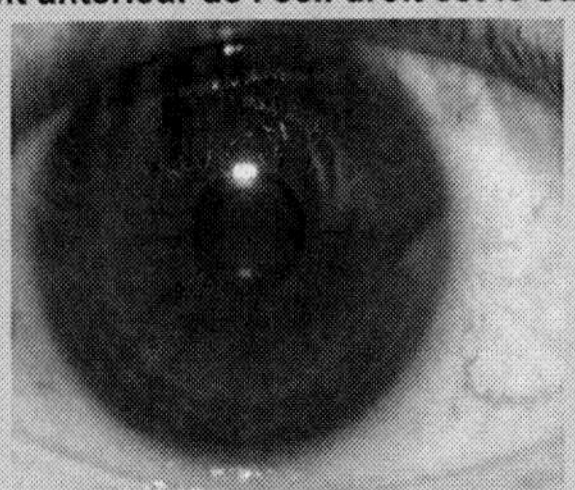

6/ Quelle anomalie constatez-vous ? Comment l'expliquez-vous ?

La patiente vous tend les résultats des principaux examens paracliniques que vous avez demandés.
Hb = 9,2 g/dl, VGM = 67µ3, CCMH = 28%, plaquettes = 230 000 / mm3, GB = 7 000 / mm3, Na = 137 mmol/L, K+ = 3,6 mmol/l, Cl = 98 mmol/l, glycémie = 1,02 g/l, TP = 52%, TCA = 62 s (témoin = 30 s), creatinine = 70 µmol/L, urée = 4,5 mmol/L, protidémie = 58

g/l, albumine = 40 g/l, ASAT = 32 U/L, ALAT = 31 U/L, VS = 10 / 23, CRP = 4 ng/ml, calcémie = 1,90 mmol/L.

7/ Quelles anomalies relevez-vous ? Expliquez-les.

Vous réalisez l'examen suivant :

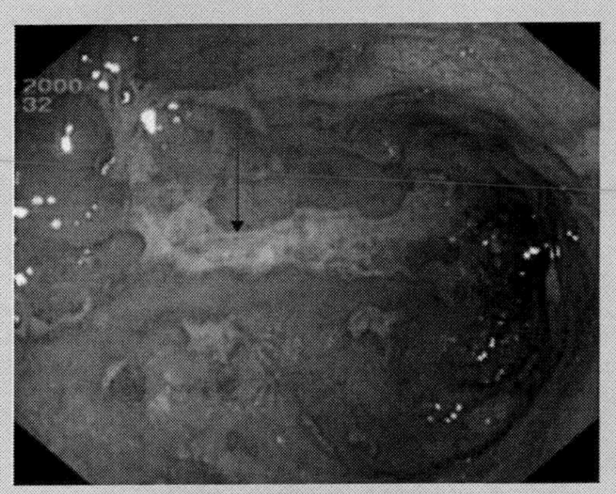

8/ Interprétez-le. Quel diagnostic suspectez-vous ? Comment le confirmez-vous ?

Le diagnostic suspecté est confirmé. Vous débutez un traitement adapté. Malheureusement, la patiente ne se présente pas aux consultations de suivi et vous la perdez de vue.
Elle revient cependant ce dimanche aux urgences ophtalmologiques pour une rougeur et une douleur importante de l'oeil droit depuis 48H.
L'examen ophtalmologique est le suivant :

- Acuité visuelle corrigée :
  OD : $10/10^e$ P2
  OG : $10/10^e$ P2
- Pression intra oculaire = 16 mm Hg aux 2 yeux.
- L'examen du segment antérieur retrouve une cornée claire sans prise de fluorescéine, une chambre antérieure calme et profonde, un reflexe photomoteur normal, un cristallin clair. Une photographie du segment antérieur, après administration de néosynéphrine, vous est présentée :

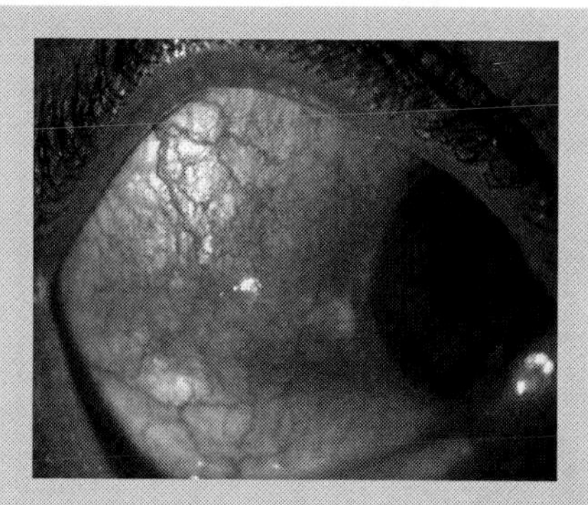

9/ Quel diagnostic retenez-vous ?

Lors de l'examen, vous constatez que la patiente peine à s'assoir sur le fauteuil de consultation en raison de douleurs anales évoluant depuis 1 semaine environ. Vous l'adressez alors à votre collègue gastro entérologue d'astreinte dont l'examen, attentif, est le suivant :

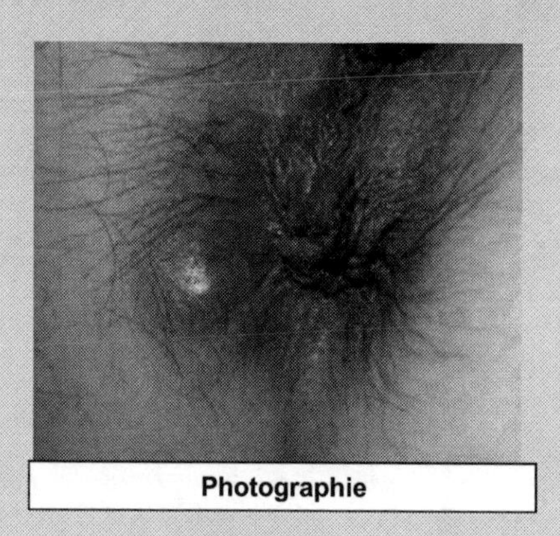

Photographie

10/ Quel diagnostic posez-vous ?

Corrigé

PREMIERE LECTURE

Difficulté du dossier : 3/3

Dossier long mais classique d'uvéite.

A classer en 3e position parmi les 3 dossiers de l'épreuve.

GRILLE DE CORRECTION

1	Donnez 3 diagnostics ophtalmologiques compatibles avec ce tableau clinique.	Grille classique	Grille ECN
•	Uvéite antérieure aigüe	3	3
•	Kératite aigüe	3	3
•	GAFA / glaucome aigu par fermeture de l'angle	3	3
		9 PLUS DE 3 REPONSES = ZERO A LA QUESTION	

2	Légendez les anomalies fléchées. Quel diagnostic retenez-vous ?	Grille classique	Grille ECN
•	1 = Hypopion	2	2
•	2 = Cercle périkératique	2	2
•	3 = Précipités rétro descemétiques ou rétro cornéens	2	2
•	Diagnostic :	-	-
-	Uvéite	2	4
-	Antérieure	2	2
-	Aigüe	2	-
-	De l'oeil droit	2	-
		12	

3	Quel élément de l'examen clinique ophtalmologique est manquant ? Pourquoi est-il important ?	Grille classique	Grille ECN
•	Fond d'œil	2	4
•	Car :	-	-
•	Recherche systématique de signes d'uvéite postérieure (pan uvéite)	2	2
•	Modifie le traitement (voie locale et systémique)	2	2
•	Et permet une orientation étiologique	2	-
		8	

4	Quel traitement ophtalmologique proposez-vous ?	Grille classique	Grille ECN
•	Traitement ambulatoire	1	2
•	Traitement local / collyres	1	2
•	Dans l'oeil droit :	1	-
•	Corticothérapie :	3	3
	- Dexaméthasone (DEXAFREE®)	-	-
	- Une goutte par heure 48H (pommade corticoïde la nuit)	-	-
	- **Décroissance** progressive	2	2
	- Sur plusieurs semaines	-	-
	- Pour éviter l'effet rebond	1	-
	- Voie sous conjonctivale si uvéite sévère ou résistante aux gouttes	-	-
•	Mydriatiques :	3	3
	- Atropine	2	2
	- 1 goutte x 2/jour	-	-
	- Effet antalgique et évite la survenue de synéchies irido-cristalliniennes	1	-
•	Surveillance clinique (à 48H et J7)	1	2
•	Information / éducation de la patiente	1	-
		16	

5	Citez les 2 étiologies sous jacentes les plus probables chez cette patiente.	Grille classique	Grille ECN
•	Maladie de Crohn / MICI	4	4
•	Tuberculose	2	4
	- Intestinale	2	-
		8 SI PLUS DE 2 REPONSES = ZERO	

6	Quelle anomalie constatez-vous ? Comment l'expliquez-vous ?	Grille classique	Grille ECN
	• Hypertonie oculaire :	2	4
	- Car PIO > 21 mm Hg	-	-
	• De l'oeil droit	2	-
	• Iatrogène	-	-
	• Due aux corticoïdes locaux	2	2
		6	

7	Quelles anomalies relevez-vous ? Expliquez-les.	Grille classique	Grille ECN
	• Anémie :	2	2
	- Microcytaire	1	2
	- Hypochrome	1	-
	- Par carence martiale	2	2
	• Hypocoagulabilité / TP diminué et TCA augmenté :	2	2
	- Par carence en vitamine K	2	2
	• Hypocalcémie :	1	2
	- Vraie (après correction : 2,10 mmol/l)	1	-
	- Par carence en vitamine D	2	2
	• Explications :	-	-
	- Syndrome de malabsorption	2	4
	- Responsable d'un syndrome carentiel	2	-
		18	

8	Interprétez-le. Quel diagnostic suspectez-vous ? Comment le confirmez-vous?	Grille classique	Grille ECN
	• Iléocoloscopie	2	3
	• Ulcération	1	3
	- Aphtoide	1	-
	- En carte de géographie	1	-
	• Diagnostic : maladie de Crohn / MICI	2	3
	• Confirmation : Biopsies	2	3
	- Coliques	1	-
	- Multiples	1	-
	- En zones macroscopiquement saines et pathologiques	1	-
	- Envoi en anatomopathologie	2	3
	- Recherche de granulome sans nécrose caséeuse centrale (=> MICI)	1	-
		15	

9	Quel diagnostic retenez-vous ?	Grille classique	Grille ECN
	• Sclérite	3	4
	• Oeil droit	1	-
		4	

10	Quel diagnostic retenez-vous ?	Grille classique	Grille ECN
	• Abcès	3	4
	• Anal	1	-
		4	

COMMENTAIRES

Questions	Commentaires
Général	• 37 MOTS CLES. • Les uvéites sont très probables aux ECN car leurs étiologies sont multiples donc elles se prêtent à la transversalité.
1	• GAFA peu probable car acuité visuelle trop bonne. • Endophtalmie non car pas de contexte post opératoire.
2	• Cercle périkératique = rougeur péri limbique = signe une atteinte grave du segment antérieur. • Précipités rétro-descemétiques = points blancs en arrière de la cornée. • Tyndall = cellules inflammatoires en suspension dans la cambre antérieure. Difficile à prendre en photo pour les ECN... • Hypopion = sédimentation de cellules inflammatoires en chambre antérieure. • Synéchies irido cristalliniennes = adhérence post inflammatoire entre la face postérieure de l'iris et la face antérieure du cristallin => déformation pupillaire. • Synéchies irido cornéennes (plus rare) : entre la face antérieure de l'iris et la face postérieure de la cornée. Si synéchie étendue, risque de fermeture de l'angle et d'hypertonie aigue.
3	• En cas d'association uveite antérieure et postérieure, on parle de pan uveite.
4	• Traitement classique d'une uveite antérieure. • Les AINS locaux sont plutôt utilisés dans le traitement des épisclérites et des sclérites. • En cas d'uvéite postérieure, il faut rajouter une corticothérapie systémique, APRES avoir éliminé une cause infectieuse.
5	• Crohn devant les signes digestifs chez une femme jeune. • Tuberculose de principe car patiente africaine.
6	• On ne parle pas de glaucome à ce stade là, c'est juste une hypertonie. Glaucome = neuropathie optique (hypertonie oculaire et glaucome ne sont pas synonymes !!!!). D' ailleurs, toutes les hypertonies ne se compliquent pas de glaucome. On a un glaucome cortisonique en cas de prise chronique de corticoïdes (locaux ou systémiques). • Dans ce cas présent, on va diminuer la posologie et/ou ajouter un hypotonisant local. (n' importe quelle clase sauf les analogues des prostaglandines qui sont pro-inflammatoires)
7	• Classique biologie d'un syndrome de malabsorption (malabsorption des vitamines liposolubles ADEK...).
8	• Il faut faire **DES** biopsie**S** et envoyer le tout en anapath pour clairement différencier tuberculose et MICI.
9	• Devant un oeil rouge et douloureux sans BAV, il faut évoquer une épisclérite (peu douloureux) et une sclérite (TRES douloureux en général). Pour les différencier, on fait le test à la néosynéphrine qui est un vasoconstricteur. Si la rougeur disparaît il s'agit d'une épisclérite. Sinon, il s'agit d'une sclérite. Ici, la patiente a très mal et la rougeur persiste après la néosynéphrine donc c est une sclérite. • Sclérites et uvéites sont fréquentes dans les MICI.
10	• La RCH ne donne pas de lésions anales alors que la maladie de Crohn oui +++.

ITEMS ABORDEES

Items	Intitulés
212	• Oeil rouge et douloureux
118	• Maladie de Crohn et recto colite hémorragique

Dossier thématique transversal 5

Enoncé

Un patient de 73 ans consulte dans le service d'ophtalmologie de votre hôpital pour larmoiement de l'oeil gauche permanent, indolore, devenu très gênant, évoluant depuis maintenant 2 ans. Sa femme, qui l'accompagne dans tous ses déplacements, vous explique également qu'elle est de plus en plus gênée par la rougeur de son oeil gauche devenue particulièrement inesthétique.

Vous regardez votre patient :

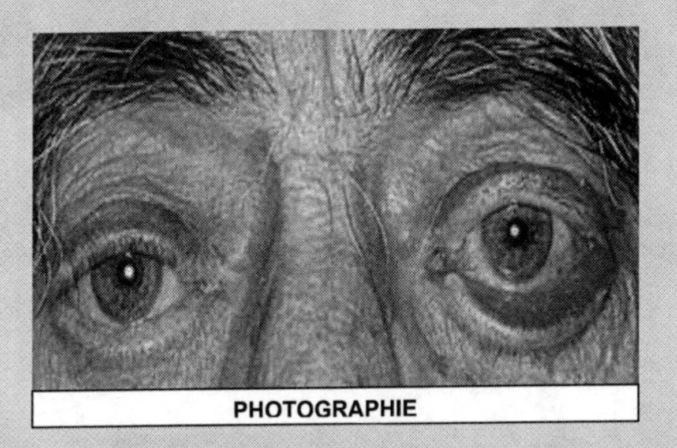

PHOTOGRAPHIE

1/ Quel diagnostic posez-vous concernant la paupière inférieure gauche de votre patient ?

2/ Comment expliquez-vous le larmoiement chronique (Epiphora) de votre patient ?

Vous poursuivez votre examen.

Les principaux antécédents du patient sont les suivants : hypertension artérielle, dyslipidémie, ACFA, démence débutante, hypertrophie bénigne de prostate, lombalgies chroniques, myopie depuis l'âge de 10 ans, constipation et insomnies.

Sa femme vous montre ses traitements : aténolol, bromazepam, rosuvastatine, previscan®, alfuzosine, kétoprofene.

Il n'a pas d'allergies connues.

3/ A quelles classes médicamenteuses appartiennent les molécules ci dessus ?

L'examen ophtalmologique est le suivant :

- Acuité visuelle corrigée
  OD : 6/10° P2
  OG : 4/10° P5
- Examen du segment antérieur : cataracte cortico-nucléaire bilatérale prédominante à gauche, reflexes photomoteurs normaux, chambre antérieure calme et profonde.
- Pression oculaire : 15 mm Hg (OD) / 16 mm Hg (OG).
- Le fond d'oeil dilaté est reproduit ci dessous :

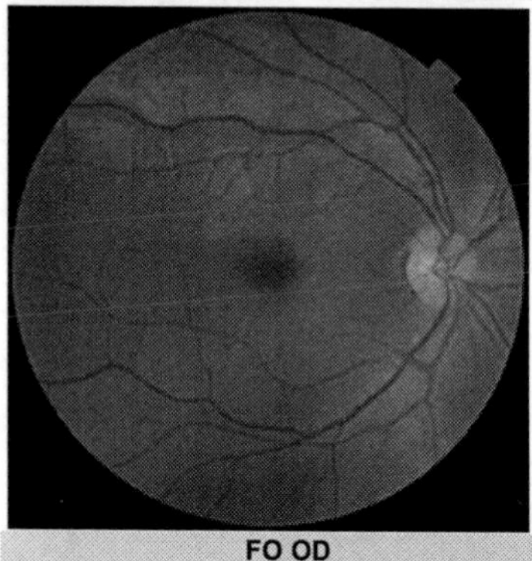

FO OD

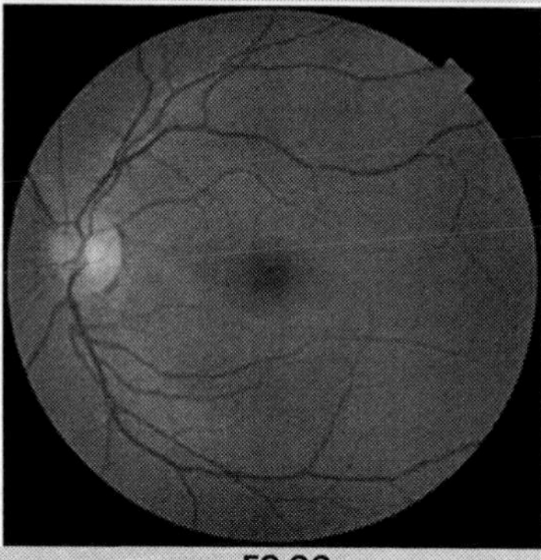

FO OG

4/ Comment interprétez-vous le fond d'oeil de ce patient ?

Après information et consentement du patient, vous décidez de l'opérer de sa cataracte de l'oeil gauche. Vous adressez le patient à un des anesthésistes de l'hôpital. Ce dernier effectue l'ECG suivant :

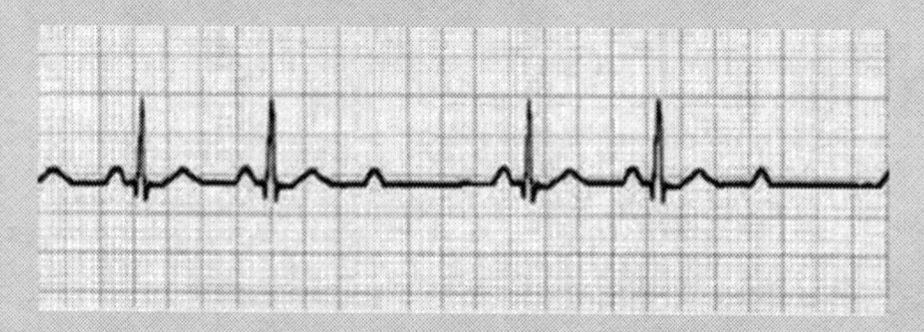

5/ Quelle anomalie constatez-vous ? Quelle modification médicamenteuse effectuez-vous immédiatement ?

Les résultats du bilan sanguin demandé par l'anesthésiste retrouvent notamment un INR à 4,5.

6/ Donnez 2 étiologies possibles expliquant ce surdosage.
7/ Quelle est votre prise en charge de ce surdosage ?

Finalement, le patient est opéré 2 mois plus tard. Les suites opératoires sont simples et l'acuité visuelle de l'oeil gauche à 1 mois est remontée à 10/10e P2.

5 ans plus tard, le patient se présente aux urgences ophtalmologiques pour une baisse d'acuité visuelle de l'oeil gauche, profonde indolore, rapidement progressive depuis 2 jours précédée d'éclairs lumineux intenses et de « mouches flottantes devant l'oeil gauche » depuis environ 1 semaine.

L'examen ophtalmologique est le suivant :

- Acuité visuelle avec correction :
  OD : 5/10e P3
  OG : 1/10e P14
- Segments antérieurs à la lampe à fente : cataracte cortico-nucléaire à droite, implant de chambre postérieur en place à gauche. Chambres antérieures calmes et profondes.
- Pression intra oculaire : 14 mm Hg (OD) / 8 mm Hg (OG).
- Le fond d'oeil dilaté de l'oeil gauche est le suivant :

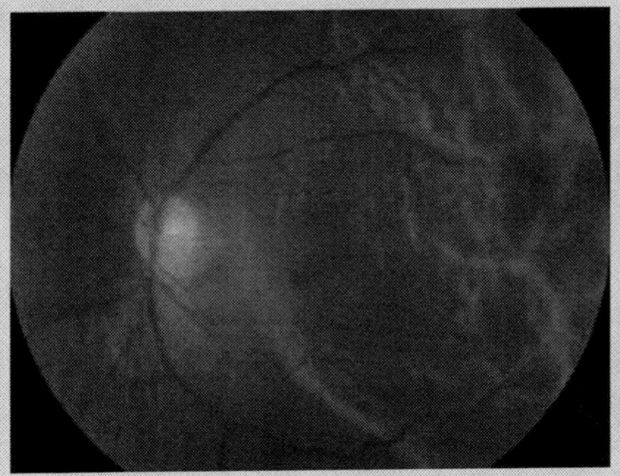

FO OG

8/ Quel est votre diagnostic ?

9/ Donnez 2 facteurs de risque de cette pathologie présents dans cette observation et le principal facteur de mauvais pronostic.

L'examen du fond d'oeil au V3M (verre 3 miroirs) de l'oeil adelphe (sain) est le suivant :

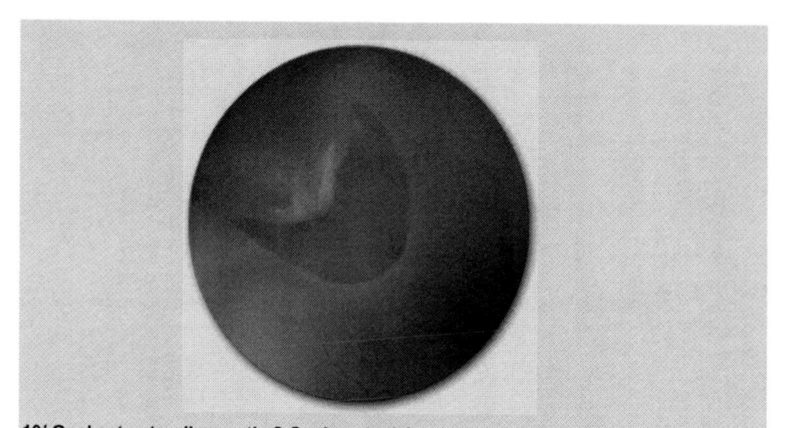

10/ Quel est votre diagnostic ? Quel geste thérapeutique préventif effectuez-vous rapidement ?

Corrigé

PREMIERE LECTURE

Difficulté du dossier : 2/3

Dossier sans piège particulier.
A classer en 2e position parmi les 3 dossiers de l'épreuve.

GRILLE DE CORRECTION

1	Quel diagnostic portez-vous immédiatement concernant la paupière inférieure gauche du patient ?	Grille classique	Grille ECN
•	Ectropion	10	10
•	De la paupière inférieure gauche	-	-
		10	

2	Comment expliquez-vous le larmoiement chronique (épiphora) de ce patient ?	Grille classique	Grille ECN
•	Décollement du point lacrymal	4	5
•	Inférieur gauche	1	-
		5	

3	A quelles classes médicamenteuses appartiennent les molécules ci dessus ?	Grille classique	Grille ECN
•	Aténolol = béta bloquant	2	2
•	Bromazepam = benzodiazépine	2	2
•	Rosuvastatine = statine / hypolipémiant	2	2
•	Previscan = AVK = anti vitamine K	2	2
•	Alfuzosine = alpha 1 bloquant	2	2
•	Kétoprofene = AINS / Anti inflammatoire non stéroïdien	2	2
		12	

4	Comment interprétez-vous le fond d'oeil de ce patient ?	Grille classique	Grille ECN
•	Normal	5	5
		5	

5	Quelle anomalie constatez-vous ? Quelle modification médicamenteuse effectuez-vous immédiatement ?	Grille classique	Grille ECN
•	Trouble de la conduction	2	-
•	BAV / bloc auriculo-ventriculaire	2	5
•	Type 2	2	2
•	Mobitz 2	2	2
	Conséquence :	-	-
•	Arrêt de l'aténolol / beta bloquant	2	5
•	Car dromotrope négatif	2	-
•	Remplacement par un autre anti hypertenseur (sauf inhibiteur calcique)	2	-
		14	

6	Donnez 2 étiologies possibles expliquant ce surdosage.	Grille classique	Grille ECN
•	Démence débutante / malobservance	6	6
•	Interaction médicamenteuse / iatrogénie / AINS / kétoprofene	6	6
		12	

7	Quelle est votre prise en charge de ce surdosage ?	Grille classique	Grille ECN
•	En ambulatoire	1	-
•	Pas de saut de prise d'AVK	2	2
•	Pas de vitamine K	1	2
•	Diminution posologie AVK	2	2
•	Surveillance / contrôle INR	2	2
•	Traitement étiologique : éviction de la cause du surdosage (arrêt AINS...)	2	2
•	Education thérapeutique (signes d'alerte : hémorragies, N° téléphone...surtout à sa femme)	2	2
		12	

8	Quel est votre diagnostic?	Grille classique	Grille ECN
	• Décollement de rétine	4	8
	• Temporal	2	2
	• Rhegmatogéne	2	2
	• De l'oeil gauche	2	-
	• Compliqué de décollement maculaire	2	-
		12	

9	Donnez 2 facteurs de risque de cette pathologie présents dans cette observation et le principal facteur de mauvais pronostic.	Grille classique	Grille ECN
	• Facteurs de risque :	-	-
	- Myopie	3	3
	- Chirurgie de la cataracte / pseudophaque	3	3
	• Facteurs de mauvais pronostic :	-	-
	- Décollement maculaire +++	4	4
		10 SI PLUS DE 2 et 1 REPONSES = ZERO	

10	Quel est votre diagnostic ? Quel geste thérapeutique préventif effectuez-vous rapidement ?	Grille classique	Grille ECN
	• Déchirure / déhiscence rétinienne	2	4
	• Périphérique	-	-
	• En fer à cheval	2	-
	• Geste : **photocoagulation**	2	4
	• Au laser ARGON	2	-
	• Autour de la déchirure	-	-
		8	

COMMENTAIRES

Questions	Commentaires
Général	• 29 MOTS CLES.
1	• Ectropion = fréquent +++ (donc tombable) = éversion de la paupière avec exposition de la conjonctive expliquant le rouge que l'on voit. • 3 types d'ectropion : involutionnel / sénile (le plus fréquent), paralytique (dans les PFP), cicatriciel (post brulure, post exérèse chirurgicale d'une tumeur de la paupière par exemple). • Le traitement est uniquement chirurgical (canthopexie externe principalement).
2	• Rappel : les larmes sont sécrétées par la glande lacrymale (partie supéro externe de l'orbite), recouvrent l'oeil, puis sont éliminées par les voies lacrymales. Les voies lacrymales débutent par les 2 points lacrymaux supérieurs et inférieurs situés à la partie interne du bord libre des paupières puis continuent par les canalicules, le sac lacrymal, le canal lacrymo-nasal puis se terminent dans le nez (quand on pleure on a le nez qui coule). Le point lacrymal inférieur draine 80% des larmes (du fait de la gravité). Un décollement de ce point lacrymal (par un ectropion dans la plupart des cas) entraine une stagnation des larmes au niveau de l'oeil, puis vont tomber par gravité sur la joue d'ou un larmoiement gênant.
3	• Question devenue classique à l ECN. Seules les DCI sont cotées et à connaitre.
4	• Oui, un FO peut être normal aux ECN.
5	• Les béta bloquants ralentissent la conduction auriculo ventriculaire (dromotrope négatif) et peuvent donc aggraver un trouble de la conduction.
6	• Il suffit de relire l'énoncé.
7	• Cf recommandation sur les AVK. Ici, la femme du patient est impliquée donc autorise une prise en charge ambulatoire. L'hospitalisation est discutable.
8	**<u>Rappel : 3 types de DR :</u>** • Rhegmatogéne : le plus fréquent et de loin : rhegmatogéne signifie que le DR survient sur une fragilité de la rétine (givre, palissades...) entrainant une déhiscence de la rétine (trou ou déchirure) lors d'un décollement postérieur du vitré. En gros, le vitré va se décoller de la rétine (myodesopsies) et « tirer » sur cette dernière (phosphène). Si cette traction survient sur une zone de fragilité alors il risque de se former une déchirure rétinienne. En cas de passage de liquide sous rétinien dans cette déchirure, il se produit un décollement de rétine. • Tractionnel : 1 seul à retenir : la rétinopathie diabétique proliférante => les néovaisseaux pré rétiniens vont tracter la rétine. • Exsudatif : dans les uvéites postérieures, les tumeurs de la rétine (mélanome choroïdien +++), les pré éclampsies, les DMLA exsudatives...
9 et 10	• Le décollement maculaire est le principal facteur de mauvais pronostic. En pratique, il est suspecté devant une importante baisse d'acuité visuelle. • Les autres facteurs de mauvais pronostic sont : l'ancienneté du DR, le grade de PVR (prolifération vitréo-rétinienne : hors programme), le nombre de déchirures et leur taille, la présence d'une hémorragie intra rétinienne associée... • Le but de la photocoagulation au laser ARGON autour de la déchirure est de créer une cicatrice chorio-rétinienne solide autour de la déchirure et donc d'empêcher le passage de liquide sous rétinien et donc d'éviter la survenue d'un DR. • Traitement de la déchirure = laser. • Traitement du DR = chirurgie uniquement. Très bon résultat anatomique (rétine

	recollée), résultat fonctionnel (acuité visuelle, champ visuel) plus aléatoire. • En cas de déchirure rétinienne compliquée de décollement rétinien (même minime) en regard, le laser sera inefficace : une prise en charge chirurgicale s'impose.

ITEMS ABORDEES

Items	Intitulés
58	• Cataracte
271	• Pathologie des paupières
293	• Altération de la fonction visuelle
182	• Accident des anticoagulants

Dossier thématique transversal 6

Enoncé

Une patiente de 82 ans se présente à votre consultation d'ophtalmologie hospitalière pour une baisse d'acuité visuelle de l'oeil gauche, progressive, évoluant depuis plusieurs années, totalement indolore.
Ses principaux antécédents sont une dépression, un tabagisme actif évalué à 30 paquets-années, une coxarthrose bilatérale invalidante, une ostéoporose, un cancer du sein guéri traité par chirurgie et radiothérapie, une cataracte bilatérale opérée il y a 5 ans à 15 jours d'intervalle et un antécédent familial de DMLA chez sa mère. Elle n'a pas d'allergies connues.
Ses traitements sont les suivants : paroxetine, paracétamol, vitamine D.
L'examen ophtalmologique est le suivant :

- **Acuité visuelle corrigée :**
  OD : 8/10e P2
  OG : 2/10e P8

1/ Donnez les 4 diagnostics ophtalmologiques les plus probables devant ce tableau clinique.

L'examen du segment antérieur gauche à la lampe à fente est présenté ci dessous :

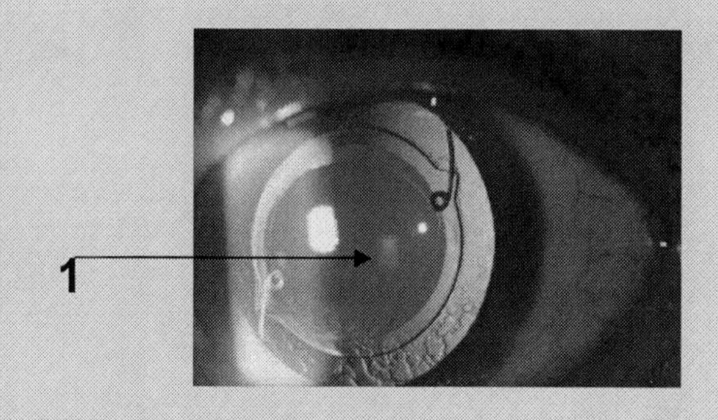

La pression intra oculaire par aplanation est de : 12 mm Hg (OD) / 13 mm Hg (OG).
L'examen des 2 fonds d'oeil dilatés sont présentés ci dessous :

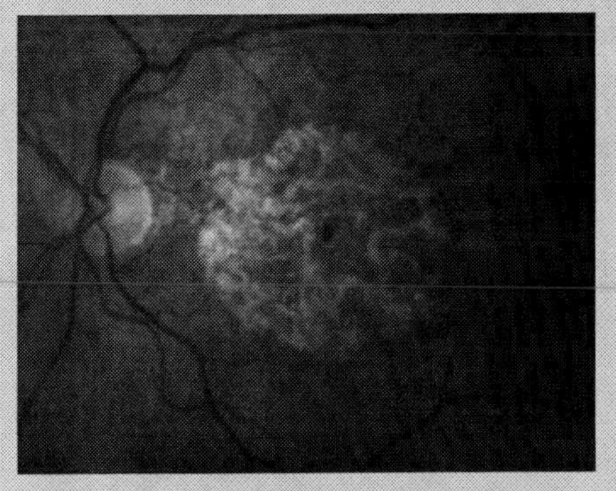

FO OG

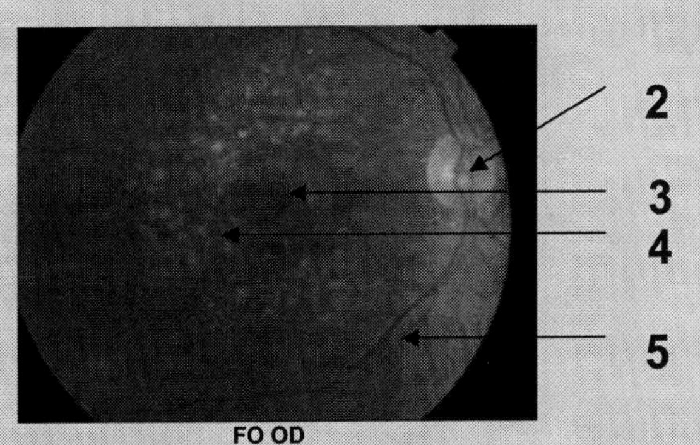

FO OD

2/ Légendez les éléments fléchés.
3/ Quel diagnostic portez-vous concernant son oeil gauche ?
4/ Donnez les 3 principaux facteurs de risque présents dans l'observation.

Vous effectuez une angiographie à la fluorescéine n'apportant aucun élément supplémentaire.

5/ Quelle est votre prise en charge, surveillance comprise ?

La patiente respecte vos recommandations. Quelques mois après sa dernière consultation, la patiente se présente aux urgences ophtalmologiques de votre hôpital pour une baisse d'acuité visuelle de son oeil droit survenue il y a 48 heures. Elle se plaint particulièrement d'une déformation des lignes droites de ses mots croisés.
L'examen ophtalmologique est le suivant :
- Acuité visuelle corrigée :

OD : 3/10e P10
OG : 2/10e P10

- L'examen du segment antérieur à la lampe à fente est identique à la dernière fois.
- La pression intra oculaire est de 12 mm Hg aux 2 yeux.
- L'examen du fond d'oeil droit vous est présenté ci dessous :

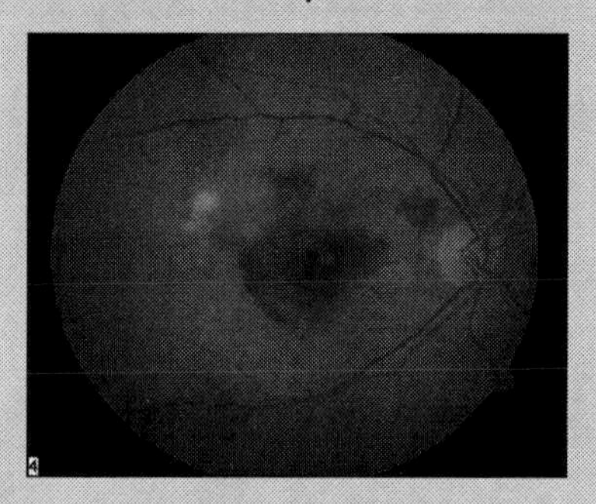

6/ Comment s'appelle le symptôme décrit par la patiente avec ses mots croisés ?
7/ Quelle est la principale anomalie constatée sur le fond d'oeil droit ? Quelle en est la cause ? Quel diagnostic suspectez-vous pour cet oeil droit ?

Vous effectuez l'examen suivant à l'oeil droit :

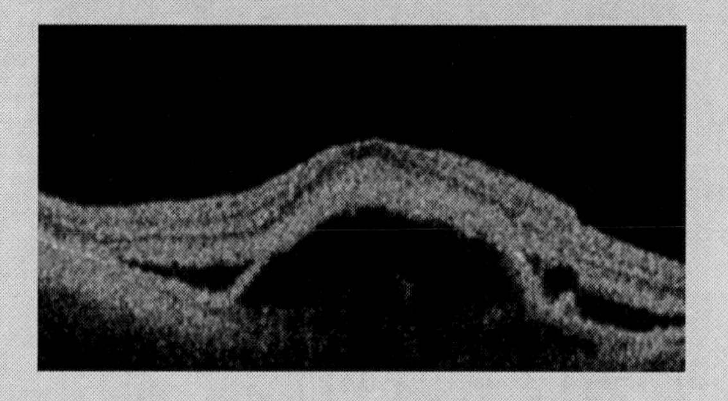

8/ Quel est cet examen ? Citez les 2 anomalies présentes sur cet examen.
9/ Quel traitement débutez-vous rapidement ? (1 seule réponse)

L'évolution est finalement défavorable, malgré votre prise en charge.

10/ Quelles mesures pouvez-vous désormais proposer à votre patiente ?

Corrigé

PREMIERE LECTURE

Difficulté du dossier : 1/3

Dossier classique, hormis l'interprétation de l'OCT un peu difficile.

A classer en 1ere position parmi les 3 dossiers de l'épreuve.

Mots clés à inscrire sur le brouillon :

Tabac = sevrage.

GRILLE DE CORRECTION

1	Donnez les 4 diagnostics ophtalmologiques les plus probables devant ce tableau clinique.	Grille classique	Grille ECN
•	DMLA / Dégénérescence maculaire liée à l'âge (atrophique ou exsudative)	2	2
•	Œdème maculaire / Syndrome d' Irvine Gass	2	2
•	OVCR / Occlusion veine centrale de la rétine	2	2
•	Opacification capsulaire postérieure / Cataracte secondaire	2	2
		8 PLUS DE 4 DIAGNOSTICS = ZERO	

2	Légendez les éléments fléchés.	Grille classique	Grille ECN
•	1 = Implant de chambre postérieure / ICP	2	2
•	2 = Nerf optique / papille	2	2
•	3 = Macula	2	2
•	4 = Drusen	2	2
•	5 = Vaisseaux (artère ou veine) temporaux inférieurs (réponse complète exigée)	2	2
		10	

3	Quel diagnostic portez-vous concernant son oeil gauche ?	Grille classique	Grille ECN
•	DMLA / dégénérescence maculaire liée à l'âge	5	5
•	Atrophique	5	5
		10	

4	Donnez les 3 principaux facteurs de risque présents dans l'observation.	Grille classique	Grille ECN
•	Age	2	2
•	Antécédent familial au 1er degré de DMLA	2	2
•	Tabagisme	2	2
		6 PLUS DE 3 REPONSES = ZERO	

5	Quelle est votre prise en charge, surveillance comprise ?	Grille classique	Grille ECN
•	Ambulatoire	-	-
•	A vie	2	2
•	Compléments alimentaires	2	2
	- Par voie orale	-	-
•	Sevrage tabagique	2	2
•	Education thérapeutique / auto surveillance :	2	4
	- Grille d'AMSLER ++++	2	4
	- 1/ jour en cachant alternativement un oeil puis l'autre	1	-
	- Consultation en urgence si syndrome maculaire (métamorphopsies...)	1	-
•	Information du patient	2	2
•	Psychothérapie de soutien (car aucune amélioration possible)	2	2
•	Association de patients	1	-
•	Surveillance :	-	-
	- Tous les 3 mois voire plus souvent	-	-
	- Efficacité	-	-
	- Observance (grille AMSLER, sevrage tabac)	-	-
	- Clinique :	-	-
	o Acuité visuelle	2	2
	o Fond d'oeil	2	2
	- Paraclinique :	-	-
	o OCT	1	-
	o +/- Angiographie		
		22	

6	Comment s'appelle le symptôme décrit par la patiente avec ses mots croisés ?	Grille classique	Grille ECN
	• Métamorphopsies	2	2
		2	

7	Quelle est la principale anomalie constatée sur le fond d'oeil droit ? Quelle en est la cause ? Quel diagnostic suspectez-vous pour cet oeil droit?	Grille classique	Grille ECN
	• Anomalie : Hémorragie	2	4
	- Maculaire	2	-
	• Cause : Néovaisseau choroïdien	4	4
	• Diagnostic : DMLA / Dégénérescence maculaire liée à l'âge	5	5
	- Exsudative	5	5
		18 PLUS D'UNE REPONSE PAR ITEM = ZERO A L'ITEM	

8	Quel est cet examen ? Citez les 2 anomalies présentes sur cet examen.	Grille classique	Grille ECN
	• Examen : OCT / Tomographie Cohérence Optique	2	2
	• Anomalies :	-	-
	- Décollement séreux rétinien (DSR)	2	2
	- Décollement de l'épithélium pigmentaire (DEP)	2	2
		6 PLUS DE 2 ANOMALIES = ZERO	

9	Quel traitement débutez-vous rapidement ? (1 seule réponse)	Grille classique	Grille ECN
	• IVT / injection intra vitréenne	5	5
	• D'anti VEGF	3	5
	• Dans l'oeil droit	2	-
	• Exemple : ranibizumab (LUCENTIS®) ou aflibercept (EYELEA®) : 1 injection par mois pendant 3 mois (= protocole d'attaque) puis contrôle 1 mois après la 3e IVT (AV, FO, OCT) et ré injections si besoin (plusieurs protocoles possibles pour le suivi)	-	-
		10	

10	Quelles mesures pouvez-vous proposer à votre patiente ?	Grille classique	Grille ECN
•	Reconnaissance du Handicap visuel :	1	2
	- MDPH / Maison départementale personnes handicapées	1	2
•	Rééducation basse vision :	2	2
	- Avec les orthoptistes	-	-
•	Systèmes grossissants (loupes)	1	-
•	Psychothérapie de soutien	2	2
•	Association de patients	1	-
		8	

COMMENTAIRES

Questions	Commentaires
Général	• 37 MOTS CLES = Dossier long. • Dossier de DMLA classique traitant la forme atrophique et la forme exsudative. • La DMLA n'est jamais tombée, elle est fréquente, elle est un problème de santé publique, elle a une recommandation HAS... • ...donc elle va tomber. • Que faut-il retenir sur la DMLA aujourd'hui ? • **Forme atrophique** : pas de traitement efficace, compléments alimentaires et auto surveillance (grille AMSLER +++) de l'oeil atteint ET de l'autre car risque de bilatéralisation et risque de transformation en forme exsudative. • **Forme exsudative** : - Clinique : syndrome maculaire = BAV / scotome central / métamorphopsies. - Paraclinique : OCT +++++ (œdème rétinien, logettes cystoïdes, décollement séreux rétinien, décollement épithélium pigmentaire, voire visualisation du néovaisseau). Lors du premier épisode de DMLA exsudative (lors du diagnostic), il reste recommandé de réaliser une angiographie à la fluorescéine +/- complétée par une angiographie ICG (indocyanine) afin d'éliminer les diagnostics différentiels du néovaisseau choroïdien comme la vasculopathie polypoidale (hors programme). - Traitement : TRES efficace : retenez les IVT d'anti VEGF (ranibizumab = LUCENTIS® ou aflibercept = EYELEA®). Oubliez un peu les traitements laser, on ne les fait quasiment plus.
1	• Cf OD devant BAV chronique • OACR et NOIAA : non car donnent des BAV plus importantes en général. • NORB non car ce n'est pas le terrain. • HIV non car pas de diabète connu. • L'opacification capsulaire postérieure est TRES fréquente et toucherait jusqu' à 50% des patients opérés de la cataracte dans les 2 ans. C'est une opacification de la capsule postérieure laissée en place lors de la chirurgie sur laquelle repose l'implant de chambre postérieure. Le traitement est simple : perforation de cette capsule opacifiée par laser YAG. (cela prend 1 minute). • Le syndrome d'Irvine Gass = œdème maculaire post chirurgie de la cataracte. Survient souvent quelques semaines après la chirurgie (entre 6 et 12 semaines). Peut parfois être beaucoup plus tardif et survenir plusieurs années après la chirurgie de la cataracte (rare).
2	• Classique question d'anatomie.
3	• DMLA atrophique : au FO, on a une atrophie de l'épithélium pigmentaire donc on peut voir les gros vaisseaux (rouges) choroïdiens sous jacents.
4	• L'âge reste encore le plus grand facteur de risque...
5	• A bien connaitre. • Le soutien psychologique est primordial. Il faut bien expliquer au patient que la baisse visuelle est irréversible, que des lunettes sont inutiles (question classique : « et si on change les verres ?? ») mais que l'auto-surveillance est capitale pour l'autre œil bien sur, mais aussi pour dépister une aggravation de l'œil atteint. • Bien expliquer au patient qu'il ne deviendra jamais aveugle car il conservera son champ visuel périphérique (contrairement au glaucome ou les patients

	devienment aveugles).
6	• Syndrome maculaire = BAV + scotome central + métamorphopsies +/- micropsies. • Le syndrome maculaire se retrouve dans de multiples pathologies de la macula : DMLA +++, œdème maculaire (diabète, OVCR, uveite...), hématome maculaire, membrane épi maculaire, trou maculaire...
7	• La DMLA exsudative est due à un néovaisseau au niveau de la choroïde. Ce néovaisseau comme tout néovaisseau est fragile donc fuit d' ou les signes d'exsudation rétiniens (logettes cystoïdes, DSR...). • 2 types de néovaisseaux (limite hors programme) : - Visibles : hyper réflectivité devant l'épithélium pigmentaire (EP) sur l'OCT. On ne retrouve pas de DEP en général. - Occultes : situés en arrière de l'EP, non vus en OCT. Visualisés de manière indirecte via le DEP occasionné.
8	• Retenez bien cette coupe OCT +++. • Les 5 principales anomalies de l'OCT maculaire à connaitre sont : œdème rétinien / maculaire, logettes cystoïdes, décollement séreux rétinien, décollement de l'épithélium pigmentaire, visualisation du néovaisseau (ou pas si occulte). • Petit rappel de signes sémiologiques sur plusieurs OCT maculaires ci-dessous (attention, ces OCT ne correspondent pas tous à une DMLA exsudative, mais les signes sémiologiques sont plus ou moins identiques, avec quelques variantes, d'une pathologie maculaire à une autre) : 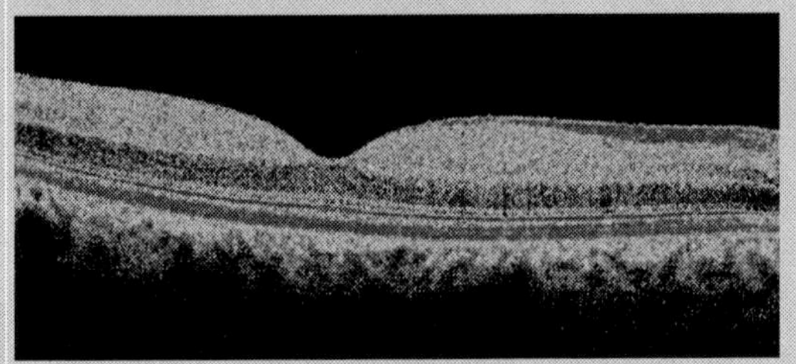 OCT maculaire normal. Notez la dépression / entonnoir fovéolaire. 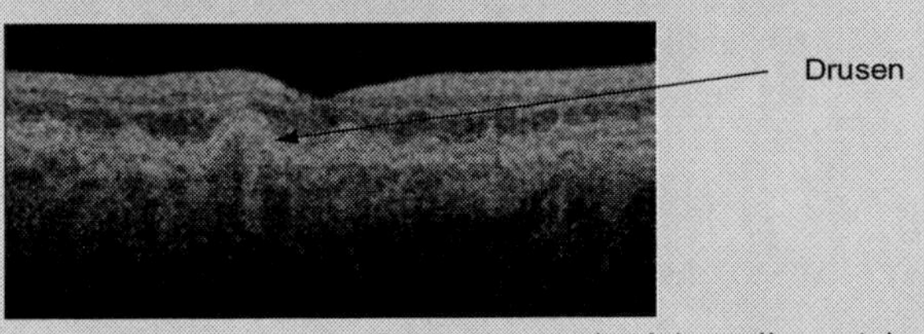 OCT montrant des Drusen. Les Drusen correspondent à des soulèvements localisés de l'épithélium pigmentaire (c'est la ligne hyper réflective en rouge ici). Il n'y a pas de signes d'exsudation donc probablement pas de néovaisseau sous jacent. Notez l'atténuation de la dépression fovéolaire.

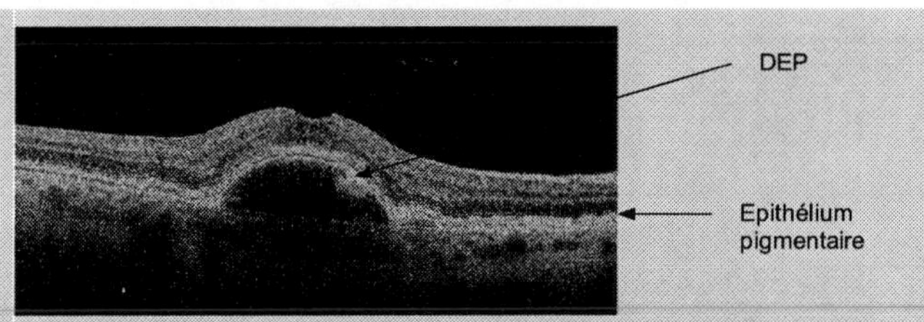

OCT montrant un décollement de l'épithélium pigmentaire (DEP). On voit que l'épithélium pigmentaire (EP) est soulevé et fait comme une bulle. Cela traduit l'existence d'un processus choroïdien actif (un néovaisseau par exemple...). Notez la disparition et même l'inversion de la dépression fovéolaire. Ce patient présente un syndrome maculaire (BAV, scotome central, métamorphopsies +/- micropsies).

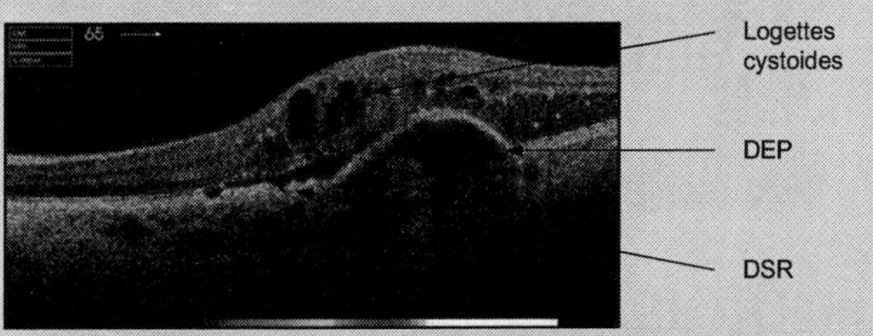

OCT montrant des logettes cystoïdes (bulles hypo fluorescentes / noires) intra rétiniennes, un DEP (donc processus choroïdien actif sous jacent) et un décollement séreux rétinien (correspond à un décollement de rétine d'origine exsudative : on note que la neuro rétine se détache de l'épithélium pigmentaire à ce niveau : c'est donc bien un décollement de rétine). Tous ces signes sont des signes d'exsudation. Disparition de la dépression fovéolaire. Augmentation de l'épaisseur rétinienne = œdème maculaire.

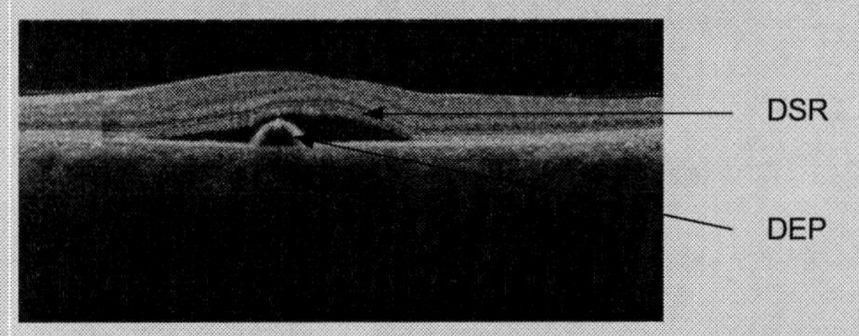

OCT montrant bien le petit DEP (petite bulle) au sein d'un DSR. Image de choriorétinite séreuse centrale (hors programme, mais c'est pour vous montrer que la sémiologie est identique).

<table>
<tr>
<td></td>
<td>

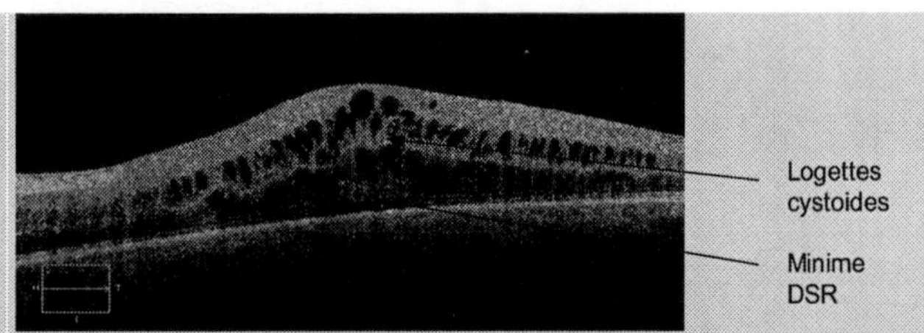

OCT montrant de nombreuses petites logettes cystoïdes, un minime DSR, une perte de la dépression fovéolaire, un œdème rétinien. Aspect tout à fait compatible avec un syndrome d'Irvine Gass, une rétinopathie diabétique ou encore une OVCR avec atteinte maculaire.

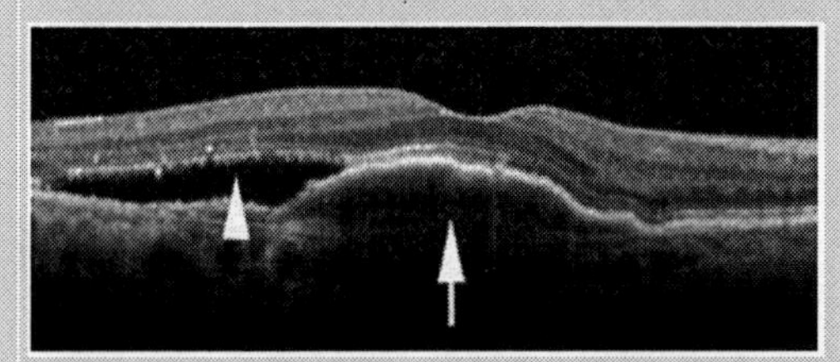

OCT montrant un DSR (tête de flèche) et un DEP (flèche) secondaire à une masse située en dessous de ce DEP correspondant à un néovaisseau occulte (flèche). Notez que la dépression fovéolaire est relativement conservée.

Il existe 2 types de néovaisseaux dans la DMLA exsudative : les visibles (hyper réflectivité en avant de l'épithélium pigmentaire (EP) à l'OCT, cf ci-dessous) et les occultes situés en arrière de l'EP et mal visibles à l'OCT (cf ci-dessus).

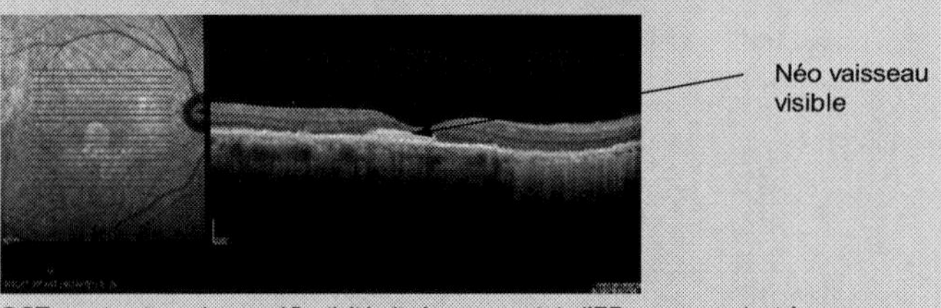

OCT montrant une hyper réflectivité située en avant de l'EP correspondant à un néovaisseau visible. Notez l'absence de signes exsudatifs (DSR, DEP, logettes cystoïdes). En effet, il s'agit d'une DMLA exsudative traitée par injections d'anti VEGF qui ont permis « d'assécher » la macula. Les anti VEGF ne permettent pas la disparition du néo vaisseau.

</td>
</tr>
<tr>
<td>9 et 10</td>
<td>

- DMLA exsudative = IVT (Injection Intra ViTréenne) d'anti VEGF en pratique.
- Toujours en pratique, on utilise aujourd'hui 2 anti VEGF : soit le ranibizumab (LUCENTIS®), soit l'aflibercet (EYELEA®, commercialisé depuis fin 2013 en France).
- N'oubliez la psychothérapie de soutien. En effet, chez les personnes âgées, perde la vue est dramatique car il ne leur reste souvent que la lecture et la télé. Donc risque de dépression +++.

</td>
</tr>
</table>

ITEMS ABORDEES

Items	Intitulés
60	• DMLA
293	• Altération de la fonction visuelle

Notes personnelles

Dossier thématique transversal 7

Enoncé

Une patiente de 85 ans est amenée ce dimanche aux urgences pour baisse d'acuité visuelle profonde de l'oeil gauche, indolore, constatée ce matin au réveil.

Cette patiente a comme principaux antécédents une BPCO traitée par SYMBICORT® (budesonide + formoterol), une coxarthrose opérée il y a 5 ans avec pose d'une prothèse totale de hanche.

Elle n'a pas d'allergie connue.

Les constantes sont les suivantes : TA = 160/90 mm Hg, FC = 75/min, FR = 16/min, T° = 36,8°, Taille = 1,60m, poids = 45 kg.

La patiente est en bon état général. L'examen neurologique est normal (pas de signe de localisation, RCP en flexion, paires crâniennes normales), l'examen cardiaque ne retrouve pas de souffle ni d'arythmie. Le reste de l'examen clinique est sans particularités.

Aux urgences, un premier bilan sanguin est réalisé. La patiente est perfusée.

L'examen suivant est réalisé en urgence :

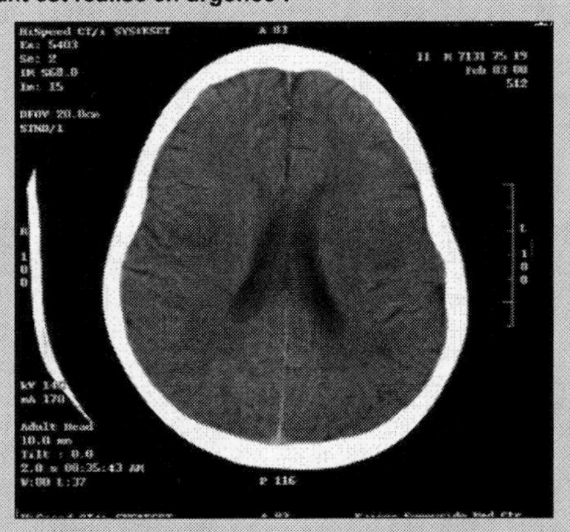

1/ Quel est cet examen ? Quelle en est votre interprétation ?

La patiente est adressée en urgence à l'interne d'ophtalmologie de l'hôpital. Son examen est le suivant :

- **Acuité visuelle corrigée :**

OD : 8/10^e

OG : simple perception lumineuse

- Pression intra oculaire : 12 mm Hg aux 2 yeux.
- Yeux blancs et indolores.

2/ Donnez 5 diagnostics ophtalmologiques compatibles avec ce tableau clinique.

L'examen des paupières, des segments antérieurs et les 2 fonds d'oeil vous sont présentés ci dessous :

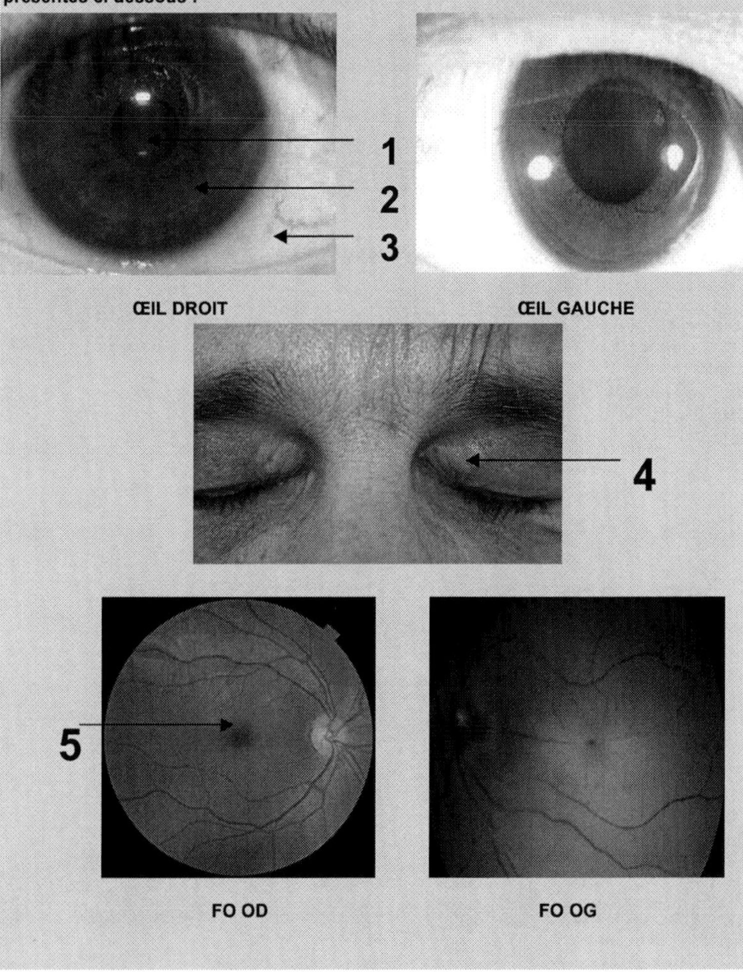

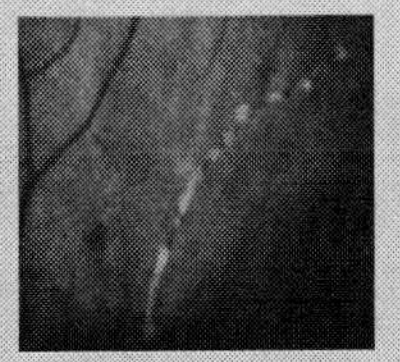

ZOOM ŒIL GAUCHE

3/ Légendez les éléments fléchés.
4/ Quel est votre diagnostic final ? Citez 1 élément en faveur de ce diagnostic sur l'examen du segment antérieur et 3 éléments sur l'examen du fond d'œil.
5/ Quel(s) examen(s) effectuez vous pour confirmer ce diagnostic ?
6/ D'après l'examen du fond d'oeil, quel est le mécanisme physiopathologique responsable de ce tableau clinique ?
7/ Quel élément primordial de l'examen cardiovasculaire est manquant dans cette observation?

La patiente est hospitalisée. Plusieurs examens ont été réalisés :
Hb = 12 g/dl, plaquettes = 245 000/mm3, GB = 8500 /mm3, Cholestérol total = 2,2 g/L, HDLc = 0,3 g/l, Triglycérides = 2,2 g/L, glycémie à jeun = 1,09 g/l, Na = 145 mmol/l, K= 4,2 mmol/l, Cl = 100 mmol/l, TP = 95%, TCA = 35s (TCA témoin = 33s), urée = 7,2 mmol/l, creatinine = 95 µmol/L, ASAT = 25 U/L, ALAT = 35 U/L, gGT et phosphatases alcalines normales, VS = 20 mm (H1), 35 mm (H2), CRP = 4 mg/l.
L'ECG réalisé est le suivant :

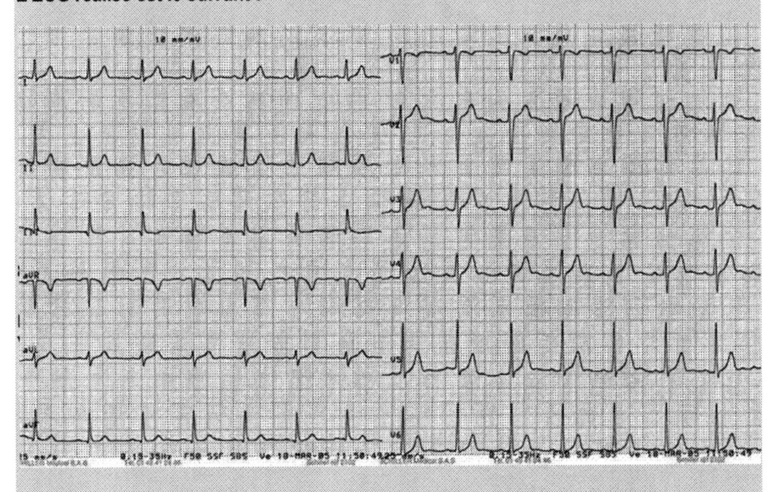

8/ Interprétez cet ECG.

L'échographie transthoracique réalisée est normale. Vous réalisez l'examen suivant :

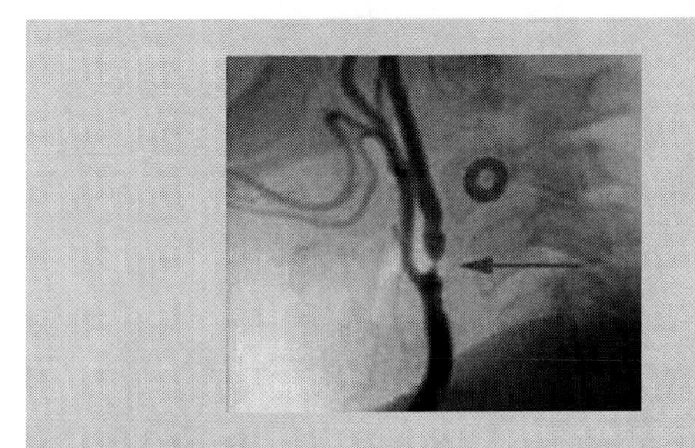

9/ Quel est cet examen ? Interprétez-le.

10/ Citez 3 classes médicamenteuses devant obligatoirement figurer sur l'ordonnance de sortie de votre patiente. Quel est leur objectif ?

Corrigé

PREMIERE LECTURE

Difficulté du dossier : 1/3

Dossier classique d'OACR embolique. Pas de difficulté particulière.
A classer en 1ere position parmi les 3 dossiers de l'épreuve.

Mots clés à inscrire sur le brouillon :

AVC = SCA = « BASIC » (anti HTA, aspirine, statine).

GRILLE DE CORRECTION

1	Quel est cet examen ? Quelle en est votre interprétation ?	Grille classique	Grille ECN
	• Scanner cérébral	3	3
	- Non injecté	2	2
	- Coupe axiale	2	2
	• Normal	5	5
		12	

2	Donnez 5 diagnostics ophtalmologiques compatibles avec ce tableau clinique.	Grille ECN
	• OACR / Occlusion artère centrale de la rétine +++ • NOIAA / Neuropathie optique ischémique antérieure aigüe +++ • OVCR / Occlusion veine centrale de la rétine • NORB / névrite optique ou papillite • Décollement de rétine • Hémorragie intra vitréenne • Uveite postérieure • Maculopathie / œdème maculaire / DMLA (dégénérescence maculaire liée à l'âge) exsudative / Hématome maculaire	**2 points pour chaque réponse ci contre. 10 points maximum. PLUS DE 5 REPONSES = ZERO**
		10

3	Légendez les éléments fléchés.	Grille classique	Grille ECN
	• 1 = Pupille	2	2
	• 2 = Iris	2	2
	• 3 = Conjonctive	2	2
	• 4 = Xanthélasma	2	2
	• 5 = Macula	2	2
		10	

4	Quel est votre diagnostic final ? Citez 1 élément en faveur de ce diagnostic sur l'examen du segment antérieur et 3 éléments sur l'examen du fond d'oeil.	Grille classique	Grille ECN
	• OACR / occlusion artère centrale de la rétine	8	10
	- Oeil gauche	2	-
	• Segment antérieur : semi mydriase gauche / Déficit pupillaire afférent relatif gauche (DPAR) / Anisocorie	2	2
	• Au FO :		
	- Macula « rose cerise »	2	2
	- Rétrécissement artériel diffus	2	2
	- Œdème rétinien diffus (aspect blanchâtre de la rétine)	2	2
		18 PLUS DE REPONSES FOURNIES QUE DEMANDEES = ZERO A L'ITEM CONCERNE	

5	Quel (s) examen (s) effectuez-vous pour confirmer ce diagnostic ?	Grille classique	Grille ECN
	• Aucun	6	6
	• Le diagnostic d'OACR est clinique / repose sur le FO	-	-
		6	

6	D'après l'examen du fond d'oeil, quel est le mécanisme physiopathologique responsable de ce tableau clinique ?	Grille classique	Grille ECN
	• Embolique	6	6
		6	

7	Quel élément primordial de l'examen cardiovasculaire est manquant ?	Grille classique	Grille ECN
	• Auscultation des artères carotides	6	6
	• A la recherche d'un souffle évocateur de sténose carotidienne	-	-
		6	

8	Quelle est votre interprétation de cet ECG ?	Grille classique	Grille ECN
	• Normal	6	6
		6	

9	Quel est cet examen ? Interprétez-le.	Grille classique	Grille ECN
	• Artériographie	2	4
	- Des troncs supra aortiques / carotides internes	2	2
	- Gauches	2	-
	• Sténose	2	4
	• Carotide interne	-	-
	• Serrée	2	2
	• Centrée	2	-
	• Probable plaque d'athérome	4	4
		16	

10	Citez 3 classes médicamenteuses devant obligatoirement figurer sur l'ordonnance de sortie de votre patiente. Quel est leur objectif ?	Grille classique	Grille ECN
	• Anti agrégant plaquettaire / kardegic® / aspirine / clopidogrel®	2	2
	• Hypolipémiant / statine	2	2
	• Anti hypertenseur / diurétique / IEC / ARA 2 / ICA	2	2
	PRESCRIPTION BETA BLOQUANT = ZERO A LA QUESTION	-	-
	• Objectif : prévention secondaire cardio-vasculaire (AVC, 2eme OACR...)	4	4
	SI « RETROUVER LA VUE » : ZERO A LA QUESTION	-	-
		10 PLUS DE 3 REPONSES = ZERO	

COMMENTAIRES

Questions	Commentaires
Général	• 32 MOTS CLES. • Dossier classique d'OACR. L'OACR est rare mais grave. Elle est transversale car les 2 principales causes sont les FDRCV +++ et la maladie de HORTON (plus rare).
1	• Tout examen présenté aux ECN peut être normal. Ici, il faut éliminer en priorité un AVC.
2	• Cf OD BAV brutale indolore => c'est une pathologie du segment postérieur de l'oeil ou un AVC siégeant sur les voies optiques ou le cortex occipital. • On vous demande un diagnostic ophtalmologique, donc il ne faut pas citer l'AVC. • Ici, les 2 diagnostics les plus probables sont l'OACR et la NOIAA.
3	• La macula est en temporal de la papille sur une rétinographie. En revanche, lors de l'examen clinique avec une lentille de FO ou un verre à 3 miroirs, tout est inversé (le haut est en bas, la droite est à gauche...). • Xanthélasma = dépôts de cholestérol jaunâtre au niveau des paupières. Classiquement au niveau de la partie interne de la paupière supérieure, bilatérale mais souvent asymétrique. Une hypercholestérolémie doit être recherchée, même si tous les xanthélasmas ne sont pas secondaires à une dyslipidémie. Le traitement repose principalement sur la chirurgie (parfois laser...).
4	PS : les emboles sont un diagnostic étiologique et non pas positif... • Rappel : l'OACR correspond à un infarctus rétinien. La NOIAA correspond à un infarctus du nerf optique. • Macula / fovéa rose cerise : au niveau du centre de la macula (fovéa), il existe un amincissement rétinien physiologique (il n'y a que des photorécepteurs, pas de couche plexiforme ou nucléaire). En cas d'OACR, il existe un œdème rétinien diffus blanc d'origine ischémique. Au niveau, de la fovéa, cet œdème ne sera pas aussi important du fait de cet amincissement physiologique : on verra donc la choroïde sous jacente bien hyperhémiée / vascularisée. C'est ce contraste entre œdème rétinien blanc et fovéa amincie naturellement hyperhémiée qui donne cet aspect de fovéa rose cerise.
5	• Le diagnostic d'OACR est clinique (BAV brutale, profonde, mydriase, fond d'oeil évocateur). L'angiographie a plus un intérêt pour le diagnostic étiologique (visualiser un embole non vu au FO, recherche d'ischémie choroïdienne associée en faveur d'un Horton....).
6	• En pratique quotidienne, les emboles proviennent soit d'une plaque d'athérome carotidienne interne ++++, soit du cœur. Les embolies graisseuses, néoplasiques, bactériennes sont plus rares.
7	• Doit être systématique devant tout AVC +++.
8	• En particulier, pas d'ACFA. Mais, cela ne veut pas dire que l'embole ne vient pas du cœur car il existe des ACFA paroxystiques, particulièrement emboligénes. Il faut donc toujours faire une ETT +/- complétée par une ETO et un Holter ECG.
9 et 10	• Un avis en chirurgie vasculaire est indispensable (indication de revascularisation). • En l'absence de HORTON, la prise en charge est celle d'un AVC. L'OACR comme la NOIAA est un AVC. (l'oeil étant une émanation du cerveau...).

ITEMS ABORDEES

Items	Intitulés
293	• Altération de la vision
131	• OACR
175	• Prescription anti thrombotiques

Notes personnelles

Dossier thématique transversal 8

Enoncé

Un nourrisson de 4 mois, Paul, est amené par sa mère aux urgences ophtalmologiques de votre hôpital pour un oeil droit rouge associé à des sécrétions purulentes depuis 24H.
Paul n'a pas d'antécédents particuliers, il est né à terme, n'a pas d'allergies connues et ne prend aucun traitement, son développement staturo-pondéral et psychomoteur est normal pour son âge. Ses premiers vaccins sont à jours.

L'examen ophtalmologique retrouve :

- **Un enfant calme, ne semblant pas algique.**
- **Absence d'adénopathie pré tragienne.**
- **La poursuite oculaire est normale lors de l'occlusion alternée.**
- **L'examen du segment antérieur est le suivant :**

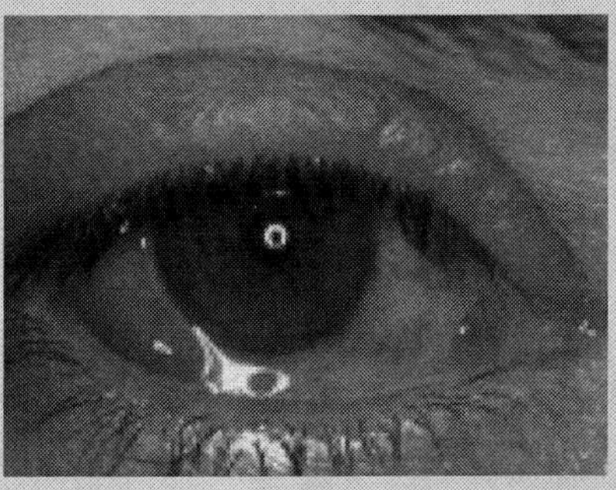

1/ Quel diagnostic posez-vous ?
2/ Vous décidez d'instiller une goutte de fluorescéine dans l'oeil droit. Dans quel but ?

La mère de Paul vous confie alors que cet oeil droit « pleure » en permanence depuis sa naissance.

3/ Quelle étiologie sous jacente suspectez-vous ?

Vous prescrivez un traitement local adapté et renvoyez Paul à la maison.

Quatre mois plus tard, la mère de Paul consulte à nouveau en urgence car Paul présente une tuméfaction inflammatoire douloureuse du canthus interne droit apparue il y a moins de 24H, spontanément.

L'examen de Paul est le suivant :

- TA = 95/65 mm Hg, FC = 100/min, FR = 18/min, SpO2 = 95%, T° = 39,7°.
- Paul est particulièrement geignard depuis 24H.
- L'examen neurologique, cardio-pulmonaire, abdominal est normal.
- L'examen ophtalmologique est normal.
- Une photographie de l'examen facial de Paul vous est présentée ci dessous :

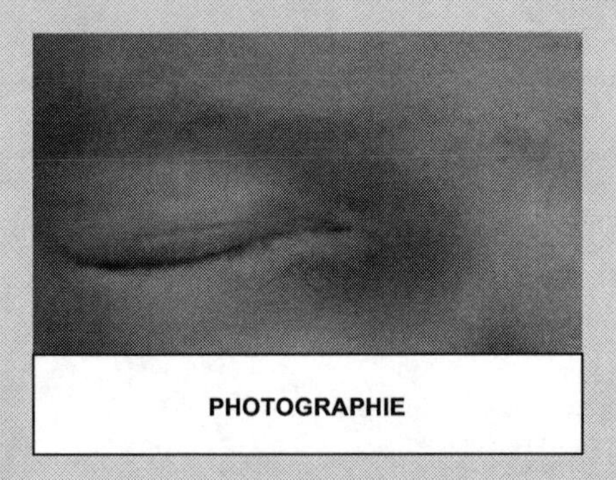

PHOTOGRAPHIE

4/ Donnez 3 diagnostics compatibles avec ce tableau clinique. Lequel est le plus probable ? Quelle manœuvre clinique vous permettra de confirmer votre diagnostic ?

5/ Quelle prise en charge préconisez-vous pour les 24 premières heures, hors antibiothérapie ?

6/ Quels sont les principes de votre antibiothérapie ?

Alors que vous finissez de l'examiner, Paul présente devant vous une crise convulsive généralisée tonique puis clonique.

7/ Quelle prise en charge urgente effectuez-vous ?

Votre prise en charge est rapidement efficace. L'examen au décours de la crise retrouve une TA = 90/60 mm Hg, FC = 90/min, FR = 18/min, T° = 39,5°, l'examen cardio-pulmonaire et neurologique sont sans particularités.

8/ Effectuez-vous une ponction lombaire ? Justifiez.

Paul est sortant dès J7. Sa mère, particulièrement inquiète, vous demande la date des prochains examens ophtalmologiques obligatoires du nourrisson.

9/ Que lui répondez-vous ?

Corrigé

PREMIERE LECTURE

Difficulté du dossier : 2/3

Dossier court sans piège particulier.

A classer en 2e position parmi les 3 dossiers de l'épreuve.

Mots clés à inscrire sur le brouillon :

Convulsion : libérer VAS (PLS...), dextro +++.

Pédiatrie = accord parental, vaccins.

GRILLE DE CORRECTION

1	Quel diagnostic portez-vous ?	Grille classique	Grille ECN
•	Conjonctivite	3	4
•	Aigüe	1	-
•	Bactérienne	2	2
•	Droite	2	2
		8	

2	Vous décidez d'instiller une goutte de fluorescéine dans l'oeil droit. Dans quel but ?	Grille classique	Grille ECN
•	Recherche de kératite associée	5	5
•	Avec une prise de fluorescéine	-	-
		5	

3	Quelle étiologie sous jacente suspectez-vous ?	Grille classique	Grille ECN
•	Sténose des voies lacrymales	4	5
•	Droites	1	-
		5	

4	**Donnez 3 diagnostics compatibles avec ce tableau clinique. Lequel est le plus probable ? Quelle manœuvre clinique vous permettra de confirmer votre diagnostic ?**	**Grille classique**	**Grille ECN**
	• Diagnostics :	-	-
	- Dacryocystite aigüe	4	4
	- Ethmoidite aigüe	4	4
	- Cellulite faciale	4	4
	• Le plus probable :	-	-
	- Dacryocystite aigüe	2	2
	• Manœuvre clinique :	-	-
	- Palpation du sac lacrymal et recherche d'un reflux purulent au niveau du point lacrymal inférieur homolatéral	2	2
	- Avec prélèvement bactériologique au passage		
		16 PLUS DE 3 DIAGNOSTICS = ZERO	

5	**Quelle prise en charge préconisez-vous pour les 24 premières heures, hors antibiothérapie ?**	**Grille classique**	**Grille ECN**
	• Urgence médicale	1	-
	• Hospitalisation en pédiatrie	2	2
	• Accord parental	1	2
	• Prélèvement bactériologique	-	-
	• Voie veineuse périphérique	2	2
	• Marquage au feutre des limites de la tuméfaction pour le suivi	1	-
	• Traitement antipyrétique :	1	2
	- Paracétamol	1	2
	- IV	1	-
	- 60 mg/kg/jour	1	2
	- Mesures physiques / découvrir / aérer la pièce	2	2
	• Réhydratation hydro-électrolytique	2	2
	• Surveillance	2	2
	• Information / réassurance parentale	1	-
		18	

6	Quels sont les principes de votre antibiothérapie ?	Grille classique	Grille ECN
•	Antibiothérapie	-	-
•	En urgence	1	-
•	Après prélèvement bactériologique local	1	2
•	Sans attendre les résultats	1	-
•	Probabiliste	1	2
•	Visant le streptocoque, pneumocoque, staphylocoque, Haemophilus	1	2
•	Bactéricide	1	1
•	Synergique	1	1
•	Par voie intra veineuse	1	1
•	Et local par gouttes dans l'oeil droit (passage dans les voies lacrymales)	1	1
•	Secondairement adapté aux résultats bactériologiques	1	-
		10	

7	Quelle prise en charge urgente effectuez-vous ?	Grille classique	Grille ECN
•	Urgence	1	-
•	Libérer les voies aériennes supérieures (VAS)	1	2
	- PLS / position latérale de sécurité	-	-
	- Oxygénothérapie si besoin	1	-
•	Glycémie capillaire / dextro	1	2
•	Scope cardiotensionnel	1	-
•	Traitement anti convulsivant :	1	2
	- Benzodiazépine	1	-
	- Diazépam	3	4
	- 0,5 mg/kg	2	2
	- Par voie intra rectal (VVP non encore posée)	1	2
•	Traitement anti pyrétique	-	-
•	Surveillance	1	-
		14	

8	Effectuez-vous une ponction lombaire ? Justifiez.	Grille classique	Grille ECN
•	NON	4	4
•	Car :	-	-
•	Convulsion fébrile	2	2
•	Simple	2	2
•	Car :	-	-
•	Fièvre	1	2
	- Aigüe	1	-
	- Elevée / >39°	1	1
•	Crise convulsive	-	-
	- Généralisée	2	2
	- Tonico clonique	2	2
•	Examen neurologique normal au décours / pas de déficit focalisé	2	2
•	1er épisode	1	1
•	Pas de retard psychomoteur	2	2
		20	

9	Que lui répondez-vous ?	Grille classique	Grille ECN
•	9e mois	2	2
•	24e mois	2	2
		4	

COMMENTAIRES

Questions	Commentaires
Général	• 44 MOTS CLES = dossier un peu long. Sa seule difficulté. • Dossier de pédiatrie un peu atypique. En effet, la pathologie des voies lacrymales n'est pas clairement au programme. Cependant, c'est déjà tombé aux ECN 2011 et c'est assez fréquent, donc tombable.
1	• Conjonctivite = oeil rouge, avec beaucoup de sécrétions, qui pique, sensation de corps étranger, sans douleur (sauf si kératite associée).
2	• En cas de kératite, le nourrisson sera très algique et photophobe. Il faudra alors ajouter au traitement local de la conjonctivite des cicatrisants cornéens. • Devant toute conjonctivite, il faut systématiquement rechercher la présence d'une kératite (=> instillation de fluorescéine).
3	• La sténose des voies lacrymales est fréquente en pratique quotidienne. Elle est due à une imperméabilité de la valve de Hasner au niveau du canal lacrymo-nasal. Le principal symptôme est l'épiphora (larmoiement chronique). • Les 2 principales complications sont la conjonctivite bactérienne homolatérale récidivante par surinfection des larmes stagnantes et la dacryocystite aigüe.
4	• Ce sont les 3 étiologies à évoquer devant toute tuméfaction du canthus interne. Ici, la dacryocystite est le plus probable compte tenu de l'histoire clinique (sténose lacrymale chronique).
5	• Ne pas oublier l'accord parental dans tout dossier de pédiatrie. • Dans le traitement anti pyrétique, il y a toujours les mesures physiques et les mesures médicamenteuses.
6	• Question sans grand intérêt mais qui tombe souvent. Donc faites-vous une phrase type qui vous servira dans tous les dossiers.
7	• A connaître par cœur car c'est une urgence. Connaître la posologie du diazepam (VALIUM®) pour les enfants.
8	• Ce sont les critères de la crise convulsive SIMPLE qui ne nécessite pas de ponction lombaire.
9	• Les 3 examens obligatoires ont lieu au 8e jour, 9e moi et 24e mois.

ITEMS ABORDEES

Items	Intitulés
33	• Suivi d'un nourrisson
212	• Œil rouge
190	• Convulsion enfant

Notes personnelles

Dossier thématique transversal 9

Enoncé

Un patient de 45 ans, dentiste de profession, sans antécédent particuliers, sans allergies, sans traitement, est amené par les sapeurs pompiers au service d'accueil des urgences de votre hôpital à 23h pour traumatisme facial suite à une rixe survenue une heure auparavant.

Le patient dit avoir été agressé avec sa femme sans aucune raison par 2 hommes alcoolisés. Il n'y a aucune amnésie des faits. Il se plaint particulièrement d'un saignement de nez à gauche et d'une baisse de vision de l'oeil gauche.

Les constantes de votre patient sont : TA = 140/90 mm Hg, FC = 80/min, FR = 15/min, SpO2 = 98%, T° = 37,2°.

Votre examen clinique est le suivant :

Examen neurologique : patient conscient, cohérent, Glasgow 15, pas de signe de localisation, paires crâniennes intactes.

L'inspection faciale de votre patient est présentée ci-dessous :

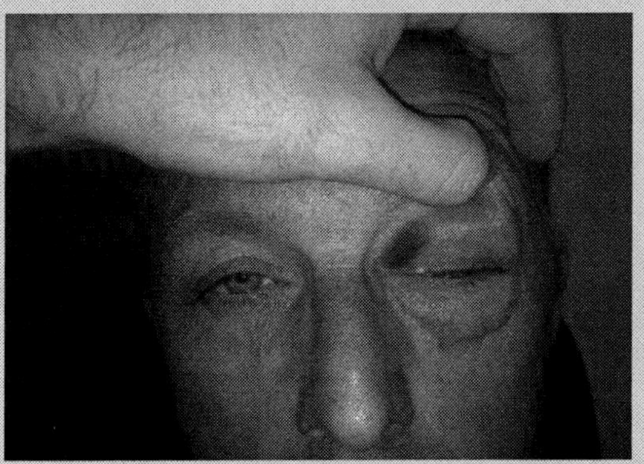

Cliniquement, vous retrouvez une crépitation neigeuse à la palpation palpébrale supérieure et inférieure ainsi que des douleurs à la palpation du cadre orbitaire et de la mandibule gauche. Il n'y a pas d'anesthésie du V2, pas de trouble de l'articulé dentaire, pas d'otorragie.

En revanche, le patient présente une épistaxis gauche persistant malgré mouchage et compression manuelle. D'ailleurs, le patient vous explique, un peu affolé, que lors du mouchage tout à l'heure, son oeil gauche serait « sorti de l'orbite » selon sa femme.

L'examen bucco-dentaire est le suivant :

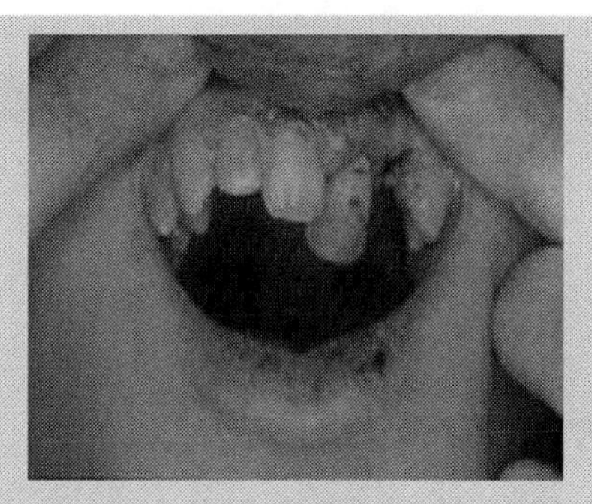

L'examen cardio-pulmonaire et abdominal et sans particularités.

L'examen ophtalmologique est le suivant :

- Acuité visuelle corrigée : 10/10° (OD) / 5/10° (OG).
- Examen du segment antérieur à la lampe à fente : normal à droite. A gauche, la cornée est claire sans prise de fluorescéine, on note la présence d'un Tyndall hématique à 3+, le réflexe photomoteur est normal, le cristallin est clair. Une photographie du segment antérieur gauche vous est présentée ci-dessous :

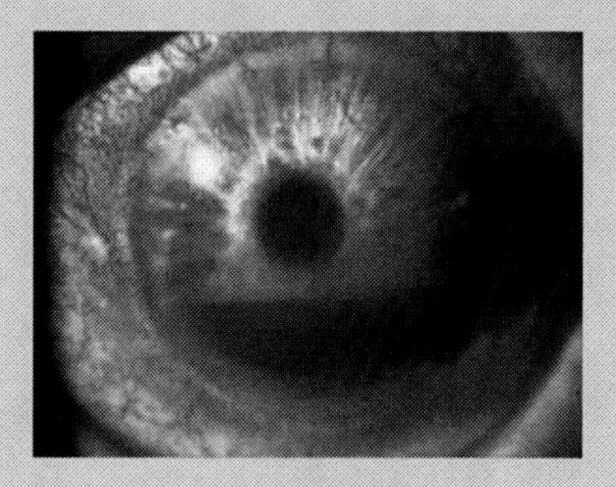

- Pression intra oculaire par aplanation : 12 mm Hg (OD) / 28 mm Hg (OG).
- Fond d'œil dilaté : normal à droite, difficile d'accès à gauche.
- Echographie en mode B de l'œil gauche : rétine à plat.

1/ Quel traitement supplémentaire instaurez-vous pour contrôler son épistaxis ?

Votre patient vous demande s'il a une fracture de la mandibule.

2/ Quel élément de l'examen clinique va contre cette hypothèse ?

3/ Donnez les 2 anomalies de l'examen dentaire.

4/ Donnez 3 explications possibles à l'hypertonie de l'oeil gauche retrouvée à l'examen clinique.

Vous réalisez un scanner du massif facial et cérébral. Ces derniers sont présentés ci dessous :

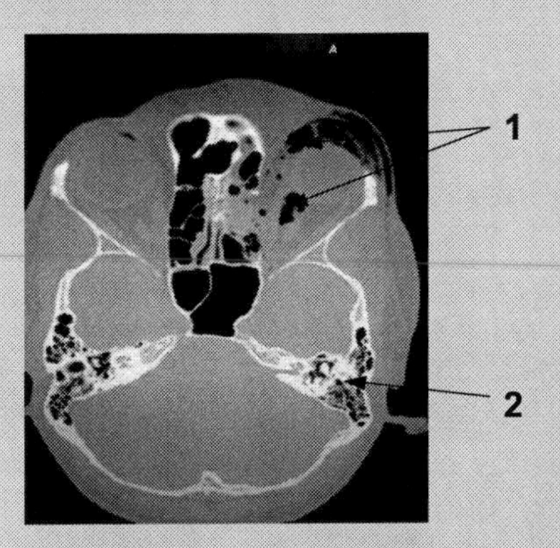

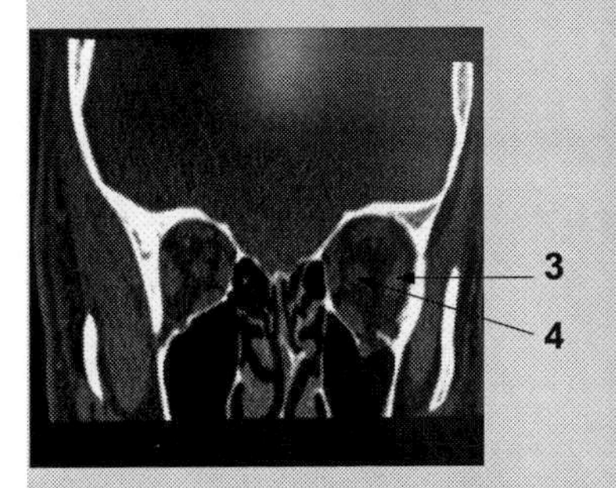

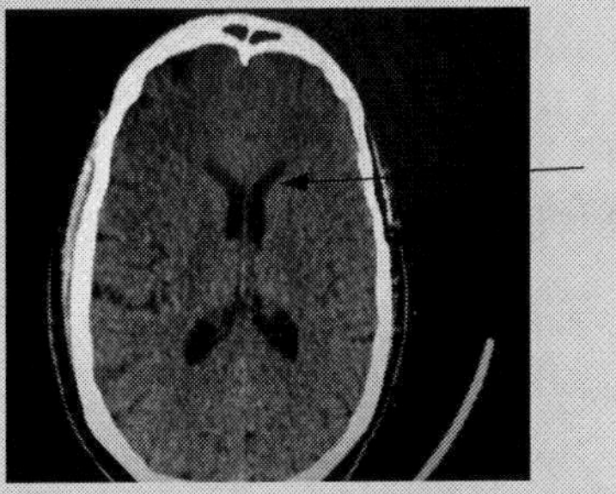

5/ Légendez les éléments fléchés.

6/ Comment expliquez-vous l'exophtalmie décrite par votre patient lors du mouchage?

7/ Quel élément de l'examen clinique maxillo-facial est manquant ? Quel examen paraclinique médico-légal devez-vous effectuer ? Expliquez leur intérêt dans la suite de la prise en charge.

Finalement, une prise en charge ambulatoire est décidée avec surveillance clinique à 48H et J7. Votre ordonnance comprend entre autre du paracétamol, de la prednisone et de l'amoxicilline + acide clavulanique per os 7 jours.

8/ A quelle classe d'antibiotiques appartient la molécule prescrite ? Justifiez cette prescription.

Avant son départ, le patient vous exprime son souhait de porter plainte. Pour cela, vous rédigez le certificat de coups et blessures (CCB).

9/ Quel élément capital, permettant d'orienter vers le tribunal compétent, doit figurer sur le certificat ?

Vous revoyez votre patient 1 semaine plus tard pour un contrôle ophtalmologique. L'examen de l'oeil gauche est le suivant :

- **Acuité visuelle : 10/10e P2.**
- **Examen du segment antérieur à la lampe à fente : cornée claire sans prise de fluorescéine, chambre antérieure calme et profonde, reflexe photomoteur normal, cristallin clair.**
- **Pression intra oculaire : 16 mm Hg.**
- **Fond d'œil dilaté : pôle postérieur normal. Cependant, lors de l'examen de la périphérie rétinienne au V3M (verre à 3 miroirs), vous retrouvez l'image suivante :**

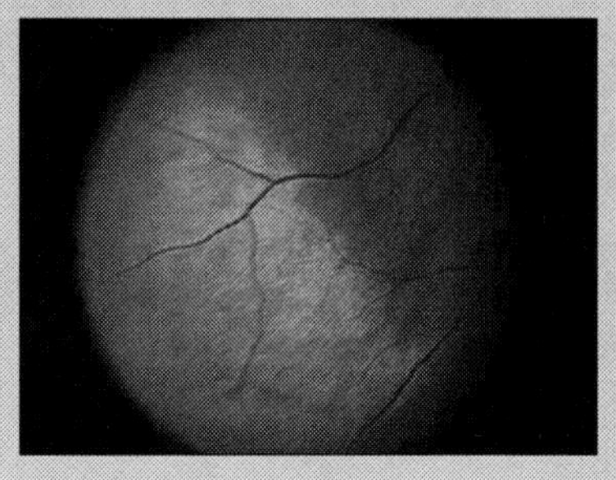

10/ Quel est votre diagnostic ?

Corrigé

PREMIERE LECTURE

Difficulté du dossier : 3/3

Dossier assez classique d'un point de vue ORL.

A classer en 3e position parmi les 3 dossiers de l'épreuve.

Mots clés à inscrire sur le brouillon :

Rixe = rédaction du CCB et fixer le taux d'ITT pénale.

GRILLE DE CORRECTION

1	Quel traitement supplémentaire instaurez-vous pour contrôler son épistaxis ?	Grille classique	Grille ECN
•	Tamponnement / méchage antérieur.	6	6
		6	

2	Quel élément de l'examen clinique va contre cette hypothèse ?	Grille classique	Grille ECN
•	Absence de trouble de l'articulé dentaire.	6	6
		6	

3	Donnez les 2 anomalies de l'examen dentaire.	Grille classique	Grille ECN
•	Subluxation	3	3
•	De 21.	3	3
•	Avulsion	3	3
•	De 22.	3	3
		12	

4	Donnez 3 explications possibles à l'hypertonie oculaire gauche retrouvée à l'examen clinique.	Grille classique	Grille ECN
	• Hyphéma	4	4
	• Récession de l'angle irido-cornéen	4	4
	- Post traumatique	-	-
	• Compression oculaire / processus intra orbitaire / emphysème ou hématome intra orbitaire	4	4
		12	

5	Légendez les éléments fléchés.	Grille classique	Grille ECN
	• 1 = Emphysème orbitaire / pneumorbitie	2	2
	• 2 = Mastoïde gauche	2	2
	• 3 = Muscle droit externe / latéral gauche	2	2
	• 4 = Nerf optique gauche	2	2
	• 5 = Ventricule latéral gauche	2	2
		10 Réponses complètes exigées	

6	Comment expliquez-vous l'exophtalmie décrite par votre patient lors du mouchage?	Grille classique	Grille ECN
	• Exophtalmie gauche	-	-
	• Secondaire à un emphysème orbitaire / pneumorbitie	4	5
	• Majoré par une hyperpression aigue dans le sinus maxillaire homolatéral (mouchage)	4 -	- -
	• Secondaire à une fracture du plancher de l'orbite gauche	2	5
		10	

7	Quel élément de l'examen maxillo-facial est manquant ? Quel examen médico-légal devez-vous effectuer ? Expliquez leur intérêt dans la suite de la prise en charge.	Grille classique	Grille ECN
	• Elément manquant = examen oculomoteur / recherche de diplopie / recherche d'incarcération du muscle droit inférieur gauche	4	4
	• Examen médico-légal = test de HESS LANCASTER	4	4
	• Intérêt : permet de définir le **degré d'urgence** : chirurgie en urgence en cas d'incarcération du muscle droit inférieur (risque de nécrose avec diplopie séquellaire), pas de chirurgie en urgence si pas d'incarcération (chirurgie à froid ou abstention).	4	4
		12	

8	**A quelle classe d'antibiotiques appartient la molécule prescrite? Justifiez cette prescription.**	**Grille classique**	**Grille ECN**
•	Béta-lactamine	5	6
•	Justification :	-	-
•	Prévention infection sinusienne	2	2
•	Et orbitaire	2	2
•	Probabiliste	1	-
•	Couvre :	-	-
•	Pneumocoque	2	2
•	Haemophilus	2	2
•	Anaérobies	2	2
•	Absence de contre indications / pas d'allergies	2	2
•	Balance bénéfices / risques	2	2
		20	

9	**Quel élément capital, permettant d'orienter vers le tribunal compétent, doit figurer sur le certificat?**	**Grille classique**	**Grille ECN**
•	Durée d'ITT / Incapacité totale de travail	6	6
		6	

10	**Quel est votre diagnostic ?**	**Grille classique**	**Grille ECN**
•	Œdème rétinien	4	6
•	périphérique	2	-
		6	

COMMENTAIRES

Questions	Commentaires
Général	• 29 MOTS CLES. • C'est un dossier de pratique quotidienne : tous les samedis et dimanche matin, vous serez confrontés aux patients (hommes jeunes) alcoolisés victimes de rixes…
1	• Traitement de l'épistaxis : mouchage et compression manuelle puis tamponnement antérieur puis tamponnement antéro-postérieur puis chirurgie (ligature) ou artério-embolisation.
2	• Devant tout traumatisme facial, il faut rechercher un traumatisme du rachis cervical et un traumatisme crânien. Puis, il faut tester en priorité l'articulé dentaire, l'oculomotricité et le nerf sous orbitaire (V2). • Les fractures faciales avec trouble de l'articulé dentaire = fracture de la mandibule et fractures de LEFORT (disjonctions cranio-faciale).
3	• La seule difficulté est de connaitre la numérotation des dents (assez facile en pratique car il suffit de compter dans le sens des aiguilles d'une montre quadrant par quadrant en débutant par l' hémi-arcade supérieure droite).
4	• L'hyphéma va obstruer l'angle irido-cornéen : l'humeur aqueuse s'écoule difficilement d'où l'hypertonie oculaire. • La récession de l'angle correspond à un recul post traumatique de l'angle irido-cornéen. Ce recul peut dans certains cas se compliquer d'hypertonie oculaire plus ou moins importante parfois plusieurs années après le traumatisme. Il faut donc avertir le patient de ce risque et organiser un suivi ophtalmologique rapproché (l'hypertonie étant longtemps asymptomatique). • Toute compression du globe, qu'elle soit antérieure (le simple fait d'appuyer sur le globe à travers la paupière) ou postérieure (par un processus intra orbitaire : hématome, emphysème, tumeur orbitaire…) augmente la pression intraoculaire. • Le traitement est étiologique (évacuation d'un hématome orbitaire par exemple). En pratique quotidienne, on donne des gouttes hypotonisantes. En cas d'hyphéma important avec hypertonie majeure, on peut proposer un lavage de la chambre antérieure…
5	• Pas de difficulté particulière.
6	• L'exophtalmie au mouchage est un grand classique. Elle est le témoin d'une communication anormale entre une cavité aérique de la face et l'orbite. Ici, c'est une communication anormale entre le sinus maxillaire et l'orbite homolatérale due à la fracture du plancher orbitaire. Le mouchage entraine une hyperpression dans les cavités aériques de la face => l'air va donc diffuser au niveau de l'orbite mais aussi en sous cutané (emphysème sous cutané).
7	• L'examen oculomoteur est capital dans tout traumatisme orbitaire. Il faut s'efforcer de rechercher une limitation de l'élévation de l'œil possiblement témoin d'une incarcération du muscle (ou de sa graisse) dans le foyer de fracture responsable d'une diplopie binoculaire dans le regard vers le haut. Si incarcération il y a, il s'agit d'une urgence fonctionnelle car risque de nécrose musculaire => il faut décomprimer le muscle en urgence. • L'incarcération peut aussi être évaluée par le test de duction forcée réalisé au bloc opératoire en général car très douloureux (consiste à pincer le globe oculaire avec une pince et à provoquer une élévation de ce dernier et à rechercher une résistance à son élévation).

	• Le test de HESS LANCASTER est le gold standard dans l'analyse oculomotrice. Il est médico-légal. Il recherche une hypo-action dans le territoire du muscle concerné.
8	• En pratique, le traitement des traumatismes ORL comprend une antibiothérapie active sur les anaérobies type AUGMENTIN® et corticothérapie pendant 7 jours. • En cas de suspicion de brèche ostéoméningée (rhinorhée LCR), il faut penser à la vaccination anti pneumocoque et réaliser une imagerie précise de la base du crane (TDM fenêtre osseuse +/- IRM +++). • Dans les questions de justifications, il faut toujours adopter le même plan : indication, absence de contre indication, balance bénéfices / risques favorable voire balance cout / bénéfices favorable. (recette personnelle)
9	• Devant toute agression, il faut rédiger un CCB et fixer le taux d'ITT pénale. • Dans le cadre d'une agression, si l'ITT est < 8 jours, le tribunal compétent sera le tribunal de police. Si ITT > 8 jours, ce sera le tribunal correctionnel. • En pratique, devant tout dommage corporel, qu'il soit causé par la personne seule ou par un tiers, il faut rédiger un CCB...pour les assurances !!
10	• Il existe 2 types de traumatisme oculaire : le traumatisme contusif (ici) et le traumatisme perforant, les deux étant souvent associés. Au niveau rétinien, une contusion peut provoquer un œdème rétinien : il s'agit d'une zone blanchâtre. L'œdème, s'il siège au niveau du pôle postérieur, peut avoir de graves séquelles à type de trou maculaire et atrophie maculaire avec baisse d'acuité visuelle définitive. • L'œdème post contusif au niveau du pôle postérieur (macula) prend le nom d'œdème de Berlin. • Il faut toujours examiner la périphérie rétinienne à la recherche d'une déchirure rétinienne à coaguler au laser argon. Rappelons que le traumatisme oculaire est un des principaux facteurs de risque de décollement de rétine.

ITEMS ABORDEES

Items	Intitulés
8	• Certificats médicaux
201	• Traumatismes (facial, orbitaire)

Dossier thématique transversal 10

Enoncé

Un patient de 60 ans, d'origine maghrébine, consulte aux urgences ophtalmologiques pour une baisse d'acuité visuelle de l'oeil gauche, profonde, survenue en quelques minutes, il y a 5 jours. C'est son fils qui lui a conseillé de venir consulter, pensant qu'il pouvait y avoir un problème.

Ce patient n'a aucun antécédent connu, n'a pas d'allergie, ne prend aucun traitement.

Il est tabagique à 20 paquets années.

L'infirmière d'accueil et d'orientation (IAO) a recueilli les constantes suivantes : Taille = 1,62m, poids = 80kg, TA = 160/80, FC = 80/min, T°= 37,4.

L'examen ophtalmologique est le suivant :

- Acuité visuelle corrigée de loin :
  OD : 6/10e
  OG : voit bouger la main
- L'examen des segments antérieurs à la lampe à fente sont particularités, hormis une cataracte cortico-nucléaire débutante.
- La pression intra oculaire par aplanation est de 15 mm Hg aux 2 yeux.
- L'examen des 2 fonds d'œil dilaté est présenté ci-dessous :

Œil gauche

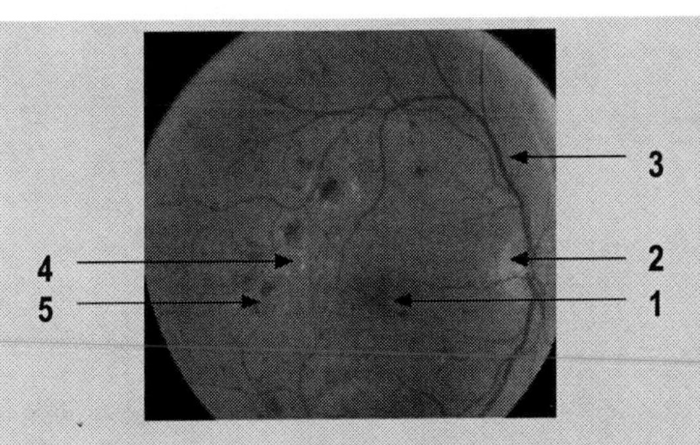

Œil droit

1/ Quel est votre diagnostic concernant l'oeil gauche ?

2/ Quel examen paraclinique ophtalmologique effectuez-vous en urgence devant ce tableau clinique ? Justifiez.

3/ Légendez les éléments fléchés sur l'oeil droit.

4/ Quelle maladie générale sous jacente suspectez-vous en priorité ? Quels sont les 2 principaux mécanismes physiopathologiques responsables de l'ensemble des anomalies retrouvées au niveau de l'oeil droit ?

Le patient est hospitalisé. Un premier bilan biologique effectué vous est présenté : Hb = 13g/dl, leucocytes = 7000/mm3, plaquettes = 235000/ mm3, Na = 138 mmol/l, K = 3,7 mmol/l, glycémie = 2,25 g/l, urée = 7,5 mmol/L, créatinine = 200 µmol/l, ASAT = 35 U/l, ALAT = 32 U/l, CRP = 5 mg/L.

5/ Le diagnostic de la question 4 est-il confirmé ? Justifiez. Si non, quel(s) examen(s) complémentaire(s) demanderiez-vous pour le confirmer ?

Après 2 semaines d'hospitalisation, le patient est sortant. Son ordonnance de sortie est la suivante : kardegic 75mg/jour, atorvastatine 5 mg/jour, candesartan 4 mg/jour, lantus et novorapid selon un protocole basal-bolus.

6/ A quelles classes médicamenteuses appartiennent les molécules ci dessus ?

7/ Pourquoi n'a t-on pas prescrit de metformine (GLUCOPHAGE®) ?

8/ Citez 6 mesures non médicamenteuses primordiales à la prise en charge globale de ce patient.

Finalement, le patient est perdu de vue. 4 mois plus tard, il reconsulte aux urgences ophtalmologiques pour un oeil gauche rouge, douloureux, toujours associé à une baisse d'acuité visuelle. L'examen ophtalmologique est le suivant :

- Acuité visuelle : 6/10e (OD) / 1/10 (OG).
- Pression intra oculaire : 15 mm Hg (OD) / 52 mm Hg (OG).
- L'examen du segment antérieur de l'œil gauche est présenté ci-dessous :

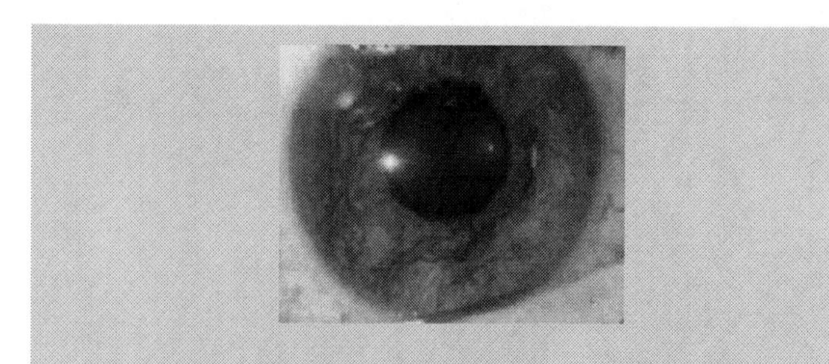

9/ Quel est votre diagnostic ophtalmologique ?
10/ Quel traitement ophtalmologique aurait permis d'éviter la survenue d'un tel tableau clinique ?

Corrigé

PREMIERE LECTURE

Difficulté du dossier : 1/3

Dossier assez facile de rétinopathie diabétique.

A classer en 1ere position parmi les 3 dossiers de l'épreuve.

Mots clés à inscrire sur le brouillon :

Diabète : HbA1c, dextro, BU...

Examen de l'œil adelphe => permet de faire le diagnostic ici...

GRILLE DE CORRECTION

1	Quel est votre diagnostic concernant l'oeil gauche ?	Grille classique	Grille ECN
•	Hémorragie intra vitréenne	10	10
		10	

2	Quel examen paraclinique ophtalmologique effectuez-vous en urgence devant ce tableau clinique ? Justifiez.	Grille classique	Grille ECN
•	Echographie oculaire	5	5
•	En mode B	2	2
•	Eliminer un décollement de rétine	3	3
		10	

3	Légendez les éléments fléchés sur l'oeil droit.	Grille classique	Grille ECN
•	1 = Macula	2	2
•	2 = Papille / nerf optique	2	2
•	3 = Vaisseau (artère ou veine) temporal supérieur	2	2
•	4 = Exsudat	2	2
•	5 = Hémorragie	2	2
		10	

4	Quelle maladie générale sous jacente suspectez-vous en priorité ? Quels sont les 2 principaux mécanismes physiopathologiques responsables de l'ensemble des anomalies retrouvées au niveau de l'oeil droit ?	Grille classique	Grille ECN
•	Diabète	8	10
•	Type 2	2	-
•	Mécanismes :	-	-
•	Hyperperméabilité capillaire	2	2
•	Ischémie rétinienne / obstruction capillaire / micro thromboses capillaires	2	2
		14	

5	Le diagnostic de la question 4 est il confirmé ? Justifiez. Si non, quel(s) examen(s) complémentaire(s) demanderiez-vous pour le confirmer ?	Grille classique	Grille ECN
•	OUI	5	5
•	Car glycémie > 2 g/l à n'importe quel moment de la journée	5	5
		10	

6	A quelles classes médicamenteuses appartiennent les molécules ci dessus ?	Grille classique	Grille ECN
•	Kardegic = Aspirine / anti agrégant plaquettaire	2	2
•	Atorvastatine = statine / hypolipémiant	2	2
•	Candesartan = ARA 2 / Antagoniste des récepteurs à l'Angiotensine 2	2	2
•	Lantus = insuline lente	2	2
•	Novorapid = insuline (ultra) rapide	2	2
		10	

7	Pourquoi n'a t-on pas prescrit de metformine (GLUCOPHAGE®) ?	Grille classique	Grille ECN
•	Insuffisance rénale	4	6
•	Clairance de la créatinine < 60 / DFG = 38 ml/min	4	4
•	Risque d'acidose lactique	4	4
•	Aux biguanides	2	-
		14	

8	**Citez 6 mesures non médicamenteuses primordiales à la prise en charge globale de ce patient.**	**Grille classique**	**Grille ECN**
•	Prise en charge à 100%, ALD	**2**	**2**
•	Sevrage tabagique	**2**	**2**
•	Prise en charge pluridisciplinaire (MT, endocrino, néphro, ophtalmo...)	**2**	**2**
•	Règles hygiéno-diététiques / réduction pondérale	**2**	**2**
•	Education thérapeutique	**2**	**2**
•	Surveillance : à vie, HbA1c...	**2**	**2**
		12 PLUS DE 6 REPONSES = ZERO	

9	**Quel est votre diagnostic ophtalmologique ?**	**Grille classique**	**Grille ECN**
•	Glaucome néovasculaire	**4**	**5**
•	De l'œil gauche	**1**	**-**
		5	

10	**Quel traitement ophtalmologique aurait permis d'éviter la survenue d'un tel tableau clinique ?**	**Grille classique**	**Grille ECN**
•	PPR / Pan photocoagulation rétinienne	**4**	**5**
•	Au laser ARGON	**1**	**-**
		5	

COMMENTAIRES

Questions	Commentaires
Général	• 30 MOTS CLES => soyez bref et précis !!
1	• Il s'agit d'une BAV indolore avec fond d'œil inaccessible. Il peut s'agir d'une hyalite massive ou d'une HIV. Ici, le rouge témoigne de la présence de sang donc c'est une HIV. • Les principales causes de HIV sont : saignement de néo vaisseaux dans le cadre de rétinopathies ischémiantes (diabète +++, OVCR ischémique...), déchirure rétinienne hémorragique, post traumatique, syndrome de Terson (hémorragie méningée).
2	• Dès que le FO n'est pas accessible cliniquement, il faut toujours faire une échographie oculaire pour visualiser la rétine : l'objectif est d'éliminer un décollement de rétine, une tumeur choroïdienne... • En effet la présence d'une HIV avec DR à l'échographie change l'attitude thérapeutique : il s'agit d'une urgence chirurgicale (chirurgie du DR par voie interne : vitrectomie ...).
3	• La macula se trouve en temporal de la papille. • Hémorragie = en rouge. • Exsudat = petits points jaune parfois confluents. • Nodules cotonneux = plaques blanchâtres assez irrégulières.
4	• Hyperperméabilité vasculaire => exsudats, hémorragie superficielle en flammèche œdème maculaire. • Les micro thromboses / obstructions capillaires entrainent, si elles sont diffuses, une ischémie rétinienne => nodule cotonneux, hémorragies profondes en nappe, AMIR, néo vaisseaux et leurs complications propres.
5	• Diabète car glycémie > 2 g/l à n'importe quel moment de la journée. • Un diabète est souvent découvert de manière fortuite lors d'un examen du fond d'œil.
6	• Il faut bien connaitre les médicaments cardiovasculaires car ce sont les plus prescrits dans le monde. • Seules les DCI comptent aux ECN.
7	• C'est l'un des pièges les plus classiques : pensez toujours à calculer (approximativement) le DFG quand un patient est sous metformine car le zéro à la question n'est jamais loin.
8	• C'est le tiroir de la prise en charge sociale. • L'éducation thérapeutique est primordiale ici : le patient n'a pas l'air très observant : il vient consulter seulement 5 jours après l'hémorragie, il est accompagné de son fils... • Il y a probablement d'autres réponses possibles, mais ici, on ne vous en demande que 6 : c'est la seule difficulté de ces questions fermées : être chanceux dans ses choix de réponse.
9	• Ce patient est porteur d'une rétinopathie diabétique de l'OG proliférante compliquée. Il n'a eu aucun suivi donc les néovaisseaux ont progressé / avancé dans l'oeil jusqu' au niveau de l'iris. On parle alors de rubéose irienne. Ces néovaisseaux iriens envahissent ensuite l'angle irido cornéen qui se bouche progressivement d'ou l'hypertonie oculaire majeure donc l'oeil rouge et douloureux : c'est le glaucome néovasculaire.

	• Le pronostic du glaucome néovasculaire est catastrophique. Il y a peu de traitement efficace. Il faut bien sur réaliser une PPR en urgence, on associe des mydriatiques. En général, on se retrouve avec un œil qui ne voit plus (neuropathie optique due à l'hypertonie) et qui est très douloureux : on peut alors proposer des injections rétro bulbaires d'alcool à visée antalgique (destruction des nerfs ciliaires responsables de la douleur) voire l'éviscération de l'œil (retirer le contenu de l'œil en ne conservant que la coque sclérale et en mettant en place une bille prothétique à l'intérieur puis une prothèse esthétique par la suite).
10	• La pan photocoagulation rétinienne (PPR) permet de brûler la rétine périphérique (on ne respecte que le pôle postérieur) et donc de détruire les zones d'ischémie rétinienne et donc de faire régresser les néovaisseaux pré rétiniens donc d'éviter la survenue de complications liées à ces néovaisseaux (hémorragie intra vitréenne, DR tractionnel, glaucome néovasculaire....). Ici, la PPR était urgente car rétinopathie diabétique proliférante de l'oeil gauche. • Comment faire une PPR en cas d' HIV associée me direz vous ? 2 solutions : d'abord, faire l'écho B : si DR => urgence => chirurgie avec réalisation du laser en per opératoire (endo laser). Si pas de DR, alors : on attend en général 1 mois la résorption de l' HIV. Si elle se fait spontanément, on réalise le laser dès que le FO devient visible. Si pas de résorption spontanée, alors chirurgie (vitrectomie + endo laser). A noter qu'en attendant la résorption de l' HIV, on peut effectuer une injection d'anti VEGF (comme dans la DMLA) pour faire régresser transitoirement les néo vaisseaux (utilisation hors AMM).

ITEMS ABORDEES

Items	Intitulés
212	• Œil rouge et douloureux
233	• Diabète

Dossier thématique transversal 11

Enoncé

Mlle B, patiente de 32 ans, d'origine alsacienne, sans antécédent notable hormis un tabagisme actif et un épisode de diplopie binoculaire transitoire spontanément résolutif il y a environ 1 an, sans allergie, sans traitement, se présente aux urgences ophtalmologiques de votre hôpital pour une baisse d'acuité visuelle de l'oeil gauche spontanée évoluant depuis 72H, associée à des douleurs rétro-oculaires gauches à la mobilisation des yeux.

Les constantes de la patiente sont les suivantes : TA = 125/85 mm Hg, FC = 72/min, FR = 13/min, SpO2 = 98%, T° = 37,2°.

L'examen ophtalmologique est le suivant :

- Acuité visuelle corrigée :
  OD : 10/10e P2
  OG : 1/10e P14
- Tonométrie par aplanation : 13 mm Hg aux 2 yeux.
- L'examen des segments antérieurs à la lampe à fente retrouve une cornée claire sans prise de fluorescéine, une chambre antérieure calme et profonde, un cristallin clair.

1/ Citez 5 diagnostics ophtalmologiques compatibles avec ce tableau clinique.

L'examen du fond d'œil gauche non dilaté est le suivant :

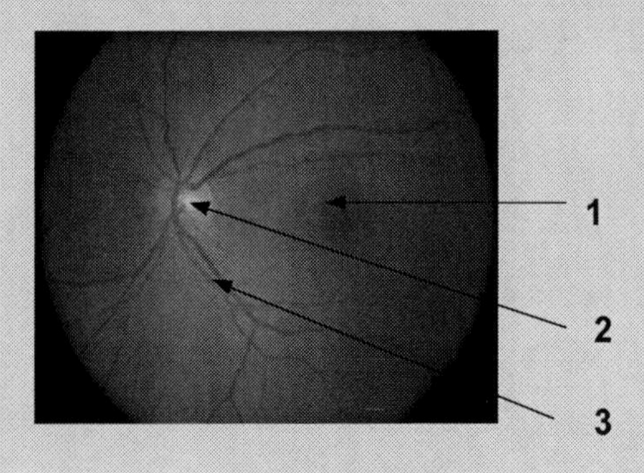

2/ Légendez les éléments fléchés. Interprétez ce fond d'oeil.

3/ Quel élément de l'examen ophtalmologique, indispensable devant ce tableau clinique, est manquant dans cette observation ? Quelle anomalie y recherchez-vous ?

Vous réalisez l'examen suivant :

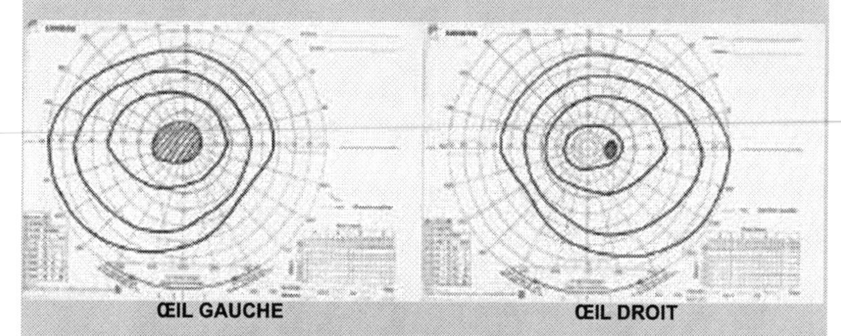

ŒIL GAUCHE **ŒIL DROIT**

4/ Quel est cet examen ? Quelle en est votre interprétation ?

5/ Quel diagnostic ophtalmologique retenez-vous ?

6/ Quel bilan paraclinique effectuez-vous ?

Après négociation compliquée avec le radiologue, vous parvenez à réaliser l'examen suivant :

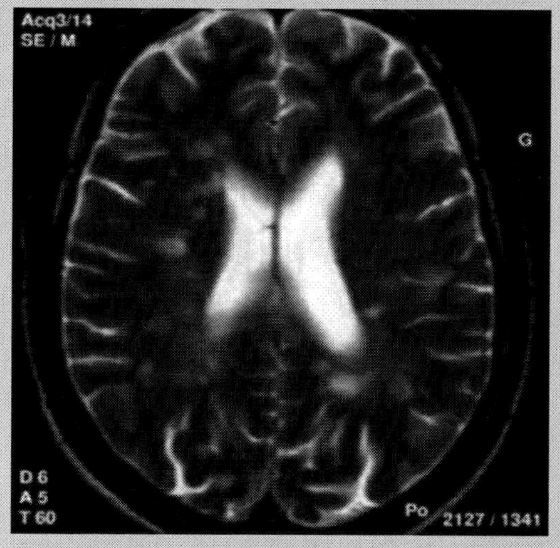

7/ Interprétez cet examen.

8/ Quel diagnostic sous jacent suspectez-vous ? Sur quel argument principal ? (1 seule réponse)

9/ Vous décidez d'hospitaliser la patiente. Quel médicament prescrivez-vous (DCI, voie d'administration) ? Quels en sont les 2 principaux intérêts ?

5 jours plus tard, la patiente est sortante. Après discussion pluridisciplinaire, un traitement immunomodulateur par AVONEX® (interféron beta 1a) en intra musculaire est débuté tous les lundis à domicile par une infirmière diplômée d'état.

Deux mois plus tard, le mardi 15 octobre 2013, la patiente consulte une nouvelle fois aux urgences ophtalmologiques pour une diplopie binoculaire constatée ce matin au réveil.

Les constantes de la patiente sont les suivantes : TA = 130/80 mm Hg, FC = 90/min, FR = 13/min, SpO2 = 99%, T° = 38,8°.

A l'examen, la patiente présente des céphalées, des myalgies, des frissons associés à des sueurs.

L'étude des reflets cornéens en position primaire est présenté sur la *figure a*. L'examen oculomoteur dans le regard vers la droite est sans anomalie. L'examen oculomoteur dans le regard vers la gauche vous est présenté sur la *figure b*. La convergence des 2 yeux est normale.

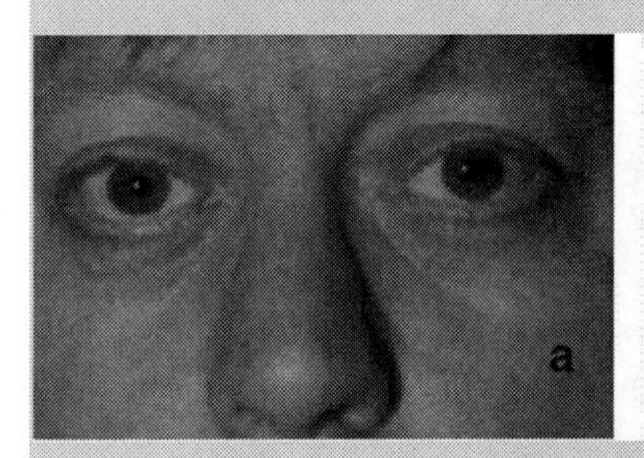

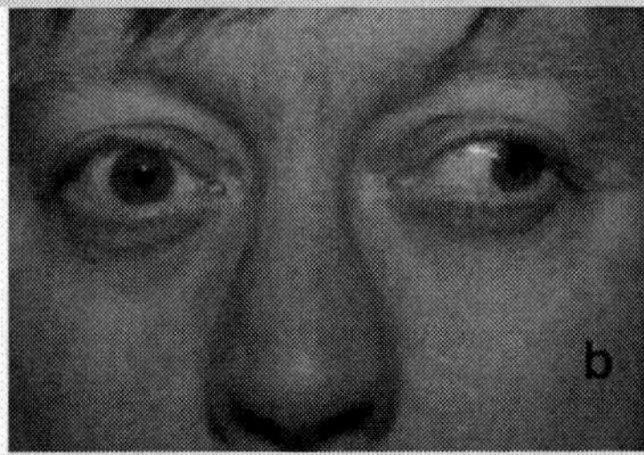

10/ Quel diagnostic posez-vous concernant cette diplopie ? Comment l'expliquez-vous?

Corrigé

PREMIERE LECTURE

Difficulté du dossier : 3/3

Dossier classique mais long.

A classer en 3e position parmi les 3 dossiers de l'épreuve.

Mots clés à inscrire sur le brouillon :

Examen du segment antérieur : ne jamais oublier l'examen pupillaire +++

GRILLE DE CORRECTION

1	**Citez 5 diagnostics ophtalmologiques compatibles avec ce tableau clinique.**	Grille classique	Grille ECN
	• NORB / Névrite optique retro bulbaire • Toxoplasmose maculaire • Uvéite postérieure / hyalite / œdème maculaire / choriorétinite • OVCR / Occlusion veine central rétine ou OBVCR • NOIAA / neuropathie optique ischémique aigüe • OACR / Occlusion artère centrale rétine • HIV / hémorragie intra vitréenne • Décollement de rétine • Hématome maculaire	**2 points pour chaque réponse ci contre.**	
		10 points maximum PLUS DE 5 REPONSES = ZERO	

2	**Légendez les éléments fléchés. Interprétez ce fond d'oeil.**	Grille classique	Grille ECN
	• 1 = Macula	**2**	**2**
	• 2 = Nerf optique / papille	**2**	**2**
	• 3 = Vaisseaux (artère ou veine) temporaux inférieurs	**2**	**2**
	• Interprétation FO = Normal	**2**	**2**
		8	

3	Quel élément de l'examen ophtalmologique, indispensable devant ce tableau clinique, est manquant dans cette observation ? Quelle anomalie y recherchez-vous ?	Grille classique	Grille ECN
	• Elément manquant = étude du reflexe photomoteur / étude des pupilles	2	2
	• Anomalie : recherche d'un déficit pupillaire afférent relatif (DPAR) / signe de Marcus Gunn	2	3
		-	-
	• De l'œil gauche	1	-
		5	

4	Quel est cet examen ? Quelle en est votre interprétation ?	Grille classique	Grille ECN
	Examen :	-	-
	• Champ visuel	2	2
	• Cinétique	1	-
	• De Goldman	1	2
	Interprétation :	-	-
	• Scotome	2	2
	• Coecocentral	1	2
	• De l'œil gauche	1	-
	• Oeil droit normal	-	-
		8	

5	Quel diagnostic ophtalmologique retenez-vous ?	Grille classique	Grille ECN
	• NORB / Névrite optique retro bulbaire	3	4
	• Gauche	1	-
		4	

6	Quel bilan paraclinique effectuez-vous ?	Grille classique	Grille ECN
•	Bilan ophtalmologique :	-	-
	- Vision des couleurs	2	2
	- PEV / potentiels évoqués visuels	2	2
•	Ponction lombaire	2	2
•	Bilan sanguin :	-	-
	- NFS	-	-
	- Plaquettes	-	-
	- TP, TCA	-	-
	- Ionogramme	-	-
	- Urée, créatinine	-	-
	- Bilan hépatique (ASAT, ALAT, gGT, PAL)	-	-
	- Glycémie	-	-
	- Calcémie	1	1
	- Albumine	1	-
	- B9, B12	1	1
	- VS, CRP	1	1
	- Electrophorèse des protéines sériques (en même temps que la PL)	1	1
	- Intra dermo réaction	1	-
	- TPHA, VDRL	1	2
	- Sérologie LYME	1	2
	- Sérologie VIH (après accord)	1	-
	- Enzyme de conversion de l'angiotensine	1	2
	- Anticorps anti nucléaires (AAN)	1	2
•	Bilan radiologique :	-	-
	- IRM	1	-
	- Cérébrale	1	-
	- Et médullaire	2	2
	- Radiographie thorax de face	1	-
		22	

7	Interprétez cet examen.	Grille classique	Grille ECN
•	IRM cérébrale	2	2
•	Coupe axiale	1	-
•	Pondérée en T2	1	-
•	Multiples	1	-
•	Hyper signaux	1	2
•	Nodulaires	1	2
•	Bilatéraux	1	-
•	De la substance blanche	1	2
•	Péri ventriculaire	1	2
•	Aspect compatible avec une SEP	-	-
		10	

8	Quel diagnostic sous jacent suspectez-vous ? Sur quel argument principal (1 seule réponse).	Grille classique	Grille ECN
	• SEP / Sclérose en plaques	5	5
	• Argument : dissémination temporo-spatiale	5	5
		10 PLUS D'UNE REPONSE = ZERO	

9	Vous décidez d'hospitaliser la patiente. Quel médicament prescrivez-vous (DCI, voie d'administration) ? Quels en sont les 2 principaux intérêts ?	Grille classique	Grille ECN
	• Médicament :	-	-
	- Méthylprednisolone	4	4
	- IV	2	2
	- 1 gramme pendant 3 jours (5 jours si grave)	-	-
	- Après bilan pré thérapeutique (ECG, iono, glycémie)	-	-
	- Surveillance clinique (TA, dextro) et paraclinique (glycémie, iono) avant,	-	-
	pendant et après bolus	-	-
	- Plus de relais per os	-	-
	• Intérêts :	-	-
	- Augmente la vitesse de récupération visuelle	3	3
	- Augmente l'intervalle entre 2 poussées	3	3
	« AMELIORATION DU PRONOSTIC VISUEL » = ZERO A CETTE PARTIE		
		12 PLUS DE 2 REPONSES = ZERO	

10	Quel diagnostic posez vous concernant cette diplopie ? Comment l'expliquez-vous ?	Grille classique	Grille ECN
	• Diagnostic :	-	-
	- Ophtalmoplégie internucléaire antérieure aigue	5	5
	- Droite	1	2
	• Explication :	-	-
	- Phénomène d'UTHOFF / thermo sensibilité des axones démyélinisés	2	2
	- Du à la fièvre	1	-
	- Secondaire à un syndrome grippal	1	2
	- Iatrogéne / du à l'interféron / AVONEX®	2	2
	- Critères d'imputabilité	1	-
		13	

COMMENTAIRES

Questions	Commentaires
Général	• 44 MOTS CLES : dossier long.
1	• Les 3 diagnostics les plus probables chez cette femme jeune sont : NORB +++, choriorétinite toxoplasmique et OVCR. • Le contexte est très important : l'OACR, la NOIAA sont très peu probables chez une femme jeune. • Attention, on ne demande que des diagnostics ophtalmologiques donc il ne faut pas répondre AVC, tumeur, méningo-encéphalite, simulation…
2	• Tous les diagnostics évoqués ci-dessus donnent des anomalies flagrantes au FO. Ici, tout semble normal (papille, macula, vaisseaux, rétine) donc répondez normal, d'autant que vous savez très bien qu'il s'agit d'une NORB car vous avez lu tout l'énoncé.
3	• Le DPAR correspond à une diminution du RPM à l'éclairement de l'oeil pathologique alors que le reflexe consensuel de l'oeil pathologique est normal lors de l'éclairement de l'oeil sain. Dans la NORB, cela s'appelle le signe de Marcus Gunn.
4	• Il existe 2 types de champ visuel : le statique (HUMPHREY, OCTOPUS) pour le glaucome principalement, et le cinétique (GOLDMAN) utilisé pour la neuro-ophtalmologie (NORB, adénomes hypophysaires…). • Dans le Goldman, le point central correspond au point de fixation donc à la macula. Il existe un scotome physiologique qui correspond à la papille (appelé tache aveugle). • Le scotome central est un scotome touchant uniquement le point de fixation. • Le scotome coecocentral est un scotome qui touche le point de fixation et s'étend jusqu'à la tache aveugle.
5	• NORB = patient jeune avec BAV plus ou moins importante (parfois NORB avec AV = 10/10e), classiques douleurs rétro oculaires à la mobilisation du globe, œil blanc, segment antérieur = DPAR, FO normal (parfois, on a un léger œdème papillaire : on parle alors de papillite / névrite anté et rétro bulbaire). Le champ visuel retrouve un scotome central ou coecocentral, vision des couleurs altérée, PEV = retard de latence de l'onde P100. • Après, il faut trouver l'étiologie de la NORB.
6	• Pour le bilan, il faut faire un bilan étiologique (IRM +/- PL pour la SEP, ECA et RxT pour la sarcoïdose…) et un bilan pré thérapeutique (pré bolus corticoïdes : glycémie…).
7	• IRM typique de SEP => on constate une dissémination spatiale.
8	• SEP phase rémittente. Le mot clé à mettre dans tout dossier de SEP est la dissémination temporo-spatiale qui est capitale pour le diagnostic car la SEP est une maladie inflammatoire évoluant par poussées entrecoupées de rémissions.
9	• Solumédrol® ne sera pas coté : seules les DCI sont cotées donc Méthylprednisolone. • Le protocole habituel comprend un bolus de 4H par voie IV pendant 3 jours, parfois 5 jours si NORB grave. • La plupart des neurologues ne font plus de relais par corticoïdes per os. • Il faut bien expliquer au patient que ce traitement n'améliore pas le pronostic visuel de l'épisode actuel. Le pronostic dépend principalement de l'acuité visuelle de départ.

10	• L'ophtalmoplégie correspond à une atteinte du faisceau longitudinal médian qui permet la coordination binoculaire. Par exemple, quand on regarde vers la droite, on met en action le VI droit et le III gauche. C'est ce faisceau qui permet cette coordination. • Dans l'ophtalmoplégie internucléaire, l'œil homolatéral va présenter une paralysie de l'adduction, tandis que l'œil controlatéral va présenter un nystagmus. • Le côté de l'ophtalmoplégie est celui de la paralysie de l'adduction de l'œil. • Une ophtalmoplégie bilatérale est quasi pathognomonique de la SEP. • Le phénomène d'UTHOFF correspond uniquement à une thermo sensibilité des axones ayant subi une démyélinisation. Il ne correspond pas à une poussée de SEP et ne doit donc pas être traité par corticothérapie.

ITEMS ABORDEES

Items	Intitulés
125	• Sclérose en plaques.
187	• Anomalie de la vision d'apparition brutale.

Notes personnelles

Dossier thématique transversal 12

Enoncé

Un patient de 62 ans, agriculteur apiculteur de l'arrière pays varois, se rend aux consultations ophtalmologiques de votre hôpital pour une chute des 2 paupières prédominant à gauche depuis 2 jours, parfois très gênant car recouvre complètement l'oeil notamment le soir en fin de journée, associé à une sensation de vision double disparaissant à la fermeture d'un oeil. Le patient n'a pas de douleurs particulières, n'a pas d'allergies. Ses principaux antécédents sont : hypertension artérielle, dyslipidémie, accident vasculaire cérébral ischémique transitoire, arthrose lombaire, insomnie. Son traitement comprend : kardegic, atorvastatine, perindopril, esomeprazole, bromazepam.

Le patient a vu son médecin traitant il y a 1 mois pour asthénie. Ce dernier lui avait prescrit le bilan ci dessous puis de la vitamine B9 (acide folique) par voie orale.

Hb = 9,1 g/dl, VGM = 83 µ, CCMH = 30 g/100 ml , Réticulocytes = 55 000/mm3, plaquettes = 235 000/mm3, GB = 7200/mm3, Na = 135 mmol/l, K = 4,2 mmol/l, Cl = 100 mmol/l, TP = 82%, TCA = 34 s (témoin 32s), urée = 6,1 mmol/l, créatinine = 85 µmol/l, VS = 15 / 35 mm, CRP = 1 ng/ml.

L'examen ophtalmologique est le suivant :

- **Acuité visuelle corrigée : 10/10e P2 aux 2 yeux.**
- **Examen des segments antérieurs à la lampe à fente : cornée claire, sans prise de fluorescéine, Chambre antérieure calme et profonde, pupilles symétriques, reflexe photomoteur et consensuel normaux, quelques opacités cristalliniennes.**
- **Pression intra oculaire par aplanation : 12 mm Hg aux 2 yeux.**
- **Le fond d'œil est sans particularités.**
- **Une photographie du patient et l'examen oculomoteur sont présentés ci-dessous :**

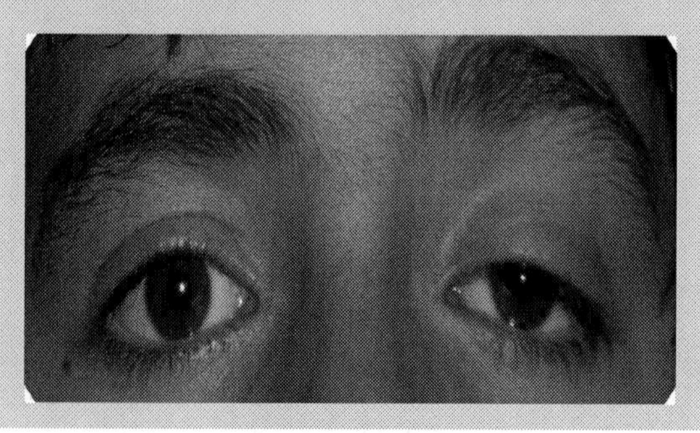

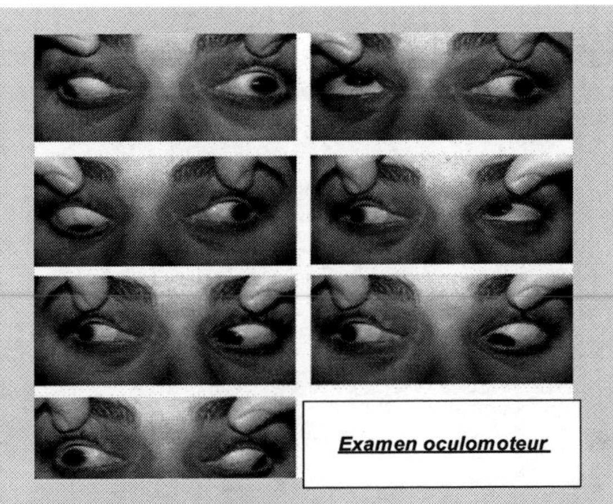

Examen oculomoteur

1/ Quels éléments sont en faveur d'un botulisme ? Quel élément de l'observation élimine ce diagnostic ?

2/ Citez les muscles déficients chez ce patient.

3/ Existe t- il un risque d'amblyopie de l'oeil gauche ? Justifiez.

4/ Quel diagnostic devez vous évoquer ? Quel test clinique simple effectuez-vous en consultation et qu'en attendez-vous ?

Votre diagnostic clinique semble se confirmer.

5/ Que devez-vous obligatoirement rechercher à l'examen clinique systémique ? Pourquoi ?

6/ Citez 3 examens complémentaires à effectuer afin de confirmer votre diagnostic et préciser ce que vous en attendez brièvement.

Vous hospitalisez le patient, prescrivez un bilan biologique complet ainsi qu'un scanner thoracique présenté ci dessous :

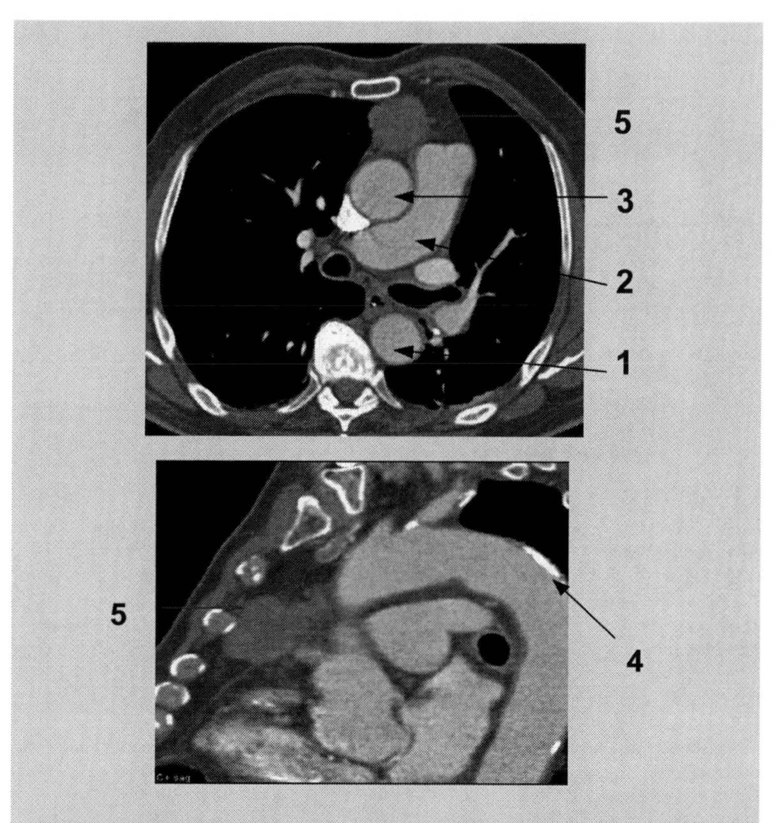

7/ Légendez les éléments fléchés. Quelle est la principale anomalie présente ? Donnez en les 2 étiologies les plus probables dans ce contexte.

8/ Discutez la prescription du médecin traitant il y a 1 mois. Quelle anomalie hématologique suspectez-vous dans ce contexte ? Quel examen (1 seul) permettrait de confirmer votre suspicion ?

9/ Quelle mesure préventive effectuez-vous immédiatement ? Justifiez.

Corrigé

PREMIERE LECTURE

Difficulté du dossier : 2/3

Dossier assez long.

A classer en 2e position parmi les 3 dossiers de l'épreuve.

Mots clés à inscrire sur le brouillon :

Ptosis = possible urgence.

Ptosis + RPM normal => myasthénie +++.

Ptosis + mydriase = anévrisme carotide interne +++.

Ptosis + myosis = dissection carotide interne +++ (syndrome de Claude Bernard Horner).

GRILLE DE CORRECTION

1	Quels éléments sont en faveur d'un botulisme ? Quel élément de l'observation élimine ce diagnostic ?	Grille classique	Grille ECN
	En faveur :	-	-
•	Apiculteur / consommation de miel artisanal	2	2
•	Prise d'IPP / esomeprazole / faible acidité gastrique	1	2
•	Symptomatologie récente	1	-
•	Pas de douleurs	1	-
•	Ptosis	1	2
•	Diplopie	2	2
	- Binoculaire	1	1
	Contre :	-	-
•	Pas de mydriase / Reflexe photomoteur normal	3	3
		12	

2	Citez les muscles déficients chez ce patient.	Grille classique	Grille ECN
•	Releveur de la paupière	2	2
•	Droit médial	2	2
•	Droit supérieur	2	2
•	Droit inférieur	2	2
•	Gauches	2	2
		10	

3	Existe t- il un risque d'amblyopie de l'oeil gauche ? Justifiez.	Grille classique	Grille ECN
•	NON	2	2
•	Le risque d'amblyopie n'existe que jusqu'à l'âge de 6 ans.	2	2
		4	

4	Quel diagnostic devez-vous évoquer ? Quel test clinique simple effectuez-vous en consultation et qu'en attendez-vous ?	Grille classique	Grille ECN
•	Diagnostic :	-	-
	- Myasthénie	5	5
	- Oculaire	-	-
•	Test Clinique :	-	-
	- Test du glaçon :	3	3
	o Amélioration du ptosis après pose d'un glaçon sur la paupière	2	2
	- **OU** test de Cogan :	3	3
	o on demande au patient de regarder vers le bas, puis on lui demande de regarder rapidement en face, la paupière supérieure s'élève excessivement et rapidement, puis retombe ensuite progressivement.	2	2
		10	

5	Que devez-vous obligatoirement rechercher à l'examen clinique systémique ? Pourquoi ?	Grille classique	Grille ECN
•	Recherche de signes de gravité :	1	-
	- Respiratoires :	1	2
	- Dyspnée, dysphonie, bradypnée, désaturation, hypoxémie, test d'apnée	1	2
	- Troubles de la déglutition / fausses routes / pneumopathie d'inhalation	2	2
•	Justification :	-	-
	- Recherche de signes de myasthénie généralise / crise myasthénique	2	2
	- Car pronostic vital potentiellement en jeu / urgence	1	-
		8	

6	Citez 3 examens complémentaires à effectuer afin de confirmer votre diagnostic et précisez ce que vous en attendez brièvement.	Grille classique	Grille ECN
	• Test aux antis cholinestérasiques de courte durée d'action (tensilon) :	4	4
	- Amélioration de la symptomatologie / du ptosis / de la diplopie	1	2
	- Rapidement / en moins de 30 min	1	-
	• Electromyogramme (EMG) :	4	4
	- Bloc neuromusculaire	1	1
	- Décrément	1	1
	- = Perte de > 10% de l'amplitude du potentiel d'action à la stimulation	-	-
	basse fréquence	-	-
	• Dosage des anticorps anti récepteurs à l'acétylcholine :	4	4
	- Positifs	-	-
		16	

7	Légendez les éléments fléchés. Quelle est la principale anomalie présente ? Donnez en les 2 étiologies les plus probables dans ce contexte.	Grille classique	Grille ECN
	• Légendes :	-	-
	- 1 = Aorte thoracique descendante	2	2
	- 2 = Tronc de l'artère pulmonaire	2	2
	- 3 = Aorte thoracique ascendante	2	2
	- 4 = Calcification aortique	2	2
	- 5 = Thymus / hyperplasie thymique / hypertrophie thymique	2	2
	• Anomalie :	-	-
	- Hypertrophie / hyperplasie thymus	4	4
	• Etiologies :	-	-
	- Hyperplasie thymique simple	2	2
	- thymome	2	2
		18	

8	**Discutez la prescription du médecin traitant il y a 1 mois. Quelle anomalie hématologique suspectez-vous dans ce contexte ? Quel examen (1 seul) permettrait de confirmer votre suspicion ?**	**Grille classique**	**Grille ECN**
	• Discussion :	-	-
	- Prescription non adaptée / mauvaise	2	2
	- Car la carence en B9 donne des anémies mégaloblastiques / VGM > 120µ)	2	2
	- Or, le patient a une anémie	-	-
	- Normocytaire	2	2
	- Arégénérative	-	-
	• Anomalie :	-	-
	- Erythroblastopénie	2	4
	- Auto immune	2	-
	• Examen de confirmation :	-	-
	- Myélogramme	4	4
	- Par ponction sternale	-	-
	- Envoi en anatomopathologie	-	-
		14	

9	**Quelle mesure préventive effectuez-vous immédiatement ? Justifiez.**	**Grille classique**	**Grille ECN**
	• Mesure :	-	-
	- Arrêt des benzodiazépines / bromazepam	4	4
	• Justification :	-	-
	- Médicament dépresseur respiratoire	2	2
	- Donc contre indiqué	-	-
	• Car risque de crise myasthénique / détresse respiratoire	2	2
		8	

COMMENTAIRES

Questions	Commentaires
Général	• 44 MOTS CLES = dossier long.
1	• Contre la myasthénie : pas de xérostomie, pas de paralysie ascendante. • La toxine arrive à survivre dans le miel. Elle est normalement éliminée par le suc gastrique. En cas de faible acidité gastrique (prise d'IPP), la toxine peut survivre et donner un botulisme.
2	• le grand oblique fonctionne car il arrive à regarder vers le bas et le dedans. • Le petit oblique fonctionne car il arrive à regarder en haut et en dedans.
3	• C'est bête comme question, mais certains ne le savent pas. Une fois la maturation cérébrale terminée à 6 ans, il n'y a plus de risque d'amblyopie. Par contre, avant 6 ans, un ptosis peut entraver la vision donc le cerveau peut ne pas maturer correctement donc engendrer une amblyopie (= baisse d'acuité visuelle) organique (paupière devant l'oeil).
4	• Les signes ophtalmologiques de la myasthénie : diplopie binoculaire, ptosis, signe du glaçon, signe de Cogan, ptosis augmentant à la fermeture / ouverture des yeux, RPM normal. Un critère capital est la FATIGABILITE (maximum en fin de journée +++).
5	• Devant toute suspicion de myasthénie, il faut rechercher les critères de gravité systémiques (respiratoire +++, ORL (voie nasonnée...), fausses routes).
6	• Attention, dans les myasthénies oculaires pures, les anticorps anti récepteurs à l'acétylcholine sont souvent négatifs (myasthénie séronégative). Dans ces cas là, il faut doser les anticorps anti MUSK et effectuer l'EMG et les tests pharmacologiques.
7	• Le thymus siège dans le médiastin antéro-supérieur. Chez l'adulte, il ne doit constituer qu'un reliquat.
8	• Une des premières causes d'érythroblastopénie auto immune est la myasthénie associée au thymome. Le traitement comporte : thymectomie, traitement de la myasthénie +/- transfusions sanguines.
9	• Pensez à donner au patient atteint de myasthénie la liste des médicaments contre indiqués +++ (benzodiazépines, aminosides, curares avant toute anesthésie...).

ITEMS ABORDEES

Items	Intitulés
263	• Myasthénie
304	• Diplopie

Dossier thématique transversal 13

Enoncé

Une patiente de 26 ans, comptable, sans antécédents particuliers, sans traitements, sans allergies, se présente à votre consultation hospitalière d'ophtalmologie pour une gène chronique des 2 yeux.
En effet, elle se plaint d' avoir quotidiennement les « yeux rouges, qui pleurent, qui piquent » surtout en fin de journée et devant l'écran, ainsi que de « migraine ophtalmique » qu'elle vous décrit comme une sensation de flou visuel et parfois de vision double devant l'ordinateur avec des céphalées bi frontales.
Vous suspectez une amétropie.

1/ Quel élément de l'histoire clinique vous fait rejeter le diagnostic de migraine ?
2/ Quelle amétropie suspectez-vous en priorité ?

L'examen ophtalmologique est le suivant :

- **Auto réfractométrie automatique :**
  OD : -0,75 D
  OG : -1 D
- **Acuité visuelle sans correction :**
  OD : 10/10e P2
  OG : 10/10e P2
- **L'examen des segments antérieurs à la lampe à fente retrouve une cornée claire, une chambre antérieure calme et de profondeur moyenne, un reflexe photomoteur normal, un cristallin clair.**
- **La pression intra oculaire est de 14 mm Hg aux 2 yeux.**
- **Le fond d'oeil est sans particularités.**

3/ Rejetez-vous le diagnostic de la question précédente à partir de l'analyse des valeurs de l'auto refractomètre ? Justifiez.
4/ Quel examen réfractomètrique devez vous effectuer dans le cas présent ?
5/ Citez 3 moyens de correction de cette amétropie.

Votre prise en charge est adaptée. Vous revoyez cependant la patiente aux urgences ophtalmologiques de votre hôpital 18 mois plus tard. Elle se plaint d'un oeil gauche rouge, douloureux, sensible à la lumière depuis 48H maintenant l'empêchant de remettre ses lentilles de contact.
Votre examen ophtalmologique est le suivant :

- Acuité visuelle corrigée :
  OD : 10/10e
  OG : 6/10e
- L'examen du segment antérieur gauche à la lampe à fente est présenté ci dessous. La chambre antérieure est calme et moyennement profonde, le reflexe photomoteur est normal et le cristallin est clair.
- La tension intra oculaire est de 14 mm Hg aux 2 yeux.
- Le fond d'œil semble normal.

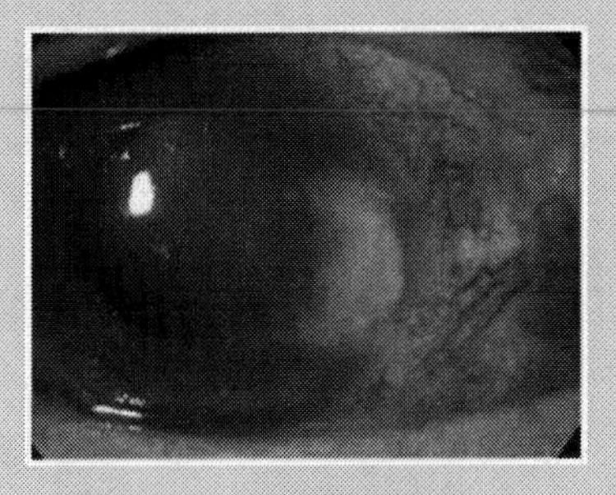

SEGMENT ANTERIEUR GAUCHE

6/ Quel diagnostic retenez-vous ?
7/ Discutez l'intérêt d'une ponction de chambre antérieure.

Vous décidez de traiter votre patiente en ambulatoire. Votre traitement comprend notamment l'instillation de collyres antibiotiques horaires pendant 48 heures.
Lors de la consultation de contrôle à 48H, la patiente ne va pas mieux : la baisse de vision est même plus importante.
L'examen ophtalmologique est le suivant :
- Acuité visuelle corrigée :
  OD : 10/10e
  OG : simple perception lumineuse
- La tension intra oculaire est de 12 mm Hg (OD) / 15 mm Hg (OG).
- L'examen du segment antérieur gauche à la lampe à fente est le suivant :

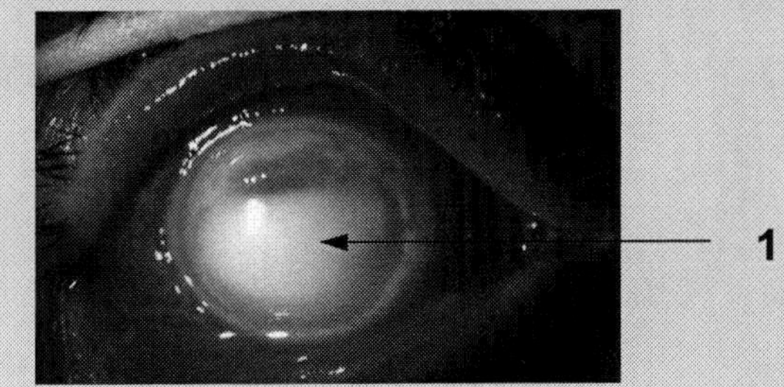

8/ Légendez l'élément fléché. Quel diagnostic retenez-vous ?

Vous hospitalisez votre patiente en ophtalmologie. Votre prise en charge associe une antibiothérapie locale, intra vitréenne et systémique.
L'évolution est rapidement favorable. Toutefois, il persiste une importante taie (cicatrice) cornéenne séquellaire.
Vous proposez finalement à distance une greffe de cornée.

9/ Citez les 2 types de greffe de cornée que vous pouvez proposer à votre patiente.

La greffe s'effectue sans incident. Un traitement local intensif par gouttes corticoïdes est instauré en post opératoire.
La patiente revient 1 mois plus tard pour oeil gauche rouge, douloureux avec importante baisse visuelle.

10/ Citez les 3 diagnostics ophtalmologiques les plus probables que vous devez évoquer.

Corrigé

PREMIERE LECTURE

Difficulté du dossier : 1/3

Dossier très facile.

A classer en 1ere position parmi les 3 dossiers de l'épreuve.

Mots clés à inscrire sur le brouillon :

Abcès cornée : urgence, antibiothérapie locale intensive, prélèvement cornéen, pas de ponction de chambre antérieure.

GRILLE DE CORRECTION

1	Quel élément de l'histoire clinique vous fait rejeter le diagnostic de migraine ?	Grille classique	Grille ECN
•	Caractère bilatéral / non unilatéral des céphalées	5	5
		5	

2	Quelle amétropie suspectez-vous en priorité ?	Grille classique	Grille ECN
•	Hypermétropie	10	10
		10	

3	Rejetez-vous le diagnostic de la question précédente à partir de l'analyse des valeurs de l'auto réfractomètre ? Justifiez.	Grille classique	Grille ECN
•	NON	3	3
•	Les valeurs de l'auto réfractomètre indiquent plutôt une myopie	2	3
•	Car les valeurs sont négatives	1	-
•	Mais cela n'est pas interprétable	-	-
•	Car accommodation de la patiente	5	5
		11	

4	Quel examen réfractomètrique devez-vous effectuez dans le cas présent ?	Grille classique	Grille ECN
•	Skiascopie	5	5
•	Mesure de la réfraction sous cycloplégiques (ATROPINE® / SKIACOL®)	5	5
		10	

5	Citez 3 moyens de correction de cette amétropie.	Grille classique	Grille ECN
•	Lunettes :	2	2
	- Verres	-	-
	- Sphériques	2	2
	- Convexes	2	2
•	Lentilles de contact	3	3
•	Chirurgie :	2	3
	- Réfractive	-	-
	- Au laser	1	-
		12	

6	Quel diagnostic retenez-vous ?	Grille classique	Grille ECN
•	Abcès de cornée	6	10
•	Aigu	2	-
•	Gauche	1	-
•	Sur lentilles	-	-
•	Sans signes d'endophtalmie	1	-
		10	

7	Discutez l'intérêt d'une ponction de chambre antérieure.	Grille classique	Grille ECN
•	Contre indiquée	3	3
•	Risque de dissémination du germe en chambre antérieure / risque d'endophtalmie	3	3
		6	

8	Légendez les 2 éléments fléchés. Quel diagnostic retenez-vous ?	Grille classique	Grille ECN
	• Légende : Hypopion	6	6
	• Diagnostic :	-	-
	- Endophtalmie	5	6
	- Œil gauche	1	-
	- Par diffusion d'un abcès de cornée	4	4
		16	

9	Citez les 2 types de greffe de cornée que vous pouvez proposer à votre patiente.	Grille classique	Grille ECN
	• Kératoplastie lamellaire	4	4
	• Kératoplastie transfixiante	4	4
		8	

10	Citez les 3 diagnostics ophtalmologiques les plus probables que vous devez évoquer.	Grille classique	Grille ECN
	• Endophtalmie	4	4
	• Rejet aigu	4	4
	• Kératite aigüe / ulcère cornéen / abcès de cornée	4	4
		12	

COMMENTAIRES

Questions	Commentaires
Général	• Dossier court et facile : 23 MOTS CLES. • Attention : très peu de mots clés. Ce sont des dossiers très dangereux car peu de mots clés = grosse cotation sur chaque mot clé. Donc chaque erreur fait perdre beaucoup de points.
1	• Il faut bien connaître les critères IHS de la migraine (la migraine est déjà tombée car pathologie très fréquente) : A. Au moins cinq crises répondant aux critères B à D. B. Crises de céphalées durant de 4 à 72 heures (sans traitement). C. Céphalées ayant au moins deux des caractéristiques suivantes : - unilatérale ; - pulsatile ; - modérée ou sévère ; - aggravation par les activités physiques de routine, telles que montée ou descente d'escaliers. D. Durant les céphalées au moins l'un des caractères suivants : - nausée et/ou vomissement ; - photophobie et photophobie. E. L'examen clinique doit être normal entre les crises. En cas de doute, un désordre organique doit êtreæpir inéparaesinvestigationsacor pper entairesa appropriées.
2	• Les signes cliniques d'hypermétropie : céphalées frontales en barre, vision floue, parfois vision double (reflexe accommodation-convergence), irritation de la surface oculaire (yeux rouges, piquent, pleurent, et parfois chalazions). Les symptômes sont maximum lors des efforts visuels de près (car de près l'œil doit plus accommoder que de loin) : classiquement devant les écrans d'ordinateur. • ATTENTION : oui, on peut être hypermétrope et avoir une vision parfaite de loin et de près (10/10e P2) : ceci est du à l'accommodation permanente. Si on paralyse l'accommodation avec des gouttes, le patient ne verra plus 10/10e P2.
3	• Chez l'enfant et l'adulte jeune, les valeurs de l'auto réfractomètre sont peu interprétables. En effet, chez les sujets jeunes, l'accommodation est très importante et a tendance à « myopiser » les résultats. Lors de la mesure avec l'auto réfractomètre, le patient regarde une image de près ce qui nécessite une accommodation, parfois trop importante ce qui va myopiser les résultats. Dans ces cas là, il faut paralyser le muscle ciliaire responsable de l'accommodation (cycloplégie) et refaire les mesures.
4	• Les gouttes cycloplégiques permettent de paralyser l'accommodation. • En pratique, il en existe deux : • L'ATROPINE : la référence mais va dilater la pupille pendant plus d'une semaine. • Le SKIACOL : une goutte à mettre à t0 puis à t5 min et mesure 1 heure après la 1ere goutte. Moins précis que l'atropine, mais les pupilles ne restent dilatées que 12 à 24H, c'est donc reproductible. Au moindre doute, il faudra avoir recours à l'atropine. • A noter qu'en consultation classique, on utilise le MYDRIATICUM qui va dilater la pupille seulement quelques heures (4-5H), mais c'est un très mauvais cycloplégique donc on ne l'utilise pas dans les mesures réfractives.
5	• C'est tout ce qu'il faut savoir sur la correction des amétropies. Ca marche pour les 3 amétropies (myopie, hypermétropie, astigmatisme). Pas besoin de connaitre les modalités de la chirurgie laser...

6	• <u>Abcès de cornée : URGENCE</u> • Etiologies : Cocci G+ (staph, strepto), BGN (pseudomonas, serratia), amibes (lentilles), parasitaire (rare). • Facteurs favorisants : port de lentilles de contact +++, corps étranger cornéen, traumatisme, syndrome sec, blépharite chronique, corticoïdes locaux, immunodépression... • Clinique : kératite => œil rouge, douloureux, +/- BAV, larmoiement, blepharospasme, sécrétions purulentes. • LAF : cercle périkératique, ulcère cornéen fluo+, œdème stromal (= abcès), examen de la chambre antérieure. • Signes de gravité : hypopion (endophtalmie), grande taille (>2mm), localisation à moins de 3 mm de l'axe visuel, échec du traitement à 24H... • Paraclinique : prélèvement local de l'abcès si signe de gravité ou doute, envoi des lentilles en bactério, mycologie. JAMAIS DE PONCTION DE CHAMBRE ANTERIEURE car risque de dissémination du germe en chambre antérieure et donc d'endophtalmie. • Traitement : pas de signes de gravité (antibiothérapie locale : aminoside + quinolone toutes les heures avec +/- ajout de desomedine pour les amibes et contrôle clinique à 24H systématique). Si signes de gravité : prélèvement local puis hospitalisation en chambre seule, antibiothérapie par collyres renforcés (vancomycine et fortum®, toutes les heures : il s'agit de collyres strictement hospitaliers préparés à partir de perfusions IV), antibiothérapie générale (quinolone, fosfomycine, beta lactamine). • Kératite fongique : collyres amphotéricine B.
7	• Retenez qu'on effectue une ponction de chambre antérieure uniquement en cas d'endophtalmie.
8	• L'endophtalmie est la principale complication des abcès de cornée. Elle est très grave et de mauvais pronostic. Elle nécessite un prélèvement local (grattage cornéen, PCA), une hospitalisation en chambre seule, une antibiothérapie locale intense par collyres renforcés, des mydriatiques (antalgique), des injections intra vitréennes d'antibiotiques et une antibiothérapie systémique. • En pratique, l'endophtalmie sur abcès cornéen est exceptionnelle. • ATTENTION : on peut avoir un abcès cornéen avec petit hypopion de chambre antérieur. Dans ce cas là, l'hypopion est aseptique / stérile (il traduit une rupture de la barrière hémato-aqueuse en chambre antérieure). Il ne s'agit donc pas d'une endophtalmie (donc pas d'injection intra vitréenne car risque d'endophtalmie iatrogène !!!). • **L'hypopion n'est donc pas synonyme d'endophtalmie +++.** • Ici, c'est un tableau d'endophtalmie compte tenu de la baisse d'acuité visuelle massive et de l'importance de l'hypopion (3/4 de la chambre antérieure).
9	• La greffe de cornée classique consiste à remplacer la partie centrale de la cornée sur toute son épaisseur (kératoplastie transfixiante). Lorsque la maladie ne touche qu'une des couches de la cornée (endothélium ou stroma), une greffe lamellaire est réalisée qui permet de conserver les couches saines de la cornée (kératoplastie lamellaire postérieure ou antérieure). • Dans les deux cas, le greffon cornéen provient d'un donneur décédé pour lequel les maladies transmissibles par la greffe ont été recherchées et écartées.
10	• Il y a 5 diagnostics possibles : • Endophtalmie aigue (aigue car délai < 6 semaines) : OUI de principe chez tout patient opéré. On ne vous reprochera JAMAIS d'évoquer l'endophtalmie. Par contre, on vous reprochera toujours de ne pas l'évoquer. • Rejet aigu : OUI, à évoquer chez tout patient greffé de principe (quelque soit l'organe greffé).

	• Kératite aigüe : OUI, d'autant que le patient est sous corticoïdes locaux qui fragilisent l'épithélium cornéen et favorise les kératites (type KPS) voire les ulcérations ou les abcès de cornée. • Hypertonie aigüe : NON. L'hypertonie aigue est relativement fréquente en post opératoire immédiat (du aux produits viscoélastiques qu'on utilise en per-opératoire et qui ont du mal à se résorber) mais exceptionnelle à 1 mois. • Uvéite : NON car le patient est déjà sous corticoïdes.

ITEMS ABORDEES

Items	Intitulés
127	• Transplantation d'organes
212	• Œil rouge et douloureux
287	• Troubles de la réfraction

Notes personnelles

Dossier thématique transversal 14

Enoncé

Un patient de 73 ans consulte aux urgences ophtalmologiques de votre hôpital à 11H pour une baisse d'acuité visuelle importante de l'oeil gauche, indolore, survenue brutalement d'une seconde à l'autre, vers 9H30 lors du petit déjeuner. Le patient se plaint également d'un voile noir complet du champ visuel inférieur de l'oeil gauche.

Ses antécédents sont : hypertension artérielle, dyslipidémie, infarctus du myocarde il y a 2 ans ayant nécessité une angioplastie avec pose de stent, cancer du colon il y a 5 ans traité par hémi-colectomie gauche, tabagisme actif, céphalées bi temporales associées à des douleurs articulaires insomniantes des épaules et des hanches, évoluant depuis 6 mois, pour lesquelles le patient doit consulter son médecin traitant dans 2 semaines.

Son traitement associe : kardegic, aténolol, rosuvastatine, enalapril, hydrochlorothiazide.

1/ A quelles classes médicamenteuses appartiennent ces médicaments ?

L'examen ophtalmologique est le suivant :

- **Examen oculomoteur normal.**
- **Acuité visuelle corrigée :**
  OG = perception lumineuse, > P14
  OD = 8/10e P2
- **L'examen du segment antérieur à la lampe retrouve des cornées claires, des chambres antérieures calmes et profondes, une cataracte débutante bilatérale, un déficit du réflexe pupillaire afférent de l'oeil gauche.**
- **La tension intra oculaire est à 14 mm Hg aux 2 yeux.**

2/ Donnez les 3 diagnostics ophtalmologiques les plus probables ?

Le fond d'œil gauche vous est présenté ci-dessous :

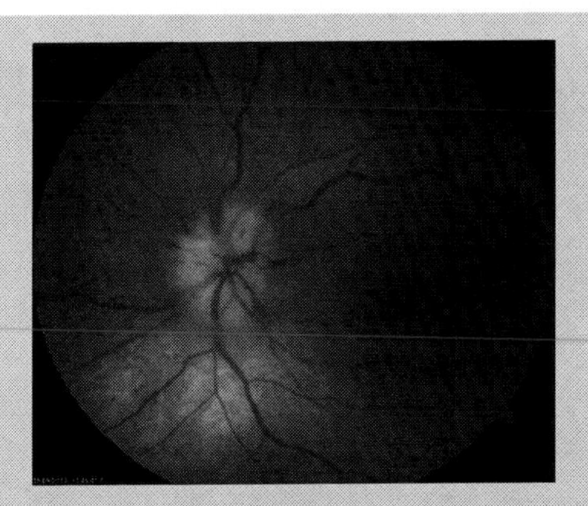

3/ Donnez les 2 anomalies principales présentes sur ce fond d'oeil. Quel diagnostic ophtalmologique retenez-vous ?

4/ Quelle étiologie sous jacente devez-vous éliminer de principe ? Donnez 5 éléments (anamnestiques ou cliniques) à rechercher en faveur de cette pathologie.

Vous effectuez l'examen suivant :

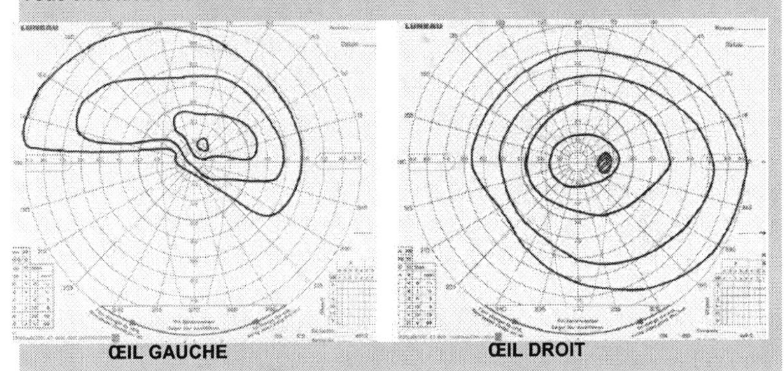

ŒIL GAUCHE ŒIL DROIT

5/ Quel est cet examen ? Interprétez-le.

Vous réalisez un prélèvement sanguin en urgence dont les résultats sont présentés ci dessous :

Hb = 10 g/dl, VGM = 65 µ, plaquettes = 530 000/mm3, Na = 138 mmol/l, Cl = 98 mmol/l, K= 3,8 mmol/l, VS = 65 mm (1ere heure) / 125 mm (2e heure), CRP = 98 mg/l, urée = 7 mg/l, créatinine = 75 µg/l, ASAT = 32 U/l, ALAT = 34 U/l, gGT = 152 U/l, PAL = 195 U/100ml, glycémie = 1,13 g/l, TP = 94%, TCA = 32 s (témoin = 30s).

6/ Interprétez ces résultats dans ce contexte.

Vous décidez d'hospitaliser votre patient.

7/ Quel traitement (1 seule réponse) prescrivez-vous en urgence ? (molécule, voie d'administration). Quel en est le principal intérêt ?

8/ Quel examen complémentaire à visée étiologique prévoyez-vous rapidement ?

Lors du 3eme jour d'hospitalisation, l'infirmière du service vous appelle car votre patient présente des douleurs abdominales intenses, épigastriques, à type de crampes, diminuées en fin de repas. Le patient a vomi 2 fois. Cliniquement, l'abdomen présente une contracture diffuse, l'examen cardio-pulmonaire est sans particularités.

Les constantes sont : TA = 120/80 mm Hg, FC = 90/min, FR = 15 /min, SpO2 = 95%, T° = 38,8°.

Vous effectuez un bilan sanguin : Hb = 11 g/dl, plaquettes = 450 000/mm3, Na = 135 mmol/l, K+ = 3,3 mmol/l, Cl = 94 mmol/l, urée = 6,5 mg/l, créatinine = 77 µ/l, CRP = 155 mg/L.

Vous réalisez un cliché d'abdomen sans préparation (ASP) joint ci dessous :

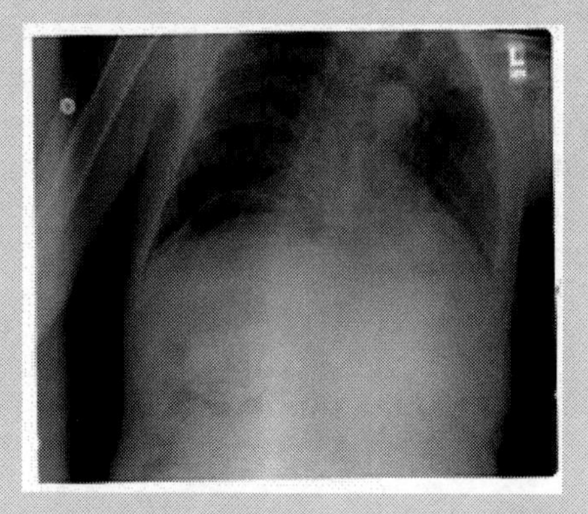

9/ Quel diagnostic suspectez-vous ? Donnez 3 facteurs de risque présents dans cette observation. Quelle mesure préventive aurait dû être prise ? (1 seule réponse)

Une prise en charge chirurgicale en urgence est décidée.

10/ Discutez l'arrêt du KARDEGIC®.

Corrigé

PREMIERE LECTURE

Difficulté du dossier : 3/3

Dossier assez long mais classique.

A classer en 3e position parmi les 3 dossiers de l'épreuve.

Mots clés à inscrire sur le brouillon :

NOIAA = Horton jusqu'à preuve du contraire. Pensez à l'œil adelphe.

GRILLE DE CORRECTION

1	**A quelles classes médicamenteuses appartiennent ces médicaments ?**	**Grille classique**	**Grille ECN**
•	Kardegic = aspirine / anti agrégant plaquettaire	2	2
•	Aténolol = beta bloquant	2	2
•	Rosuvastatine = statine	2	2
•	Enalapril = IEC / enzyme de conversion de l'angiotensine	2	2
•	Hydrochlorothiazide = diurétique thiazidique	2	2
		10	

2	**Donnez les 3 diagnostics ophtalmologiques les plus probables ?**	**Grille classique**	**Grille ECN**
•	Neuropathie optique ischémique antérieure aigüe (NOIAA)	3	3
•	Occlusion branche artère de la rétine	2	3
	- Temporale supérieure	1	-
•	Occlusion branche veineuse rétinienne	2	3
	- Temporale supérieure	1	-
		9 PLUS DE 3 DIAGNOSTICS = ZERO	

3	Donnez les 2 anomalies principales présentes sur ce fond d'œil. Quel diagnostic ophtalmologique retenez-vous ?	Grille classique	Grille ECN
	• Anomalies :	-	-
	- Œdème papillaire	2	2
	o Pâle	1	-
	- Hémorragies péri-papillaires	1	2
	PLUS DE 2 REPONSES = ZERO A CETTE PARTIE.		
	• Diagnostic :	-	-
	- Neuropathie optique ischémique antérieure aigüe (NOIAA)	1	2
	- De l'œil gauche	1	-
		6	

4	Quelle étiologie sous jacente devez-vous éliminer de principe ? Donnez 5 éléments (anamnestiques ou cliniques) à rechercher en faveur de cette pathologie.	Grille classique	Grille ECN
	• Maladie de HORTON	4	4
	• Eléments à rechercher :		
	• Palpation / induration / abolition du pouls des artères temporales	2	2
	PUIS 2 POINTS POUR CHAQUE REPONSE PRESENTE CI-DESSOUS : 8 POINTS MAXIMUM.		
	• AEG / altération de l'état général		
	• Céphalées temporales / occipitales, insomniantes		
	• Hyperesthésie cuir chevelu		
	• Nécrose cuir chevelu		
	• Claudication intermittente mâchoire		
	• Œdème du visage		
	• Nécrose de la langue		
	• Notion d'AVC		
	• Antécédent de cécité monoculaire / amaurose transitoire		
	• Toux (Horton tussigène)		
	• Tout signe d'ischémie périphérique (claudication intermittente....)		
		14 PLUS DE 5 ELEMENTS = ZERO A CETTE PARTIE	

5	Quel est cet examen ? Interprétez-le.	Grille classique	Grille ECN
•	Champ visuel	1	2
•	Cinétique	1	-
•	De Goldman	2	2
•	Interprétation :	-	-
•	Oeil droit : normal	-	-
•	Oeil gauche : déficit altitudinal inférieur du champ visuel	2	2
•	Evocateur d'une NOIAA	-	-
		6	

6	Interprétez ces résultats dans ce contexte.	Grille classique	Grille ECN
•	Syndrome inflammatoire biologique	1	2
•	VS, CRP élevées	1	-
•	Anémie microcytaire inflammatoire	1	1
	- Carence martiale peu probable (cancer colon guéri)	1	-
•	Thrombocytose inflammatoire	1	1
•	En rapport avec la maladie de Horton	1	2
•	Cholestase anictérique	1	2
•	gGT et PAL élevées	1	-
•	En rapport avec une probable PPR / pseudo polyarthrite rhizomélique	1	2
•	Le reste du bilan est normal	1	-
		10	

7	Quel traitement (1 seule réponse) prescrivez-vous en urgence ? (molécule, voie d'administration). Quel en est le principal intérêt ?	Grille classique	Grille ECN
•	Corticothérapie :	-	-
•	Méthylprednisolone	3	3
•	Intra veineux	3	3
•	En urgence	-	-
•	Après bilan pré corticothérapie	-	-
•	Intérêt : protection de l'oeil adelphe / controlatéral	3	3
		9	

8	Quel examen complémentaire à visée étiologique prévoyez-vous rapidement ?	Grille classique	Grille ECN
•	Biopsie artère temporale (BAT)	3	5
•	Sous AL	-	-
•	Envoi en Anatomopathologie	2	-
		5	

9	Quel diagnostic suspectez-vous ? Donnez 3 facteurs de risque présents dans cette observation. Quelle mesure préventive aurait dû être prise ?	Grille classique	Grille ECN
•	<u>Diagnostic :</u>	-	-
	- Ulcère gastro duodénal	4	4
	- Perforé	1	1
	- Avec pneumopéritoine	2	2
	- Et péritonite	2	2
	o Secondaire	-	-
•	<u>Facteurs de risque :</u>	-	-
	- Tabagisme	2	2
	- Corticothérapie	2	2
	o A fortes doses	-	-
	- Aspirine / kardegic / anti agrégant plaquettaire	2	2
•	<u>Mesure préventive :</u>	-	-
	- Gastro protection / IPP / Inhibiteur de la pompe à proton / omeprazole / Esomeprazole	3	3
		-	-
	- Car > 65 ans, association corticoïdes + kardegic	-	-
		18 PLUS DE 3 FACTEURS DE RISQUE = ZERO	

10	Discutez l'arrêt du KARDEGIC®.	Grille classique	Grille ECN
•	Pas d'arrêt du KARDEGIC®	6	6
•	Car	-	-
•	Patient stenté	2	2
•	Chirurgie en urgence (nécessiterait un arrêt de 7 jours pour annuler l'effet anti agrégant)	2	2
•	Balance bénéfices-risques défavorable	2	2
		12	

COMMENTAIRES

Questions	Commentaires
Général	• 42 MOTS CLES : dossier long.
1	• Il faut bien connaitre les médicaments cardiovasculaires.
2	• N'oubliez pas qu'une amputation du champ visuel inférieur correspond à une atteinte de la rétine supérieure (tout est inversé !!!). • Devant une BAV / amputation du champ visuel d'apparition brutale, il faut évoquer avant tout une cause vasculaire +++. • On vous demande un diagnostic ophtalmologique, donc oubliez l'AVC. • Ici, 3 causes probables : • NOIAA (infarctus du nerf optique), • OBACR (infarctus d'une partie de la rétine ; il ne s'agit pas d'une OACR car l'OACR donne une amputation totale du champ visuel. OACR = quasi cécité. C'est la plus brutale des BAV en ophtalmologie), • OBVR : pareil, une c'est une OBVR car il y a une amputation du CV systématisée • Il s'agit de la branche temporale supérieure : supérieure car amputation du CV inférieur ; temporale car il y a une BAV importante donc atteinte de la macula qui se situe en temporal. • Un décollement de rétine temporal supérieur compliqué de décollement maculaire est également possible et aurait pu être côté. Mais on ne demandait que 3 diagnostics. C'est toute la difficulté des questions fermées : il faut faire des choix et avoir de la chance.
3	• La NOIAA peut donner des BAV minimes (AV = 10/10e) comme des BAV massives (surtout si cause artéritique = Horton). • Les 2 signes cardinaux sont : l'œdème papillaire et les hémorragies péri papillaires en flammèche souvent sectorielles. • A noter que l'aspect de l'OP peut orienter vers une étiologie : l'OP de la maladie de Horton est classiquement pâle (blanc) +++.
4	• La maladie de HORTON va tomber : c'est une maladie grave (risque de cécité, pronostic vital possiblement engagé) et assez fréquente. • Toute céphalée ou CRP élevée chez un sujet âgé est un Horton jusqu'à preuve du contraire !! • Toute NOIAA = Horton jusqu'à preuve du contraire donc obligation de réaliser une VS, CRP en urgence.
5	• Toujours préciser le type de champ visuel : statique (de Humphrey ou octopus) ou cinétique (de Goldman). • Les principales anomalies pour les ECN sont : scotome central (maculopathies, NORB), scotome coecocentral (NORB), scotome arciforme de Bjerrum et ressaut nasal (Glaucome), déficit altitudinal (NOIAA, OBVR, OBACR, DR…), HLH (lésions rétro-chiasmatiques), hémianopsie bitemporale.
6	• Syndrome inflammatoire biologique : VS, CRP élevées, hyper gammaglobulinémie polyclonale, anémie microcytaire, thrombocytose réactionnelle.
7	• NOIAA sur maladie de Horton : urgence, hospitalisation, bilan pré corticoïdes (iono, glycémie, créatinine, bilan hépatique…), corticothérapie : Méthylprednisolone (SOLUMEDROL® : seules les DCI sont cotées à l'ECN), IV, 1g/jour pendant 3 jours puis relai par prednisone (CORTANCYL®) 1 mg/kg/jour

	pendant 1 mois puis décroissance progressive (durée traitement = environ 18 mois). Adjonction d'aspirine IV (ASPEGIC®) le 1er jour avec relai par aspirine per os (KARDEGIC® 75 mg) pendant 7 jours. Certains prescrivent des antis coagulants (HBPM en curatif).
8	• La BAT permet, si elle est positive, de confirmer le diagnostic. Sa négativité n'élimine pas le diagnostic (artérite segmentaire et focale). • La BAT doit être réalisée dans les jours suivant la mise en route de la corticothérapie. • La BAT n'est PAS un geste anodin. Il s'agit d'un geste chirurgical et la patient doit être informé des risques (balance bénéfices / risques). • Les principales complications sont : hémorragie per opératoire / hématome post opératoire, infection du site opératoire, atteinte de la branche frontale du nerf facial (ptose du sourcil et effacement des rides du front homolatéral).
9	• Pensez bien à donner des IPP à vos patients surtout lorsque vous débutez un traitement par corticoïdes à fortes doses comme ici.
10	• Quand on vous demande de discuter, il faut toujours parler tôt ou tard de la balance bénéfice / Risques (mot clé).

ITEMS ABORDEES

Items	Intitulés
119	• Maladie de Horton
290	• Ulcère gastro duodénal
293	• Altération de la fonction visuelle

Notes personnelles

Dossier thématique transversal 15

Enoncé

Une patiente de 35 ans, sans antécédents particuliers, sans allergies, sans médicaments, se présente aux urgences ophtalmologiques de votre hôpital ce 15 aout pour une chute brutale de la paupière supérieure droite survenue hier soir associée à des céphalées importantes hémi crâniennes droites.

Les constantes à l'accueil des urgences sont les suivantes : FC = 75/min, TA = 177/90 mm Hg, FR = 15/ min, Sp02 = 99%, T° = 37,5°.

L'examen ophtalmologique est le suivant :

- Photographie de la patiente ci-dessous :

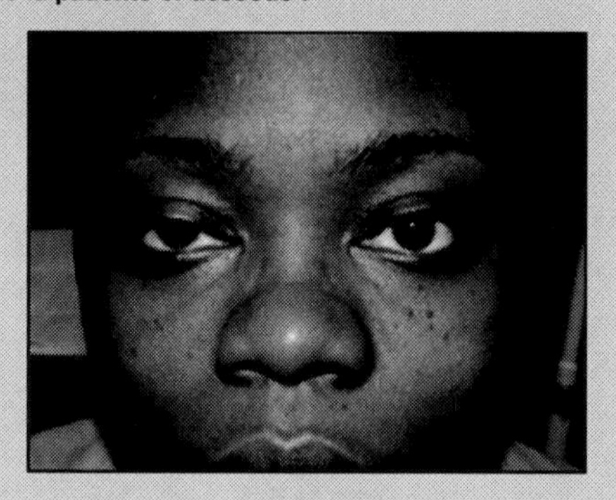

- Le soulèvement de la paupière droite permet de découvrir une abduction de l'oeil droit.
- L'examen oculomoteur retrouve une ophtalmoplégie partielle avec limitation des mouvements oculaires en adduction, vers le bas, vers le haut, en haut en dedans. La patiente se plaint d' ailleurs d'une vision double lors de cet examen.
- L'acuité visuelle sans correction est de 10/10e aux 2 yeux.
- L'examen des segments antérieurs à la lampe à fente des 2 yeux retrouve une cornée claire sans prise de fluorescéine, une chambre antérieure calme et profonde, une anisocorie avec mydriase droite aréactive au reflexe photomoteur direct et consensuel, une pupille droite normale et réactive au reflexe photomoteur direct et consensuel, un cristallin clair.
- La pression intra oculaire est de 13 mm Hg aux 2 yeux.
- Le fond d'oeil non dilaté est sans particularités.

1/ De quel type de diplopie souffre la patiente ? (1 seule réponse)
2/ Citez les muscles péri oculaires déficients chez votre patiente ainsi que leur innervation.
3/ Quel diagnostic devez-vous suspecter de principe ?

Alors que vous brancardez la patiente aux urgences, cette dernière se plaint de céphalées diffuses particulièrement intenses (EVA = 10/10).
A l'examen, la patiente est pliée en deux, ne peut ouvrir les yeux en raison d'une photophobie intense.
L'examen clinique neurologique ne retrouve pas de signe de localisation sensitivo moteur, pas de syndrome cérébelleux, mais un syndrome méningé. Le Glasgow est à 15.

4/ Citez les 3 manœuvres cliniques vous ayant permis d'évoquer la présence d'un syndrome méningé ?

Vous réalisez en urgence l'examen ci-dessous :

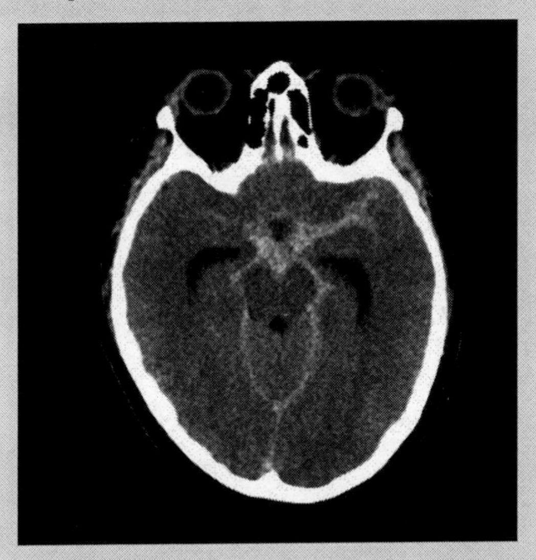

5/ Interprétez cet examen ? Quel diagnostic retenez-vous ?
6/ Détaillez votre prise en charge des 2 premières heures, hors surveillance.
7/ Citez les 2 grandes options thérapeutiques que vous pouvez discuter à visée étiologique. Dans quel délai devez-vous les effectuer ?

Votre début de prise en charge est adapté. Cependant, quelques heures plus tard, votre patiente se plaint à nouveau d'une augmentation des céphalées, diffuses, de vomissements en jet et d'un flou visuel des 2 yeux. La patiente est désorientée et somnolente. Le Glasgow est à 11.

L'examen ophtalmologique du fond d'oeil au lit de la patiente avec l'ophtalmoscope est présenté ci dessous (photos a et b) :

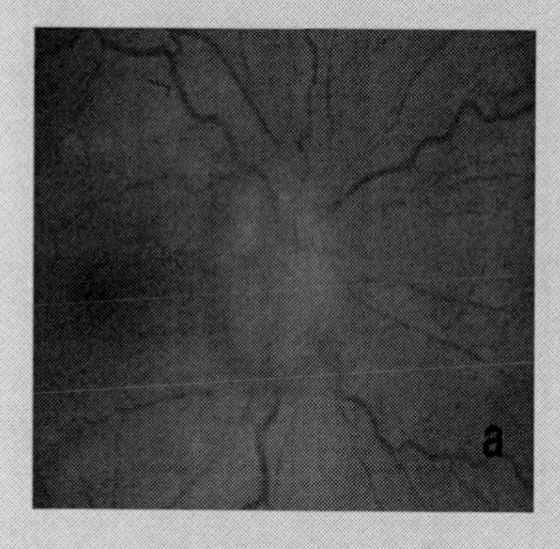

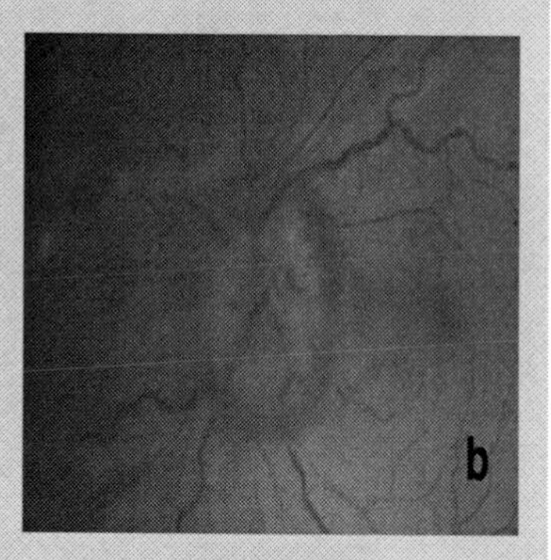

8/ Quel est votre diagnostic ophtalmologique ?

Votre patiente se dégrade rapidement. Elle est intubée, ventilée, sédatée. Vous réalisez à nouveau en urgence l'examen suivant :

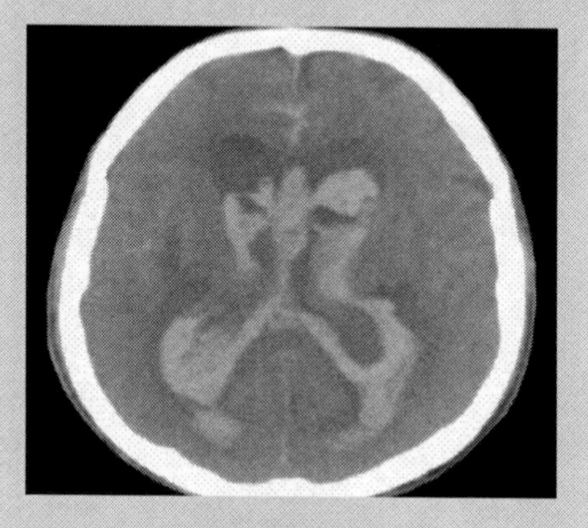

9/ Quelle complication diagnostiquez-vous ? Citez une mesure médicale médicamenteuse et une mesure neurochirurgicale à effectuer en urgence.

Votre patiente est stabilisée sur le plan neurologique et systémique. Vous décidez de poursuivre votre prise en charge par des mesures de neuroprotection et de surveillance.

10/ Quelles mesures de neuroprotection prescrivez-vous à vos infirmières ?

Corrigé

PREMIERE LECTURE

Difficulté du dossier : 2/3

Dossier d'hémorragie méningée : sujet à bien connaitre ++ car c'est une urgence et c'est très transversal (mort encéphalique, don d'organe...).

A classer en 2e position parmi les 3 dossiers de l'épreuve.

Mots clés à inscrire sur le brouillon :

Hémorragie méningée : anévrisme, Nimodipine, vasospasme.

GRILLE DE CORRECTION

1	De quel type de diplopie souffre la patiente ? (1 seule réponse)	Grille classique	Grille ECN
•	Binoculaire	5	5
		5	

2	Citez les muscles péri oculaires déficients chez votre patiente ainsi que leur innervation.	Grille classique	Grille ECN
•	Muscle droit interne / médial	2	2
•	Muscle droit supérieur	2	2
•	Muscle droit inférieur	2	2
•	Muscle petit oblique / oblique inférieur	2	2
•	Muscle releveur de la paupière	2	2
•	Innervation : nerf III (oculomoteur)	1	2
•	Droit	1	-
		12	

3	Quel diagnostic devez-vous suspecter de principe ?	Grille classique	Grille ECN
•	Paralysie / compression	2	2
•	Du nerf III / oculomoteur	2	2
•	Droit	1	-

• Aigüe	-	-
• Complète (intrinsèque + extrinsèque)	1	-
• Secondaire à un Anévrisme	3	5
• Intra crânien	-	-
	9	

4 Citez les 3 manœuvres cliniques vous ayant permis d'évoquer la présence d'un syndrome méningé ?	Grille classique	Grille ECN
• Raideur de nuque	2	2
• Signe de Brudzinski	2	2
• Signe de Kernig	2	2
	6	

5 Interprétez cet examen ? Quel diagnostic retenez-vous ?	Grille classique	Grille ECN
• Interprétation :	-	-
- Scanner	1	1
- Cérébral	1	-
- Non injecté	1	2
- En coupe axiale	1	-
- Hyperdensité	2	2
- Spontanée	2	2
- Des citernes de la base / citerne pré pontique	1	1
- Et des sillons corticaux	1	-
- Début d'hydrocéphalie	-	-
• Diagnostic :	-	-
- Hémorragie méningée / hémorragie sous arachnoïdienne	2	4
- Par rupture d'anévrisme	-	-
	12	

6 Détaillez votre prise en charge des 2 premières heures, hors surveillance.	Grille classique	Grille ECN
• Urgence médicale	1	2
• Hospitalisation en neurochirurgie ou soins intensifs / réanimation	1	2
• Mise en conditions :	-	-
- Scope cardiotensionnel	1	-
- VVP	1	-
• Bilan pré opératoire (hémostase...)	1	-
• Traitement symptomatique : Antalgiques IV	1	1
• Prévention du vasospasme par :	2	2
- Inhibiteur calcique :	1	2

	Grille classique	Grille ECN
- Nimodipine IV	1	2
- Objectif : TAS < 150-160 mm Hg	1	-
• Réhydratation hydro-électrolytique : NaCl 0,9% IV	1	1
• Neuroprotection	-	-
• Information de la patiente (gravité)	-	-
• Surveillance	-	-
	12	

7	Citez les 2 grandes options thérapeutiques que vous pouvez discuter à visée étiologique. Dans quel délai devez-vous les effectuer ?	Grille classique	Grille ECN
• Options :		-	-
- Traitement endovasculaire / artérioembolisation +++		4	4
- Traitement neurochirurgical / clampage de l'anévrisme		4	4
• Délai :		-	-
- Dans les 48 heures		2	2
		10	

8	Quel est votre diagnostic ophtalmologique ?	Grille classique	Grille ECN
• Œdème papillaire		2	4
• Bilatéral		2	-
• De stase		2	2
• Évocateur d'HTIC / hypertension intra crânienne		4	4
		10	

9	Quelle complication diagnostiquez-vous ? Citez une mesure médicale médicamenteuse et une mesure neurochirurgicale à effectuer en urgence.	Grille classique	Grille ECN
• Complication :		-	-
- Hydrocéphalie aigue		4	4
- Par inondation ventriculaire / hémorragie intra ventriculaire		4	4
• Mesures :		-	-
- Médicale : Mannitol IV		3	3
- Neurochirurgicale : pose d'une DVE / dérivation ventriculaire externe		3	3
		14	

10	**Quelles mesures de neuroprotection prescrivez-vous à vos infirmières ?**	Grille classique	Grille ECN
•	<u>Prévention des ACSOS :</u>	1	-
•	PAM (pression artérielle moyenne) > 85-90 mm Hg	2	2
•	Normoxie / SpO2 > 90%	2	2
•	Normocapnie	1	2
•	Normothermie / T° entre 35 et 37° / lute contre la fièvre	1	2
•	Contrôle de la glycémie / glycémie entre 5 et 7,5 mmol/l	1	2
•	Normonatrémie / lutte contre l'hyponatrémie	1	-
•	Lutte contre l'anémie	1	-
		10	

COMMENTAIRES

Questions	Commentaires
Général	• 41 MOTS CLES.
1	• Diplopie : précisez toujours mono ou binoculaire. • Monoculaire : le patient voit toujours double malgré l'occlusion d'un œil (l'œil adelphe) : traduit un problème ophtalmo pur (trouble des milieux : cornée, cristallin...) => PAS D'URGENCE. • Binoculaire : le patient ne voit plus double lors de l'occlusion d'un œil (n'importe lequel) : traduit une perte du parallélisme des 2 yeux ; multiple causes => les principales urgences : HTIC, anévrisme carotide interne, AVC, Horton.
2	• Rappel : • III => droit supérieur, droit inférieur, droit interne, petit oblique, releveur paupière. • IV => petit oblique. • VI => droit latéral.
3	• Anévrisme de la portion terminale de la carotide interne ou de la communicante postérieure. Ici, la portion terminale de la carotide interne est le plus probable (hémorragie prédominant en antérieur). • L'anévrisme est à évoquer devant tout ptosis avec céphalées. • III extrinsèque : atteinte des muscles oculomoteurs et du releveur de la paupière. • III intrinsèque : atteinte pupillaire => mydriase.
4	• Syndrome méningé : céphalées émétisantes, photophobie, raideur de nuque, signe de Brudzinski, signe de Kernig. • Etiologies : infectieuse, hémorragie méningée, tumoral (méningite carcinomateuse), inflammatoire (neuro lupus, sarcoïdose...).
5	• L'examen à réaliser en urgence devant toute suspicion d'hémorragie méningée est le scanner cérébral SANS injection. En cas de négativité, il faut réaliser une PL non traumatique. • Le scanner permet le diagnostic positif (sang dans les sillons corticaux, la vallée sylvienne, les citernes de la base...), une orientation étiologique (rupture d'anévrisme de la communicante antérieure si hémorragie méningée antérieure avec +/- hématome frontal associé...), recherche les signes de gravité (hydrocéphalie par inondation ventriculaire +++) et permet d'éliminer les diagnostics différentiels. • Il existe plusieurs échelles spécifiques à l'hémorragie méningée : l'échelle WFNS (de I à V : échelle clinique basée sur le Glasgow et la présence ou pas d'un déficit moteur) et l'échelle de FISHER (échelle radiologique de I à IV) => un peu hors programme en pratique...Retenez peut être qu'un FISHER 4 = hémorragie intra ventriculaire ou hématome intra parenchymateux = mauvais pronostic.
6	• Il n'y a pas de traitement curatif de l'hémorragie méningée. Les 3 points capitaux sont l'hospitalisation en réanimation / soins intensifs ou neurochirurgie (soins intensifs ou réanimation neurochir) pour surveillance rapprochée, la prévention du vasospasme et le traitement étiologique (celui de l'anévrisme).
7	• Tout dépend de la taille et de la localisation de l'anévrisme. En pratique, les anévrismes sont le plus souvent traités en radiologie interventionnelle.
8	• Il faut distinguer l'œdème papillaire unilatéral et bilatéral. • Bilatéral : la seule cause en pratique c'est l'HTIC (quelle que soit sa cause) et parfois aussi la syphilis. • Unilatéral : NOIAA, OVCR, inflammatoire (uvéite), compression du nerf optique.

9	• L'hydrocéphalie peut être aiguë (hémorragie intra ventriculaire) ou retardée (trouble de la résorption du LCR secondaire). • L'hydrocéphalie entraine une HTIC. • Le mannitol (osmothérapie) : dosage = 20%. Posologie : de 100 à 500cc passés en 15-20 minutes. En effet, l'effet osmotique du mannitol dépend de sa vitesse de passage (20 min maximum). Les 2 grandes indications du Mannitol sont l'HTIC et la crise de glaucome aigu. • La DVE consiste à placer un drain dans un des 2 ventricules latéraux afin de le drainer et de laisser plus de place au parenchyme cérébral. C'est un acte neurochirurgical qui peut s'effectuer au bloc ou parfois au lit du patient (risque septique accru). En général, la DVE est placée du côté droit (hémisphère non dominant). Le risque ici c'est le caillotage de la DVE compte tenu de l'importance de l'hémorragie intra ventriculaire.
10	• ACSOS = agression cérébrale secondaire d'origine systémique. • PPC = PAM – PIC. Une bonne PAM est donc indispensable. • Toutes ces mesures de neuroprotection sont importantes à connaître. • L'hyponatrémie dans l'hémorragie méningée peut être due à un SIADH.

ITEMS ABORDEES

Items	Intitulés
244	• Hémorragie méningée
271	• Pathologie des paupières
304	• Diplopie

Dossier thématique transversal 16

Enoncé

Un patient de 35 ans se présente aux urgences ophtalmologiques de votre hôpital pour une baisse de la vision de l'oeil droit depuis 48H survenue spontanément, totalement indolore. Il vous explique qu'il a comme une tache noire devant l'oeil ce qui le gène énormément.

Il n'a pas d'antécédent particulier, hormis une maladie dont il a oublié le nom qui a nécessité une piqure d'antibiotiques dans la fesse l'an passé, quelques céphalées frontales depuis 1 semaine et une douleur buccale depuis 15 jours maintenant pour laquelle il doit consulter son médecin demain. Il n'a pas d'allergies et ne prend aucun traitement.

L'examen ophtalmologique est le suivant :

- Examen oculomoteur normal.
- Acuité visuelle corrigée :
  OD : 4/10e P6
  OG : 10/10e P2
- L'examen du segment antérieur droit à la lampe à fente retrouve un oeil blanc, une cornée claire sans prise de fluorescéine, une chambre antérieure calme et profonde, un reflexe photomoteur normal, un cristallin clair.
- La pression intra oculaire par aplanation est de : 13 mm Hg (OD) / 14 mm Hg (OG).

1/ Donnez 5 diagnostics ophtalmologiques compatibles avec ce tableau clinique.

L'examen du fond d'oeil droit retrouve un Tyndall vitréen minime. Le reste du fond d'oeil vous est présenté ci dessous :

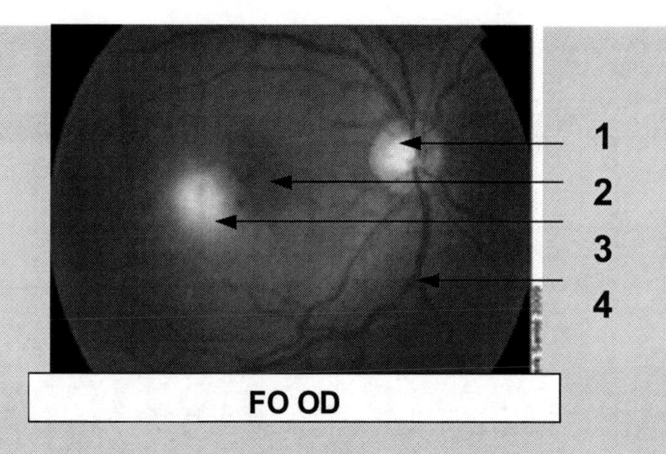

2/ Légendez les éléments physiologiques et pathologiques fléchés.
3/ Quel diagnostic posez-vous ?

Vous décidez de jeter un oeil à la bouche de votre patient :

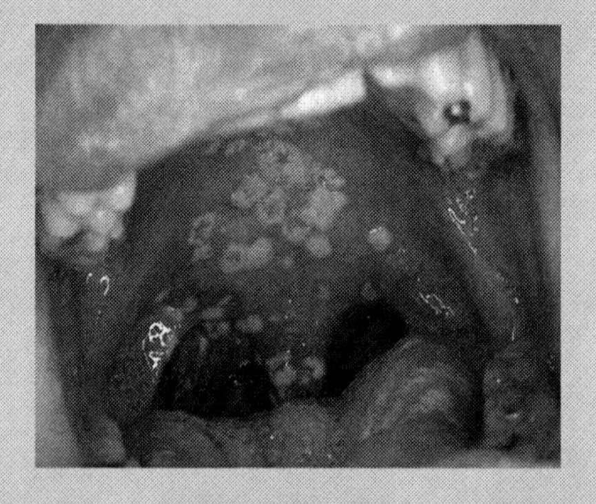

4/ Quel diagnostic posez-vous ? Citez les 2 principales mesures thérapeutiques que vous allez prescrire pour ses douleurs buccales.

Vous décidez d'hospitalier votre patient. Vous réalisez une ponction de chambre antérieure de l'oeil droit et prescrivez un bilan biologique complet ainsi qu'une IRM cérébrale.

5/ Justifiez la réalisation de cette IRM.

Une image de l'IRM cérébrale réalisée vous est présentée ci dessous :

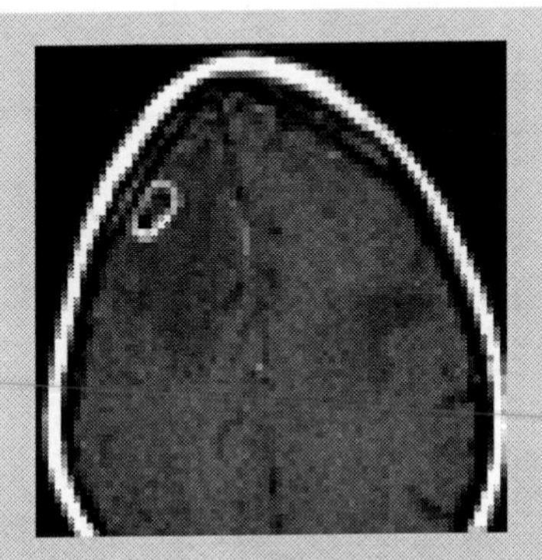

6/ Interprétez cet examen.

Les résultats du bilan biologique vous sont présentés ci dessous :

- Hb = 14 g/dl, GB = 3000 /mm3 (PNN = 2500/mm3, lymphocytes = 300/mm3 dont CD4 = 150/mm3), plaquettes = 335 000 /mm3, Na = 134 mmol/l, K = 3,8 mmol/l, Cl = 95 mmol/l, glycémie = 1,02 g/l, TP = 95%, TCA = 32s (témoin 31s), urée = 5,2 mmol/l, créatinine = 95 µmol/l, ASAT = ALAT = 28 U/l, VS = 12 / 24, CRP = 3 ng/ml.
- Sérologie VIH : Ag P24 négative, AC anti VIH 1 positifs, ARN VIH quantitatif = 150 000 copies /ml.
- Sérologie VHB : Ag anti HBs négatifs, AC anti Hbs positifs, IgM anti HBc négatifs, IgG anti Hbc positifs, Ag anti Hbe négatifs, AC anti Hbe négatifs, ADN VHB négatif
- sérologie VHC : AC anti VHC négatifs.
- TPHA +, VDRL -
- Sérologie toxoplasmose : IgM négatifs, IgG positifs.
- Sérologie CMV : IgM négatifs, IgG négatifs.

7/ Interprétez ces résultats.

8/ Citez les 3 médicaments que vous prescrivez immédiatement pour son oeil droit.

Votre prise en charge est adaptée. Cependant, 10 jours plus tard, une des infirmières de votre service vous appelle car votre patient présente une éruption cutanée sur tout le corps. La palpation de la peau avec le doigt provoque un décollement cutané.
Les constantes sont les suivantes : TA = 135/85 mm Hg, FC = 85/min, FR = 15/min, SpO2 = 98%, T° = 39,2°.
L'examen dermatologique est le suivant :

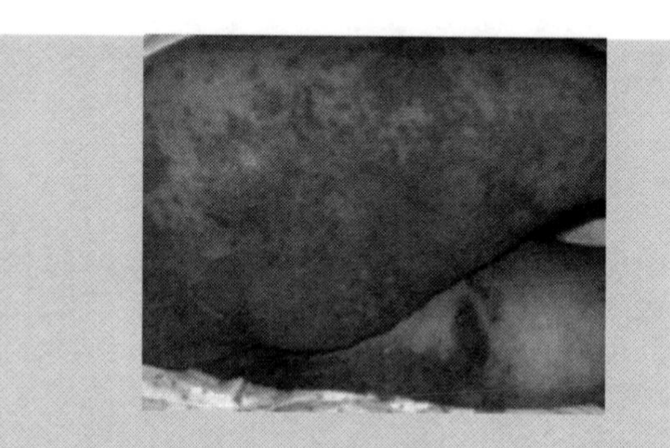

9/ Quel diagnostic suspectez-vous ? Justifiez brièvement.
10/ Quelle est votre prise en charge ?

Corrigé

PREMIERE LECTURE

Difficulté du dossier : 3/3

Dossier difficile car très long.

A classer en 3e position parmi les 3 dossiers de l'épreuve.

Mots clés à inscrire sur le brouillon :

Toxo = sérologie VIH.

VIH = autres IST + consultation d'annonce + partenaires.

GRILLE DE CORRECTION

1	Donnez 5 diagnostics ophtalmologiques compatibles avec ce tableau clinique.	Grille classique	Grille ECN
•	Choriorétinite toxoplasmique / uvéite postérieure / hyalite	3	3
•	Névrite optique retro bulbaire / NORB	3	3
	PUIS 2 POINTS POUR CHAQUE REPONSE CI DESSOUS : 6 POINTS MAXIMUM		
•	Occlusion veine centrale de la rétine ou une de ses branches		
•	Hémorragie intra vitréenne		
•	Décollement de rétine		
•	Maculopathie : œdème maculaire, hématome maculaire		
•	Neuropathie optique ischémique antérieure aigüe		
		12 PLUS DE 5 REPONSES = ZERO	

2	Légendez les éléments physiologiques et pathologiques fléchés.	Grille classique	Grille ECN
•	1 = Papille / nerf optique	2	2
•	2 = Macula	2	2
•	3 = Foyer de choriorétinite / rétinite / choroidite	2	2
	- Paramaculaire	-	-
•	4 = Vaisseaux (artère ou veine) temporaux inférieurs	2	2
		8	

3	Quel diagnostic devez-vous évoquer ?	Grille classique	Grille ECN
	• Choriorétinite toxoplasmique / toxoplasmose oculaire	6	8
	• De l'oeil droit	2	-
		8	

4	Quel diagnostic posez-vous ? Citez les 2 principales mesures thérapeutiques que vous allez prescrire pour ses douleurs buccales.	Grille classique	Grille ECN
	• Diagnostic :	-	-
	- Candidose	2	3
	- Buccale	1	-
	• Mesures thérapeutiques :	-	-
	- Bain de bouche bicarbonates	2	2
	- Antifungique local / amphotéricine B bain de bouche	2	2
		7	

5	Justifiez la réalisation de cette IRM.	Grille classique	Grille ECN
	• IRM indiquée car	-	-
	- Probable toxoplasmose oculaire	1	-
	- Localisation cérébrale fréquemment associée (tropisme oculaire et cérébral)	1	2
		-	-
	- IRM = examen de référence du parenchyme cérébral	1	-
	- Céphalées	1	2
	- Possible immunodépression (candidose buccale…)	1	2
	• Pas de contre indication	1	-
	• Balance bénéfices / risque favorable	-	-
		6	

6	Interprétez cet examen.	Grille classique	Grille ECN
	• IRM	-	-
	• Cérébrale	-	-
	• En séquence T1	1	-
	• Avec injection de Gadolinium	1	2
	• Lésion	1	-
	• Unique	1	-
	• Frontale droite	1	2
	• Parenchymato-corticale	1	-
	• En hypo signal T1	1	2
	• Avec prise de contraste annulaire	1	2
	• En cocarde	1	-
	• Œdème péri lésionnel	1	2
	• Aspect compatible avec un foyer de toxoplasmose	-	-
		10	

7	Interprétez ces résultats.	Grille classique	Grille ECN
	• Leucopénie	1	-
	• Lymphopénie	1	2
	• Séropositivité VIH	1	2
	- Stade C = stade SIDA	1	-
	• Hépatite B ancienne guérie	2	2
	• Hépatite C négative	1	-
	• Syphilis : cicatrice sérologique / syphilis traitée	1	2
	• Toxoplasmose ancienne	1	2
	• Sérologie CMV négative	1	-
		10	

8	Citez les 3 médicaments que vous prescrivez immédiatement pour son oeil droit.	Grille classique	Grille ECN
	• Traitement anti parasitaire :	-	-
	- Pyriméthamine	3	3
	- Sulfadiazine	3	3
	• Acide folinique	3	3
	SEULES LES DCI SONT COTEES		
		9 PLUS DE 3 REPONSES = ZERO	

9	Quel diagnostic suspectez-vous ? Justifiez brièvement.	Grille classique	Grille ECN
•	Syndrome de Lyell	6	6
•	Iatrogéne	-	-
•	Car :	-	-
	- Imputabilité intrinsèque	1	2
	- De la sulfadiazine	1	2
	- Délai d'apparition compatible / 10 jours	1	2
	- Aspect Clinique évocateur :	1	-
	- Eruption cutanée	1	-
	- Érythémateuse	1	-
	- Fièvre / T° = 39,2°	1	1
	- Epidermolyse / décollement cutané / Aspect en linge mouillé	1	1
	- Signe de Nikolsky positif	2	2
	- >30% surface cutanée	2	2
	- En l'absence d'autre cause / pas d'infection	1	-
	- Imputabilité extrinsèque	1	2
		20	

10	Quelle est votre prise en charge ?	Grille classique	Grille ECN
•	Urgence	1	1
•	Appel des soins intensifs / réanimation	-	-
•	**ARRET DE LA SULFADIAZINE +++**	1	2
•	Remplacer par un autre anti parasitaire / Clindamycine / Azythromycine	1	2
•	Biopsie cutanée pour confirmation	1	1
•	Remplissage vasculaire	1	1
	- Car risque de déshydratation / choc hypovolémique	-	-
•	Renutrition / prévention de la dénutrition	1	1
•	Soins locaux (antiseptiques)	1	-
•	Contacter le centre de référence	1	-
•	Déclaration à la pharmacovigilance	1	2
•	Soutien psychologique / information	1	-
•	Surveillance	-	-
	OUBLI ARRET SULFADIAZINE = ZERO A LA QUESTION		
	PRESCRIPTION D'ANTIBIOTIQUES EN PREVENTIF = MOINS 5 POINTS		
		10	

COMMENTAIRES

Questions	Commentaires
Général	• 45 MOTS CLES => le maximum pour l'ECN.
1	• Question classique. Sachez faire le tri en fonction du terrain : • OACR : non, car la BAV n'est pas assez profonde => l'OACR donne des BAV brutales, massives (en général, perception lumineuse dans le meilleur des cas). • HTIC / œdème papillaire : non car œil controlatéral normal. • NOIAA : c'est possible mais peu probable chez ce sujet jeune. • L'hématome maculaire est possible (néovaisseaux choroïdiens du sujet jeune) mais peu probable. • L'OVCR peut parfois toucher des sujets jeunes +++. Il faut prescrire un bilan de thrombophilie. • Les 2 diagnostics les plus probables chez ce sujet jeune sont : la NORB et la Toxoplasmose ++++.
2 et 3	• Le foyer de choriorétinite toxoplasmique : c'est un foyer blanchâtre, souvent localisé au pôle postérieur, jouxtant un ancien foyer pigmenté (pas le cas ici). • La hyalite est d'intensité variable => attention chez les patients immunodéprimés, il n'y a quasiment pas de réaction inflammatoire vitréenne. • En pratique, le diagnostic est clinique. En cas de doute, il faut réaliser une ponction de chambre antérieure avec analyse du coefficient de desmont et PCR.
4	• Candidose buccale typique. Toute candidose buccale spontanée chez le sujet jeune doit faire pratiquer une sérologie VIH. Pensez aux autres localisations de la candidose (œsophagienne, anale ...).
5	• Dans ce genre de question toujours le même plan : • Examen indiqué car... • Pas de contre indication. • Balance bénéfice / risques ou cout / bénéfices favorable. • En pratique, en cas de diagnostic de toxoplasmose oculaire, on n'effectue pas systématiquement d'imagerie cérébrale car dans la grande majorité des cas il s'agit de toxoplasmoses congénitales. L'imagerie cérébrale est réalisée en cas de signes cliniques (hypertension intra crânienne, signe de localisation, crise convulsive) ou d'immunodépression (VIH, toxicomanie +++).
6	• D'abord dire de quel examen il s'agit, puis interprétation puis conclusion. • Aspect typique de toxoplasmose : hyposignal avec prise de contraste annulaire et œdème péri lésionnel => aspect en cocarde, NON spécifique (idem avec abcès cérébral, glioblastome, métastase, radionécrose...).
7	• Sachez interpréter les sérologies VHB et syphilis pour les ECN +++.
8	• Corticothérapie / Méthylprednisolone / prednisone non coté ici car on introduit les corticoïdes 48H après couverture anti parasitaire efficace. • Toxoplasmose oculaire : chez l'immunocompétent, on ne traite que les foyers menaçants (près de la macula et du nerf optique en gros). Chez l'immunodéprimé, le traitement est systématique +++.
9	• Tableau typique de Lyell provoqué par la sulfadiazine. Le Lyell associe des signes généraux (fièvre, AEG), cutanés (épidermolyse avec signe de Nikolsky et atteinte cutanée > 30%) et muqueux. • A bien connaitre, surtout que des recommandations récentes sont sorties !!!

10	• Les points importants : ARRET du médicament incriminé, REMPLACER ce médicament (ne pas l'oublier !!!!), BIOPSIE cutanée (selon les recommandations), PHARMACOVIGILANCE. Sinon, la prise en charge est strictement symptomatique (hydratation, nutrition, soins locaux) comme pour les brûlures.

ITEMS ABORDEES

Items	Intitulés
85	• Infection à VIH
181	• Iatrogénie, toxidermie
187	• Anomalie de la vision brutale

Notes personnelles

Dossier thématique transversal 17

Enoncé

Mme T se présente à votre consultation hospitalière pour son enfant, le jeune Théo, 3 ans. Elle vous explique qu'elle a remarqué que son fils louchait depuis environ 2 mois, presque en permanence. Cela est plus flagrant lorsqu'il mange et qu'il joue avec ses voitures miniatures.

Théo n'a pas d'antécédent particulier, il est né à terme, ses vaccins sont à jour, il n'a pas d'allergies, ne prend aucun traitement et ne porte pas de lunettes.

Vous commencez à examiner le jeune Théo.

Vous vous munissez de votre lampe et demandez à Théo de regarder la lumière. Une photographie est présentée ci-dessous :

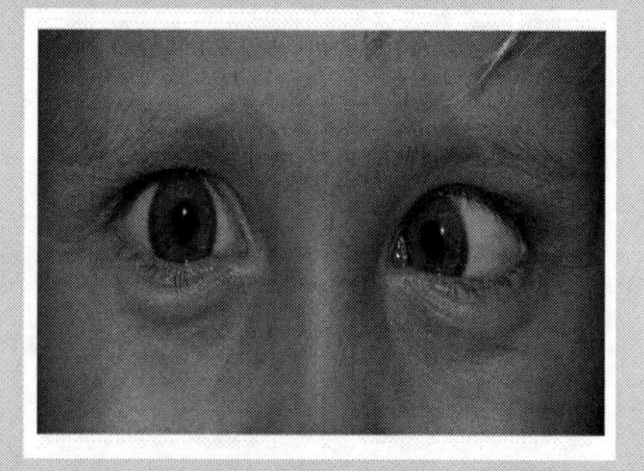

1/ Quel est cet examen ? Quelle anomalie constatez-vous ?

2/ De quel type de strabisme s'agit t- il ?

Vous poursuivez votre examen clinique : l'examen oculomoteur est normal, le cover test retrouve un mouvement d'abduction de l'oeil gauche lors du cache de l'oeil droit.

L'acuité visuelle aux E de Snellen retrouve :

OD : 9/10e

OG : 5/10e

L'examen du segment antérieur à la lampe à fente retrouve une cornée claire, une chambre antérieure calme et profonde, un reflexe photomoteur normal, un cristallin clair.

La pression intra oculaire au doigt semble normale.

L'examen du fond d'oeil gauche est présenté ci dessous :

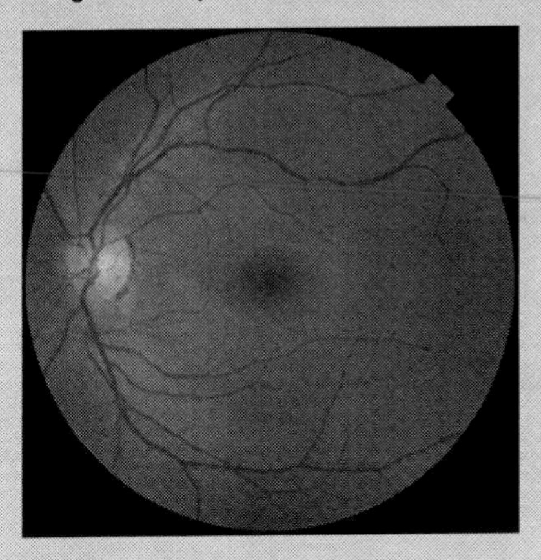

3/ Quelle est votre interprétation du fond d'oeil ?

4/ Quelle complication suspectez-vous à l'issue de votre examen ? Justifiez brièvement.

5/ Expliquez brièvement la physiopathologie de cette complication.

Vous décidez de réaliser une skiascopie (mesure de la réfraction) sous cycloplégiques (à base de skiacol®).

6/ Justifiez cet examen.

Une heure après instillation de la première goutte, vous obtenez les résultats suivants:

- Auto réfractométrie :
  OD : +1,50 D
  OG : +3,50 D
- L'examen de l'acuité visuelle avec correction reste identique.

7/ Quelle est l'étiologie du strabisme de Théo ? Expliquez brièvement sa physiopathologie et notamment l'accentuation du strabisme lors des repas et du jeu.

8/ Citez les 4 principes thérapeutiques fondamentaux que vous allez instaurer dans ce cas.

Votre prise en charge est adaptée.

Lors d'une visite de contrôle à 9 mois, la mère de Théo vous demande jusqu' à quel âge elle doit continuer ce traitement qu'elle considère comme très invasif et un peu disproportionné.

9/ Que lui répondez-vous ?

Et si l'examen du segment antérieur de l'oeil gauche avait été le suivant :

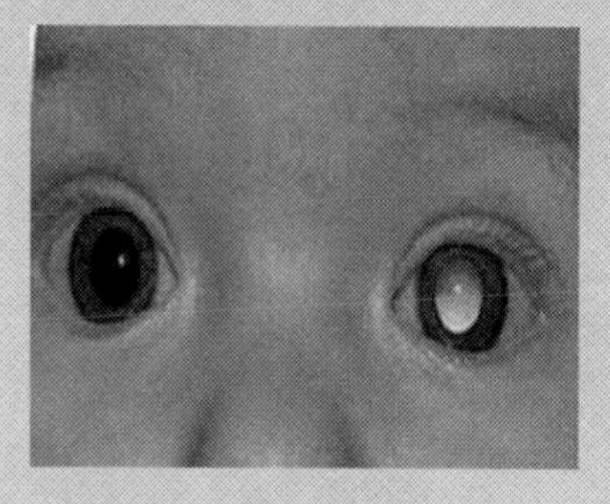

10/ Quelle anomalie constatez-vous ? Citez les 2 principales étiologies à évoquer.

Corrigé

PREMIERE LECTURE

Difficulté du dossier : 2/3

Dossier d'ophtalmo-pédiatrie. Sujet souvent délaissé...ERREUR !!!! car le strabisme est fréquent, potentiellement grave (pronostic vital en cas de rétinoblastome, pronostic visuel).

A classer en 2e position parmi les 3 dossiers de l'épreuve.

Mots clés à inscrire sur le brouillon :

Pédiatrie = accord parental.

Strabisme = reflets cornéens, cover test, acuité visuelle, amblyopie, skiascopie sous cycloplégiques, correction optique totale jamais de chirurgie en 1ere intention.

GRILLE DE CORRECTION

1	Quel est cet examen ? Quelle anomalie constatez-vous ?	Grille classique	Grille ECN
•	Examen :	-	-
	- Test des reflets cornéen	5	5
•	Anomalie :	-	-
	- Reflet cornéen gauche en temporal de la pupille / non centré	5	5
		10	

2	De quel type de strabisme s'agit t-il ?	Grille classique	Grille ECN
•	Esotropie / strabisme convergent	8	10
•	De l'oeil droit	2	-
		10	

3	Quelle est votre interprétation du fond d'oeil ?	Grille classique	Grille ECN
•	Normal	5	5
		5	

4	Quelle complication suspectez-vous à l'issue de votre examen ? Justifiez brièvement.	Grille classique	Grille ECN
	• Anomalie :	-	-
	- Amblyopie	4	8
	- Fonctionnelle	2	2
	- De l'oeil gauche	2	-
	• Justification :	-	-
	- Baisse d'acuité visuelle de l'oeil gauche	2	4
	- Par rapport à l'œil adelphe	2	-
		14	

5	Expliquez brièvement la physiopathologie de cette complication.	Grille classique	Grille ECN
	• Le strabisme entraine	-	-
	• Une correspondance rétinienne anormale	4	4
	• L'enfant, afin d'éviter	-	-
	• La diplopie binoculaire	2	2
	• Va avoir recours au phénomène de	-	-
	• Neutralisation / fusion	2	4
	• En mettant au repos l'œil dévié	2	-
	• Qui va devenir amblyope	-	-
		10	

6	Justifiez cet examen.	Grille classique	Grille ECN
	• Examen systématique chez l'enfant	-	-
	• Encore plus en cas d'amblyopie ou de strabisme	-	-
	• Le cycloplégique (skiacol ou atropine) permet	-	-
	• La paralysie du muscle ciliaire	3	3
	• Donc entraine une paralysie de l'accommodation	4	5
	• Cela va permettre une meure objective de la réfraction de l'enfant	1	-
	• A la recherche d'une amétropie / hypermétropie sous jacente	-	-
		8	

7	Quelle est l'étiologie du strabisme de Théo ? Expliquez brièvement sa physiopathologie et notamment l'accentuation du strabisme lors des repas et du jeu.	Grille classique	Grille ECN
	• Etiologie :	-	-
	- Hypermétropie	4	5
	- Prédominant à gauche	1	-

	Grille classique	Grille ECN
• Physiopathologie :	-	-
- L'hypermétropie est responsable	-	-
- Du reflexe accommodation-convergence	5	5
- Responsable du strabisme convergent / Esotropie de Théo	1	-
- La vision de près (jeu, repas) nécessite une plus grande accommodation donc, via ce reflexe, entrainer plus facilement une convergence de l'œil donc le strabisme	2	3
	13	

8	**Citez les 4 principes thérapeutiques fondamentaux que vous allez instaurer dans ce cas.**	**Grille classique**	**Grille ECN**
	• Correction optique totale	3	3
	• Occlusion de l'oeil sain	3	3
	• Éducation thérapeutique	3	3
	• Suivi pluridisciplinaire (ophtalmo, orthoptiste, parents...)	3	3
	CHIRURGIE D'EMBLEE = ZERO A LA QUESTION		
		12 PLUS DE 4 REPONSES = ZERO A LA QUESTION	

9	**Que lui répondez-vous ?**	**Grille classique**	**Grille ECN**
	• Jusqu'à l'âge de 6 ans	5	5
	• Car la rétine et le cerveau maturent jusqu'à 6 ans (plasticité)	-	-
		5	

10	**Quelle anomalie constatez-vous ? Citez les 2 principales étiologies à évoquer**	**Grille classique**	**Grille ECN**
	• Anomalie : leucoccorie	5	5
	• Etiologies :	-	-
	- Cataracte	3	4
	o Blanche	1	-
	- Rétinoblastome	4	4
		13	

COMMENTAIRES

Questions	Commentaires
Général	• 23 MOTS CLES.
1	• L'examen des reflets cornéens, c'est la base +++. Mais en général, si l'angle du strabisme est minime, c'est difficile de voir quoi que ce soit...et c'est l'examen orthoptique qui confirmera le diagnostic de strabisme, son sens et son angle de déviation. • Le test des reflets cornéens permet d'éliminer le principal diagnostic différentiel du strabisme qu'est l'épicanthus.
2	• Esotropie = strabisme convergent = adduction de l'œil. • Exotropie = strabisme divergent = abduction de l'œil. • Hypertropie = élévation de l'œil. • Hypotropie = abaissement de l'œil. • Ne pas confondre le strabisme et les hétérophories (tendance d'un œil à loucher mais compensé par la correspondance rétinienne / fusion. Démasqué lorsqu'on cache l'œil adelphe.
3	• Dans un FO, il faut regarder : la papille, la macula, les vaisseaux, la rétine puis si besoin compléter l'examen avec l'analyse de la périphérie rétinienne avec un verre à 3 miroirs (V3M). • Ici, FO normal.
4	• Amblyopie = principale complication du strabisme. • Les principales étiologies de l'amblyopie sont : le strabisme, les amétropies (hypermétropie, myopie, astigmatisme) et les causes mixtes (hypermétropie => strabisme => amblyopie). • On distingue les amblyopies fonctionnelles (strabisme, amétropies) et les amblyopies organiques (cataracte, rétinoblastome, gliome du nerf optique, toxoplasmose).
5	• Chez l'adulte, en cas de strabisme, le patient verra double (diplopie binoculaire) et s'en plaindra. En revanche, chez le petit enfant, il existe le phénomène de suppression ou neutralisation, c'et à dire que l'enfant va annuler l'image provenant de l'œil dévié et évitera ainsi toute diplopie. Le problème, c'est que la rétine et le cerveau sont en pleine maturation donc la suppression de l'image de l'œil dévié risque de développer une BAV définitive appelée amblyopie. • Si le strabisme est très précoce (avant 6 mois), le strabisme entraine une perte de la vision stéréoscopique (vision 3D). • Le strabisme a 2 composantes : une motrice (c'est la déviation de l'oeil) et une sensorielle (risque de baisse d'acuité visuelle = amblyopie).
6	• L'enfant en particulier « force » en permanence sur les yeux. Le seul moyen de stopper ce « forçage » est de paralyser le muscle ciliaire responsable de l'accommodation. Cet examen doit être SYSTEMATIQUE chez tous les enfants. • En pratique, on utilise soit le SKIACOL®, soit l'ATROPINE. Effet secondaire : mydriase donc vision floue surtout de près (12 à 24H pour le skiacol, 1 semaine pour l'atropine !!).
7	• Quand on est hypermétrope, on accommode en permanence de loin, mais surtout de près. L'accommodation provoque par ce reflexe d'accommodation-convergence, une convergence de l'oeil donc une esotropie.
8	• Le traitement (pas vraiment au programme mais il faut avoir quelques bases, on ne sait jamais…) :

	• Traitement de l'hypermétropie : port de lunettes avec une correction optique TOTALE (c'est-à-dire qu'on corrige la totalité de l'hypermétropie : par exemple hypermétropie de +4, on fait des lunettes de +4. Si un enfant est juste hypermétrope de +4 sans amblyopie, on fait une correction partielle (+2 ou +2,5 par exemple)). • Traitement de l'amblyopie : occlusion de l'œil sain par un cache pour faire travailler l'œil amblyope. Il y a 2 phases : un traitement d'attaque (occlusion permanente de l'œil sain) puis un traitement d'entretien (occlusion uniquement quelques heures de l'œil sain) + éducation thérapeutique (enfant ET parents) et suivi pluridisciplinaire en expliquant bien aux parents et à l'enfant qu'il y a un risque de BAV définitive en cas de non respect du traitement. • Jamais de chirurgie en 1ere intention. • Pas de rééducation orthoptique dans ce cas la. Attention : jamais, jamais, jamais de rééducation orthoptique lors d'un strabisme avec correspondance rétinienne anormale car aggrave tout !!
9	• Le cerveau mature jusqu' à l'âge de 6 ans. Donc une amblyopie dépistée avant 6 ans peut se corriger (80 à 90% de réussite !!!!). L'objectif étant une restitution complète de l'acuité visuelle. • Une amblyopie dépistée après 6 ans ne récupère pas, ou peu. • Le plus important dans le strabisme, c'est l'éducation thérapeutique des parents (et de l'enfant) et leur expliquer l'intérêt du traitement qui peut paraître contraignant +++. • Un suivi régulier jusqu' à l'âge de 10 ans est souhaitable. Passé cet âge, la surveillance peut s'espacer.
10	• Leucoccorie = pupille blanche. • Etiologies : ca dépend de l'âge, mais les 2 à connaître particulièrement sont la cataracte blanche et le rétinoblastome. Les autres causes sont la rétinopathie des prématurés, la persistance du vitré primitif, un décollement de rétine quelle que soit sa cause...

ITEMS ABORDEES

Items	Intitulés
287	• Anomalies de la réfraction
333	• Orientation diagnostique devant un strabisme de l'enfant

Dossier thématique transversal 18

Enoncé

Une patiente de 74 ans consulte en ophtalmologie à l'Hôpital ou vous exercez pour baisse d'acuité visuelle indolore depuis 2 ans, bilatérale mais prédominant à droite, devenue gênante.

Ses principaux antécédents sont un diabète de type 2 sous metformine avec une dernière HbA1c à 7,2%, une hypertension artérielle traitée par ramipril, une dyslipidémie traitée par rosuvastatine, un alcoolisme reconnu.

La patiente n'a pas d'allergies connues.

Elle porte depuis 15 ans environ des lunettes pour lire de près (« des loupes » comme elle dit) mais a constaté qu'elle n'avait plus besoin de les mettre pour lire de près et qu'elle est de plus en plus gênée en vision de loin.

<u>L'examen ophtalmologique est le suivant :</u>

Examen oculomoteur normal.

- **Auto réfractométrie objective automatique :**
  OD = -3,50 (-0,50 à 180°)
  OG = -1,50 (-0,50 à 180°)
- **Acuité visuelle avec correction adaptée :**
  OD = 4/10e Parinaud 6
  OG = 6/ 10e Parinaud 3
- **L'examen des segments antérieurs à la lampe à fente retrouve une cornée claire, une chambre antérieure calme et profonde, des reflexes photomoteurs normaux, une cataracte bilatérale prédominant à droite.**
- **La pression intra oculaire est à 15 mm Hg aux 2 yeux.**

1/ Interprétez les résultats de l'auto réfractomètre de l'oeil droit (OD) ?

2/ Comment expliquez-vous les difficultés de la patiente à la lecture de loin et « l'amélioration » de la lecture de près ?

3/ De quel type anatomique de cataracte la patiente est- elle probablement atteinte ?

4/ Donnez les 2 arguments justifiant le recours à une éventuelle opération de la cataracte de l'oeil droit.

Vous effectuez l'examen du fond d'oeil de l'oeil droit. Vous décidez de réaliser l'examen suivant :

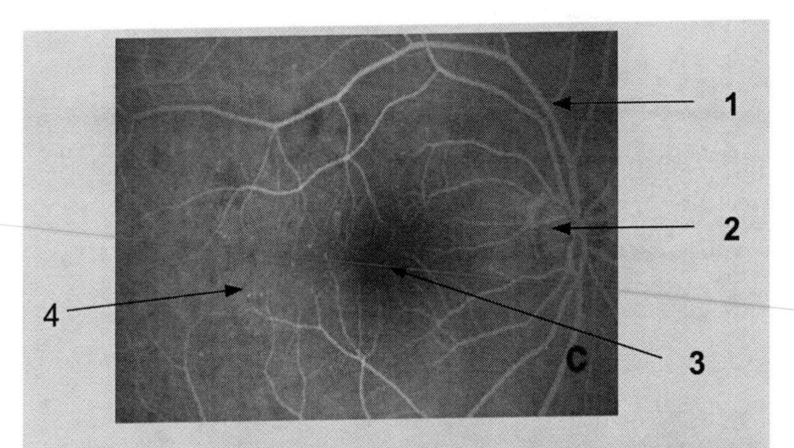

5/ Quel est cet examen ? Légendez les structures fléchées.

6/ Remettez dans le bon ordre ces différentes étapes de la chirurgie de la cataracte extra capsulaire de l'oeil droit : phacoémulsification, hydrodissection du cristallin, pose d'implant en chambre postérieure, capsulorhéxis, incision cornéenne.

Les suites opératoires sont simples. La patiente est revue 3 jours après en urgence pour baisse d'acuité visuelle de l'oeil droit associée à un oeil rouge et douloureux.

L'examen ophtalmologique de l'oeil droit est le suivant :

- **Acuité visuelle : compte les doigts.**
- **L'examen du segment antérieur à la lampe à fente est présenté ci dessous :**

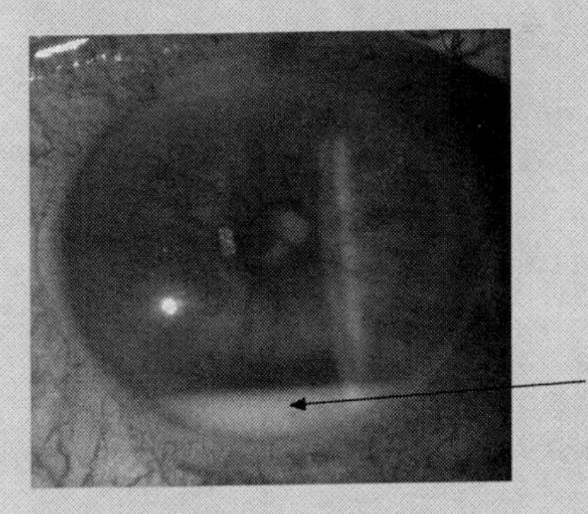

- **Pression intra oculaire par aplanation : 13 mm Hg.**
- **Fond d'œil : inaccessible.**

7/ Quelle est l'anomalie du segment antérieur fléchée ? Quel diagnostic devez-vous évoquer ? Citez 2 facteurs de risque présents chez votre patiente.

8/ Quelles mesures prophylactiques pré per et post opératoires aviez-vous pourtant mis en place ?

9/ Quelle mesure médico-légale obligatoire devez-vous effectuer dans ce contexte ?

Malgré une prise en charge rapide et adaptée comportant une hospitalisation en urgence, une ponction de chambre antérieure et la mise en place d'un traitement local et systémique, la patiente vous exprime son souhait de porter plainte.

10/ Quelle(s) reponsabilité(s) peuvent potentiellement être engagées ?

Corrigé

PREMIERE LECTURE

Difficulté du dossier : 1/3

Dossier facile avec endophtalmie post opératoire à bien connaitre +++.

A classer en 1ere position parmi les 3 dossiers de l'épreuve.

Mots clés à inscrire sur le brouillon :

Endophtalmie = URGENCE +++, déclaration au CLIN +++.

GRILLE DE CORRECTION

1	Interprétez les résultats de l'auto réfractomètre de l'œil droit (OD) ?	Grille classique	Grille ECN
•	Myopie	2	2
•	De -3,50 dioptries	2	2
•	Et	-	-
•	Astigmatisme	1	2
•	Myopique	1	-
•	De -0,50 dioptries	1	1
•	À 180°	1	1
		8	

2	Comment expliquez-vous les difficultés de la patiente à la lecture de loin et « l'amélioration » de la lecture de près ?	Grille classique	Grille ECN
•	Myopisation	4	4
•	D'indice	2	2
•	Due à la cataracte	2	2
		8	

3	De quel type anatomique de cataracte la patiente est- elle probablement atteinte ?	Grille classique	Grille ECN
•	Cataracte nucléaire	5	5
		5	

4	Donnez les 2 arguments justifiant le recours à une éventuelle opération de la cataracte de l'oeil droit.	Grille classique	Grille ECN
	• Acuité visuelle < 5/10e	5	5
	• Gène fonctionnelle ressentie	5	5
		10 PLUS DE 2 REPONSES = ZERO A LA QUESTION	

5	Quel est cet examen ? Légendez les structures fléchées.	Grille classique	Grille ECN
	• Examen :	-	-
	- Angiographie rétinienne à la fluorescéine	8	8
	• Légendes :	-	-
	- 1 = Vaisseaux (veine ou artère) temporaux supérieurs	2	2
	- 2 = Papille / nerf optique	2	2
	- 3 = Macula	2	2
	- 4 = Micro anévrismes	2	2
		16	

6	Remettez dans le bon ordre ces différentes étapes de la chirurgie de la cataracte extra capsulaire de l'oeil droit : phacoémulsification, Hydrodissection du cristallin, pose d'implant en chambre postérieure, Capsulorhéxis, incision cornéenne.	Grille classique	Grille ECN
	• Incision cornéenne • Capsuloréxis • Hydrodissection • Phacoémulsification • Pose d'implant		
		10 POINTS SI DANS LE BON ORDRE	

7	Quelle est l'anomalie du segment antérieur fléchée ? Quel diagnostic devez-vous évoquer ? Citez 2 facteurs de risque présents chez votre patiente ?	Grille classique	Grille ECN
• Anomalie : Hypopion		5	5
• Diagnostic :		-	-
- Endophtalmie		5	8
- De l'œil droit		1	-
- Précoce		1	-
- Post opératoire / nosocomiale		1	-
• Facteurs favorisants :		-	-
- Diabète		3	3
- Alcoolisme		3	3
		19	

8	Quelles mesures prophylactiques pré per et post opératoires aviez-vous pourtant mis en place ?	Grille classique	Grille ECN
• Pré opératoire :		-	-
- Asepsie (bloc : flux laminaire, stérilisation des instruments)		2	2
- Lavage des mains selon protocole		2	2
- Antisepsie / Bétadine (cutanée et conjonctivale)		2	2
• Per opératoire :		-	-
- Antibioprophylaxie / injection d'APROKAM en chambre antérieure en fin d'intervention (recommandation HAS)		2	2
• Post opératoire :		-	-
- Antibioprophylaxie par gouttes jusqu'à cicatrisation cornéenne (5 à 7j)		2	2
- Eviter ablation fil de suture si posé pendant l'intervention		-	-
		10	

9	Quelle mesure médico-légale obligatoire devez-vous effectuer dans ce contexte ?	Grille classique	Grille ECN
• Déclaration au CLIN / Comité de lute contre Infections Nosocomiales		5	5
		5	

10	Quelle(s) responsabilité(s) peuvent potentiellement être engagées ?	Grille classique	Grille ECN
• Pénale		3	3
• Administrative		3	3
• Ordinale / déontologique / Conseil de l'ordre des médecins		3	3
RESPONSABILITE CIVILE = ZERO A LA QUESTION			
		9	

COMMENTAIRES

Questions	Commentaires
Général	• 34 MOTS CLES.
1	• Anomalies sphériques : myopie (dioptries négatives) et hypermétropie (dioptries positives). • Anomalies cylindriques : astigmatisme (dioptries positives ou négatives, toujours accompagné d'un axe).
2	• La preuve : avant la patiente n'avait pas de lunettes pour voir de loin. Or, ici, la patiente est myope (cf auto refractomètre). Quand on est myope ou qu'on le devient, on voit bien de près car l'oeil est « trop puissant » mais mal de loin. La cataracte nucléaire est une grande pourvoyeuse de myopisation.
3	• La cataracte nucléaire donne des myopisations d'indice. • La cataracte sous capsulaire postérieure donne des BAV de loin et de près prédominant de près. Elle survient souvent chez les diabétiques et les patient ou corticoïdes (locaux ou systémiques). • Ici, le patient est diabétique, mais attention, tous ne développeront pas de cataracte sous capsulaire postérieure.
4	• L' HAS a fixé dans ses recommandations le seuil de <5/10e. • Ce seuil est à adapter à chaque patient. En effet, un patient de 100 ans avec cataracte et 4/10e sans grande gêne fonctionnelle ne sera pas opéré, alors qu'un patient de 50 ans avec 5/10e et grande gène fonctionnelle car travaille encore sera opéré.
5	• Les micros anévrismes sont les 1ers signes rétiniens de diabète. Ils apparaissent comme de petits points rouges au FO et comme des petits points hyper fluorescents à l'angiographie.
6	• Les étapes de la chirurgie de la cataracte : • AL • Désinfection cutanée et conjonctivale bétadinée • Incision cornéenne calibrée • Injection de PVE (produit visco élastique) pour maintenir le volume du globe • Capsulorhéxis (ouverture de la capsule antérieure) • Hydrodissection • Phacoémulsification du cristallin • Cracking • Aspiration des masses • Injection de PVE • Pose de l'implant dans le sac • Aspiration du PVE résiduel • Injection d'antibiotique dans la chambre antérieure • Hydro suture • Pommade STERDEX-pansement. • FIN
7	• Œil rouge douloureux en post op : endophtalmie, hypertonie aigüe, kératite aigüe (ulcération cornéenne).

	• **ENDOPHTALMIE :** • Etiologies : staphylocoque (épidermidis +++, aureus), streptocoque, BGN (pseudomonas…). • Précoce si survient en < 6 semaines. • Clinique : post opératoire +++++ (endophtalmie endogène = exceptionnel), Œil rouge, douloureux, BAV, photophobie. ATTENTION : LA DOULEUR EST TRES INCONSTANTE ++++. En pratique, c'est la BAV qui est la plus fréquente. • LAF : cercle périkératique (inconstant), œdème cornéen, Tyndall +++, hypopion, membrane cyclitique, hyalite, FO inaccessible. TOUTE INFLAMMATION POST OPERATOIRE EST UNE ENDOPHTALMIE JUSQU'A PREUVE DU CONTRAIRE +++. • Echo B : pas de DR, hyperéchogénicité vitréenne (inflammation). • CAT : urgence, info (grave +++), hospitalisation (bilan pré op, VVP, appel anesthésiste), passage au bloc, AL + sédation (propofol, car tout geste sur un œil très inflammatoire est très douloureux), ponction de chambre antérieure avec envoi en bactério, puis injection intra vitréenne (IVT) de 2 antibiotiques (vancomycine + Fortum) puis remontée dans le service pour débuter le traitement IV (bithérapie : quinolone, fosfomycine ou beta lactamine type imipenème) et traitement local (anti inflammatoire, antibiotique, cycloplégiant : atropine). Examen tous les jours. • Poursuite du traitement IV 7 jours environ. Traitement local 3 à 4 semaines. • Faire 2 nouvelles IVT à 48 d'intervalle en rajoutant aux 2 antibiotiques un anti inflammatoire stéroïdien. • Si BAV massive (PL) et pas d'amélioration on peut discuter une chirurgie (vitrectomie avec prélèvements bactériologiques). • Et faire la déclaration au CLIN +++.
8	• Tout est dit. Adoptez ce plan (pré, per, post opératoire) pour toutes les questions de prévention des infections associées aux soins. • Ca va tomber à l'ECN ++++.
9	• N'oubliez pas le CLIN, au même titre que vous devez déclarer à la pharmacovigilance en cas de problème médicamenteux, ou à la matériovigilance en cas de problème avec une prothèse ou implant !!
10	• Pénale : peut toujours être engagée. • Ensuite, c'est soit civil (libéral) ou administrative (hôpital) => si on est en hôpital, ne parlez pas de la responsabilité civile même sous couvert d'un « faute détachable du service ». Si on est à l'hôpital, c'est la responsabilité administrative et c'est tout !!

ITEMS ABORDEES

Items	Intitulés
10	• Responsabilités médicales
58	• Cataracte
91	• Infections nosocomiales

Dossier thématique transversal 19

Enoncé

Une jeune femme de 22 ans consulte son médecin traitant pour des céphalées chroniques devenues, selon elle, invalidantes.

Cette patiente, informaticienne depuis 2 ans, ne présente pas d'antécédent particulier, n'a pas d'allergies et ne prend comme médicament qu'une pilule oestro-progestative.

Elle vous explique qu'elle souffre de céphalées depuis 2 ans maintenant, il s'agit à l'interrogatoire de céphalées bi-frontales, continues, en barre, maximales en milieu et fin de journée, avec une EVA estimée à 4/10, associée à des yeux rouges, qui piquent, qui pleurent et parfois un flou visuel de près. Elle vous précise que les céphalées sont moins importantes le week-end et qu'elles sont devenues résistantes au paracétamol.

La patiente vous demande, désespérée, un traitement pour sa migraine ophtalmique.

1/ La patiente souffre t'elle de migraine ophtalmique ? Justifiez.

Son médecin traitant entreprend un examen clinique soigneux totalement normal (TA = 120/70 mm Hg, FC = 65/min, T° = 37,1°, examen neurologique, cardiovasculaire et systémique sans particularités). Il lui conseille alors de prendre rendez vous chez un ophtalmologiste. La patiente semble septique...

2/ Quel diagnostic suspecte le médecin traitant ?

Conformément aux conseils de son médecin, la patiente consulte dans le service d'ophtalmologie de votre hôpital.

L'examen ophtalmologique est le suivant :

Réfraction à l'auto-réfractomètre : -0,50D aux 2 yeux.

Acuité visuelle sans correction : 10/10e P2 aux 2 yeux.

L'examen du segment antérieur à la lampe à fente est sans particularités.

La tonométrie à aplanation retrouve : 12 mm Hg (OD) et 13 mm Hg (OG).

La gonioscopie est sans particularités.

L'examen du fond d'oeil retrouve une papille et macula normales.

3/ Devant les valeurs de l'auto-réfractomètre et de l'acuité visuelle, éliminez-vous le diagnostic de votre confrère ? Justifiez.

4/ Quel test clinique, indispensable dans ce cas, devez-vous réaliser ?

Finalement, la nouvelle mesure réalisée à l'auto-réfractomètre automatique retrouve : +2D aux 2 yeux.

5/ Donnez 3 moyens potentiels de corriger le défaut optique de votre patiente.

Votre prise en charge a été efficace puisque vous « perdez de vue » votre patiente (elle n'est pas allée voir ailleurs !!).
Vous la revoyez 20 ans plus tard à votre consultation. En effet, elle vous explique que votre traitement n'est plus efficace puisqu'elle voit de plus en plus flou de près et que ses céphalées recommencent à la gêner.
Vous la rassurez et débutez l'examen ophtalmologique.
Acuité visuelle de loin avec correction : 10/10e aux 2 yeux.
Acuité visuelle de près : P6 aux 2 yeux, P4 en reculant de 20 cm la tablette de lecture.
L'examen du segment antérieur à la lampe à fente, la tonométrie à aplanation et le fond d'oeil sont strictement normaux.

6/ Quel diagnostic suspectez-vous concernant cette baisse d'acuité visuelle de près ? Comment le confirmez-vous immédiatement ?
7/ Comment expliquez-vous la survenue précoce de cette baisse visuelle chez votre patiente ?

Votre traitement est le bon. Vous perdez de nouveau de vue votre patiente.
30 ans plus tard, la patiente consulte aux urgences de votre hôpital à 3H du matin pour des céphalées violentes apparues la veille à 23H, insomniantes, continues, sans position antalgique, sans facteur déclenchant, avec une EVA à 10/10e comme le confirme son agitation et ses cris sur le brancard. Vous constatez qu'elle a les yeux fermés et elle vous explique qu'elle est devenue subitement particulièrement sensible à la lumière et avoir eu 2 épisodes de vomissements avant de venir aux urgences.
Ses traitements sont les suivants : kardegic, furosémide, enalapril, atorvastatine, lexomil.
Ses constantes sont les suivantes : TA = 180 / 75, FC = 100/min, FR = 20/min, SpO2 = 100%, T° = 37,3°.

8/ Quel diagnostic neurologique grave doit évoquer l'urgentiste en priorité avant tout examen ?

Malgré un examen neurologique normal, un scanner cérébral est réalisé en urgence. Ce dernier est interprété comme normal.
L'infirmière fait constater à l'urgentiste que la patiente a un oeil droit particulièrement rouge. L'ophtalmologiste est appelé.
L'examen ophtalmologique est le suivant :
Acuité visuelle corrigée : Compte les doigts (OD) / 4/10e (OG).
L'examen des segments antérieurs à la lampe à fente sont les suivants :

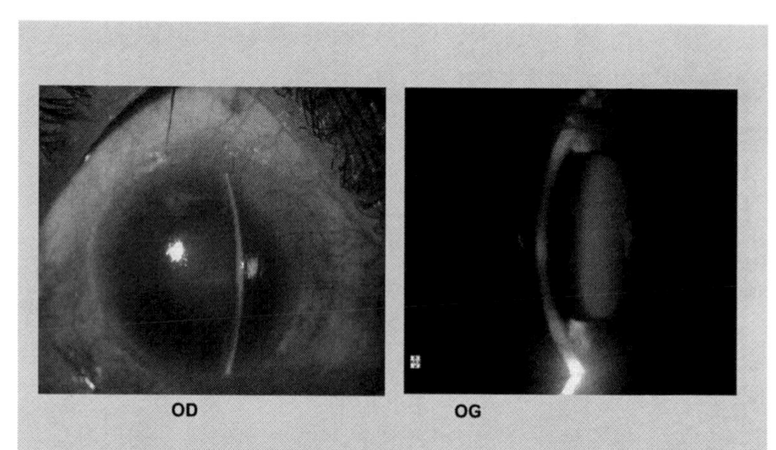

9/ Citez les 3 principales anomalies présentes à l'examen ophtalmoscopique de l'œil droit ? Quel diagnostic retenez-vous ? Quelle mesure clinique confirmera ce diagnostic ?

10/ Donnez 2 facteurs prédisposant présents dans cette observation.

Corrigé

PREMIERE LECTURE

Difficulté du dossier : 2/3

Dossier classique : hypermétropie, presbytie. Les amétropies sont souvent négligées...mais elles sont TRES fréquentes (qui porte des lunettes parmi vous chers lecteurs ??) donc potentiellement tombables.

A classer en 2e position parmi les 3 dossiers de l'épreuve.

Mots clés à inscrire sur le brouillon :

GAFA = examen de l'œil adelphe et pensez à l'iridotomie bilatérale.

GRILLE DE CORRECTION

1	La patiente souffre t'elle de migraine ophtalmique ? Justifiez.	Grille classique	Grille ECN
•	NON **(PAS MIS = ZERO A LA QUESTION)**	4	4
•	Car	-	-
•	Céphalées bilatérales / non unilatérales	2	2
•	Intensité faible / EVA < 7/10^{e}	2	2
•	Non pulsatiles / continues	2	2
•	Pas de nausées / vomissements	2	2
•	Sans retentissement sur le travail / pas besoin de s'isoler dans le noir	2	2
•	Pas d'aura / pas de scotome scintillant	2	2
		16	

2	Quel diagnostic suspecte le médecin traitant ?	Grille classique	Grille ECN
•	Hypermétropie	6	6
		6	

3	Devant les valeurs de l'auto-réfractomètre et de l'acuité visuelle, éliminez-vous le diagnostic de votre confrère ? Justifiez.	Grille classique	Grille ECN
•	NON (PAS MIS = ZERO A LA QUESTION)	3	3
•	Le patient accommode (force sur les yeux) et donc myopise, d'ou les valeurs négatives de – 0,50D à l'auto réfractométrie, car on oblige le patient à regarder une image de près (donc à accommoder automatiquement sans que le patient ne s'en rende compte).	3	3
		6	

4	Quel test clinique, indispensable dans ce cas, devez-vous réaliser ?	Grille classique	Grille ECN
•	Réfraction sous cycloplégique / skiascopie	6	6
		6	

5	Donnez 3 moyens potentiels de corriger le défaut optique de votre patiente.	Grille classique	Grille ECN
•	Lunettes :	-	-
	- Verres	2	2
	- Sphériques	2	2
	- Convexes	2	2
	- Dioptries positives	-	-
•	Lentilles de contact	3	3
•	Chirurgie laser	3	3
		12	

6	Quel diagnostic suspectez-vous concernant cette baisse d'acuité visuelle de près? Comment le confirmez-vous immédiatement ?	Grille classique	Grille ECN
•	Diagnostic :	-	-
	- Presbytie	4	6
	- Bilatérale	-	-
•	Confirmation :	-	-
	- Ajout de verres sphériques convexes	3	4
	- Lors de la vision de près	1	-
	- Permet l'amélioration de la lecture	-	-
		10	

7	Comment expliquez-vous la survenue précoce de cette pathologie chez votre patiente ?	Grille classique	Grille ECN
•	Car patiente hypermétrope	5	5
		5	

8	Quel diagnostic neurologique grave doit évoquer l'urgentiste en priorité avant tout examen ?	Grille classique	Grille ECN
•	Hémorragie méningée	10	10
		10	

9	Citez les 3 principales anomalies présentes à l'examen ophtalmoscopique de l'œil droit ? Quel diagnostic retenez-vous ? Quelle mesure clinique confirmera ce diagnostic ?	Grille classique	Grille ECN
•	Anomalies :	-	-
	- Cercle périkératique	3	3
	- Œdème de cornée	3	3
	- Semi mydriase	3	3
•	Diagnostic :	-	-
	- Glaucome aigu par fermeture de l'angle	6	8
	- De l'œil droit	2	-
•	Mesure clinique :	-	-
	- Prise de la pression intra oculaire	3	4
	- Par aplanation	1	-
	- Ou palpation bi digitale du globe oculaire (geste à faire aux urgences)	-	-
		21	

10	Donnez 2 facteurs prédisposant présents dans cette observation.	Grille classique	Grille ECN
•	Cataracte	3	4
	- Mure	1	-
•	Hypermétropie / œil court / chambre antérieure étroite	4	4
		8 PLUS DE 2 REPONSES = ZERO	

COMMENTAIRES

Questions	Commentaires
Général	• 27 MOTS CLES.
1	• Il suffit de reprendre les critères de la migraine de l'IHS !! • C'est extrêmement fréquent de voir en consultation des patient(e)s venant pour des « migraines ophtalmiques » car ils ont mal à la tête et les yeux rouges qui piquent !!!! • Les patients croient souvent que le flou visuel constitue une aura : ce n'est bien sûr pas le cas. • Devant toute céphalée frontale chronique, il faut envoyer le patient chez l'ophtalmologiste.
2	• L'énoncé est typique ici. • Hypermétropie : sujet jeune, travaille souvent sur écran (la vision de près nécessite plus d'accommodation donc majore les symptômes), fatigue visuelle (vision floue, parfois strabisme, yeux rouges, piquent, pleurent...) et céphalées (classiquement bi-frontales et/ou rétro orbitaires). Ces symptômes sont dus à la fatigue (comme une crampe) du muscle ciliaire mis en jeu dans l'accommodation.
3	• L'auto-réfractomètre majore la myopie et minimise l'hypermétropie. • Donc ne vous fiez pas aux valeurs de l'auto réfractomètre. Si vous voulez être sûr, il faut utiliser un cycloplégique (SKIACOL ou ATROPINE). • Attention, les hypermétropes ont souvent une acuité visuelle sans correction de 10/10e P2 car ils arrivent à compenser leur amétropie grâce à l'accommodation (muscle ciliaire).
4	• Principe : paralyser l'accommodation du patient et faire relâcher complètement le muscle ciliaire. • Moyen : en pratique avec du cyclopentoate (SKIACOL®) ou avec de l'atropine (surtout enfants). • Protocole : chez l'adulte, avec le skiacol, une goutte toutes les minutes puis examen 1 heure après la première goutte. On refait l'auto réfractométrie (réfraction) et on retrouve des dioptries positives (+2D ici) et on refait lire le sujet (et la, le patient ne lit plus 10/10e !!). • Effet secondaire : les pupilles sont dilatées donc le sujet sera éblouit et verra flou (surtout de près) pendant quelques heures. Attention au glaucome aigu qu'on provoque avec les gouttes (ca existe, mais pas chez quelqu'un d'aussi jeune).
5	• Tout est dit. Valable pour les 3 amétropies (hypermétropie, myopie, astigmatisme). • Hypermétropie => verre sphérique convexe. • Myopie => verre sphérique concave. • Astigmatisme => verre cylindrique concave ou convexe suivant le type d'astigmatisme.
6	• Il faut ajouter ces dioptries aux verres qu'elle porte déjà (donc par exemple + 2 et on ajoute du +1, du +2 voire du +3....).
7	Rappel : • le muscle ciliaire permet une accommodation de 3 dioptries. • Pour voir de loin à 5 mètres (échelle de Monnoyer), il faut accommoder de 1/distance = 1/5 = 0,2 dioptries donc autant dire que ce n'est pas trop dur pour un oeil normal. Un oeil hypermétrope jeune y arrivera aussi sans souci (sauf si hypermétropie > 3D). Avec l'âge, le muscle ciliaire devient paresseux (début de la presbytie) jusqu'à ne plus fonctionner (presbytie finale). Donc un sujet hypermétrope de 1D verra bien de loin durant sa jeunesse, durant le début de sa presbytie mais commencera à voir flou lors de la presbytie terminale. Si il est hypermétrope de +4D, il verra toujours flou car

	son accommodation maximale n'est que de 3D...et ce sera d'autant pire que la presbytie avancera. • Pour voir de près, 33 cm par convention (échelle de Parinaud), il faut accommoder de 1/0,33 = 3 dioptries. Si on est hypermétrope de +1 et jeune, pas de souci : on aura une acuité visuelle parfaite de loin et de près (mais au prix d'une accommodation permanente et donc des symptômes du cas clinique). Mais vers 40 ans, on accommode moins bien (il ne reste plus que 2D par exemple, ca passe encore). Mais lors de la presbytie avancée on n'a plus ces 3 dioptries d'accommodation (le muscle ne travaille plus) donc on voit flou ++++ donc on recule le journal pour mieux voir. • Si on est hypermétrope de +3, on arrive encore à lire de près jeune mais des que la presbytie débute on manque d'accommodation et on voit flou rapidement. • Comme il faut beaucoup plus accommoder de près (3D) que de loin (0,2D), les hypermétropes voient d'abord flou de près !!!! • Normalement, la presbytie commence vers 45-50 ans. Elle est avancée pour les hypermétropes (d'autant plus qu'on est hypermétrope fort) et retardée pour les myopes (d' autant plus qu'on est fort myope).
8	• Car syndrome méningé (céphalées, brutales, photophobie, vomissements, apyrexie contre une méningite, chez une patiente hypertendue connue avec une HTA....qui est en fait due à la douleur). • Attention : le GAFA égare souvent le médecin : on pense souvent à un syndrome méningé ou une gastro (vomissements). Regardez si l'oeil est rouge !!
9	**<u>Résumé sur le GAFA :</u>** • Terrain : le vieux avec grosse cataracte +++ (pas chez le jeune, sauf cas particuliers comme une subluxation cristallinienne dans le cadre d'un MARFAN), sujet hypermétrope avec chambre antérieure étroite (œil trop court). • Clinique : œil rouge, TRES douloureux, BAV, nausées, vomissements égarent parfois. • LAF : cercle périkératique, œdème de cornée (donne le regard « glauque »), chambre antérieure TRES étroite, ½ mydriase aréactive, cataracte, fond d'œil souvent inaccessible du fait de l'œdème de cornée, examen de l'œil adelphe +++ (chambre antérieure étroite, angle fermé en gonioscopie, cataracte). • PIO : souvent > 60 mm Hg par aplanation. Sinon, palpation bi digitale du globe => œil classiquement « bille de verre ». • Aucun examen paraclinique : le diagnostic est clinique +++. • Traitement : urgence, info (gravité, risque de séquelles sur le nerf optique), hospitalisation, VVP, arrêt de tout médicament favorisant (para sympathicolytiques => les antis dépresseurs tricycliques etc....). • Traitement IV : acétazolamide IV (500 cc x 3/ jour) + Diffu K. Mannitol 20% si besoin (250 cc en 20 min, voire plus...) => relai per os par acétazolamide dès que possible avec Diffu K toujours associé. • Traitement local : gouttes hypotonisantes (beta bloquant, alpha 2 agonistes), anti inflammatoires (AINS et stéroïdes non hypertonisants), PILOCARPINE +++ dès que la PIO a baissé. ***Attention : pilocarpine (=>myosis) DANS LES 2 YEUX +++++++++ (n'oubliez JAMAIS l'œil adelphe).*** • Puis : iridotomie périphérique de l'œil adelphe rapidement (sous pilocarpine) et iridotomie de l'œil atteint dès résorption de l'œdème de cornée. (J2-J3) • A distance : chirurgie de la cataracte à envisager car c'est la principale cause de la crise de GAFA. ***Au final : n'oubliez pas la pilocarpine dans l'œil adelphe et les iridotomies au laser YAG bilatérales +++.***
10	• Cataracte car : œil adelphe => BAV à 4/10e et cataracte brune sur la photo du segment antérieur gauche. La cataracte étant quasi systématiquement bilatérale (mais souvent asymétrique), l'œil droit a aussi une cataracte !!

ITEMS ABORDEES

Items	Intitulés
58	• Cataracte
212	• Œil rouge douloureux
287	• Réfraction et anomalies

Notes personnelles

Dossier thématique transversal 20

Enoncé

Une femme de 65 ans téléphone au secrétariat du service d'ophtalmologie de votre hôpital pour un oeil droit rouge, douloureux avec sensation de flou visuel, évoluant depuis la veille au soir. Elle n'a jamais consulté dans votre hôpital car n'a jamais eu de problème ophtalmologique.

1/ Donnez les 3 diagnostics ophtalmologiques à évoquer devant un tel tableau en les classant par ordre croissant de gravité.

Vous faites venir votre patiente en urgence. Il s'agit bien d'une femme de 65 ans, ayant pour antécédents une hypothyroïdie traitée par levothyroxine, une dyslipidémie traitée par de la rosuvastatine, une hypertension artérielle traitée par de l'aténolol, un diabète de type 2 traité par de la metformine, du paracétamol pour des douleurs de la cuisse droite récentes et de l'amoxicilline pour un nouvel épisode de pneumopathie (3eme épisode en 6 mois selon la patiente).

Elle n'a pas d'allergies connues.

Vous êtes immédiatement marqué par le visage de la patiente qui présente une éruption cutanée non prurigineuse hémi palpébro frontale droite inflammatoire depuis 3 jours, avec des sensations douloureuses de brulures dans ce territoire depuis 5 jours environ. (Photo ci-dessous).

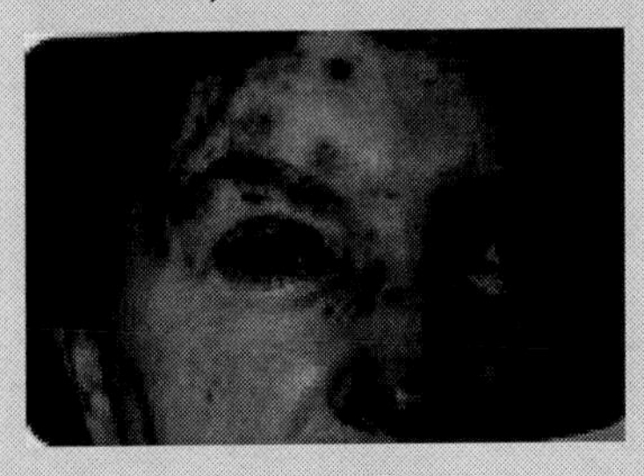

2/ Quel diagnostic dermatologique vous semble le plus probable ?

L'examen ophtalmologique est le suivant :

- Oculomotricité normale.

- Acuité visuelle avec correction :
  OD : 5/10e P6
  OG : 10/10e P2
- L'examen du segment antérieur à la lampe à fente de l'oeil droit sans et avec instillation de fluorescéine est présenté ci dessous. La chambre antérieure est calme et profonde, le reflexe photomoteur est normal et le cristallin clair.

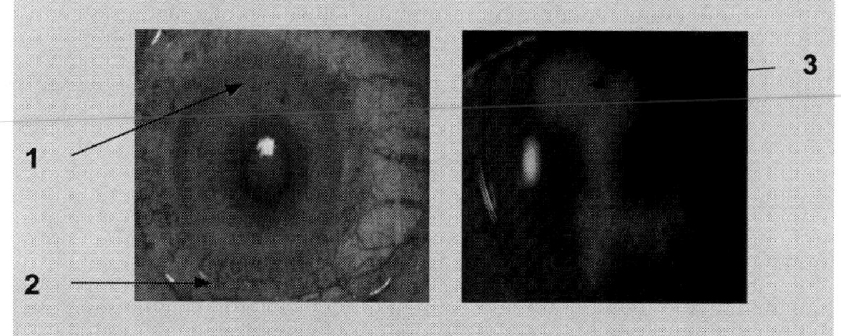

- La pression intra oculaire est à 16 mm Hg (OD) / 13 mm Hg (OG).
- Le fond d'oeil est sans particularités.

3/ Légendez les éléments fléchés. Quel diagnostic ophtalmologique retenez-vous ?

4/ Quel élément de l'examen dermatologique était en faveur d'une atteinte ophtalmologique concomitante ?

5/ Quelle molécule (DCI et voie d'administration) prescrivez-vous ? Quel est son mécanisme d'action ?

Vous décidez de traiter votre patiente en ambulatoire et d'effectuer un bilan étiologique en externe. Vous la revoyez en consultation de contrôle à J7. La patiente va mieux. Elle en profite pour vous tendre les résultats de la prise de sang qu'elle vient d'effectuer ainsi qu'un bilan radiographique :

Hb = 9,6 g/dl, VGM = 88µ, Réticulocytes = 65 000 / mm3, GB = 7550 / mm3, Plaquettes = 250 000 /mm3, Na = 138 mmol/l, K = 3,9 mmol/l, Cl = 102 mmol/l, Ca = 2, 97 mmol/l, protides = 86 g/l, albumine = 40 g/l, TP = 85%, TCA = 33s (témoin 30s), urée = 6,2 mmol/l, créatinine = 155 µmol/l, ASAT = ALAT = 25 U/l, VS = 65 mm (1ere heure) / 105 mm (2e heure), CRP = 2 ng/ml.

L'électrophorèse des protéines sériques et l'Immunofixation sont présentées ci dessous :

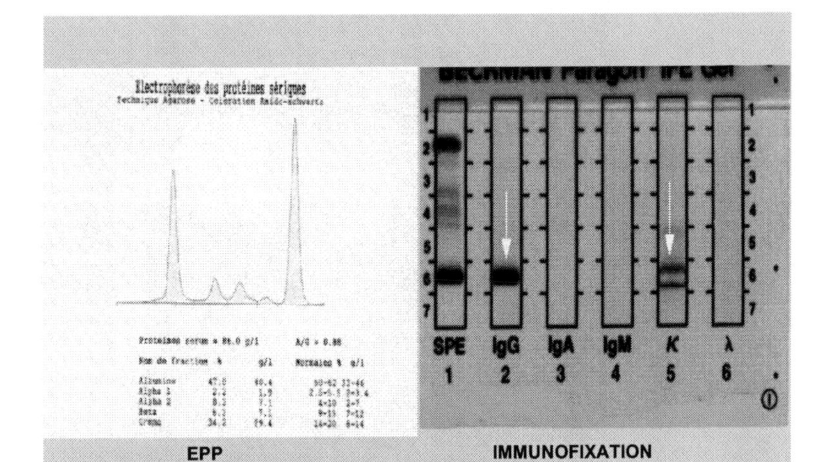

EPP

IMMUNOFIXATION

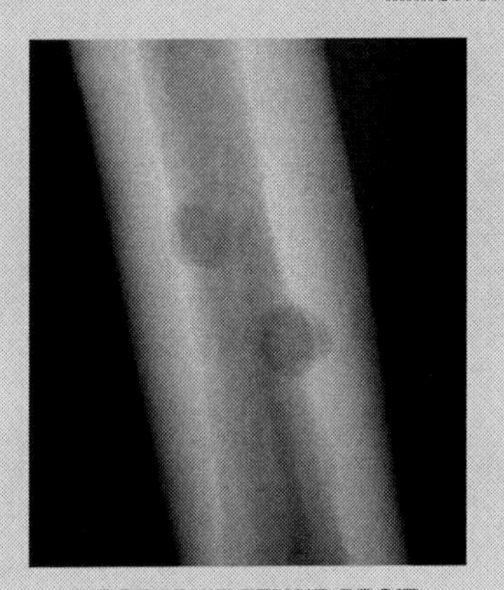

RADIOGRAPHIE FEMUR DROIT

6/ Quelles anomalies radio-biologiques relevez-vous ?

7/ Quelle mesure immédiate devez-vous prendre ? Justifiez.

8/ Quel diagnostic suspectez-vous ? Quel examen (1 seule réponse) effectuez vous pour le confirmer et dites le(s) résultat(s) attendu(s).

9/ Comment expliquez-vous les infections pulmonaires de la patiente ? Quelle mesure préventive devez-vous prendre ? (1 seule réponse)

1 mois plus tard, la patiente consulte son médecin traitant pour persistance des douleurs cutanées malgré une disparition de l'éruption cutanée.

10/ Quel diagnostic posez-vous ? Décrivez les caractéristiques sémiologiques des douleurs ressenties par la patiente.

Corrigé

PREMIERE LECTURE

Difficulté du dossier : 3/3

Dossier transversal et long, mais assez classique quand même.

A classer en 3e position parmi les 3 dossiers de l'épreuve.

Mots clés à inscrire sur le brouillon :

Zona chez le vieux = penser à l'immunodépression à l'ECN (en pratique, pas systématique).

GRILLE DE CORRECTION

1	Donnez les 3 diagnostics ophtalmologiques à évoquer devant un tel tableau en les classant par ordre croissant de gravité.	Grille classique	Grille ECN
•	Kératite aigüe / ulcère de cornée / abcès de cornée	2	2
•	Uvéite antérieure aigüe	2	2
•	GAFA / glaucome aigu par fermeture de l'angle	2	2
•	Bon ordre	2	2
	ENDOPHTALMIE = -5 POINTS		
		8	

2	Quel diagnostic dermatologique vous semble le plus probable ?	Grille classique	Grille ECN
•	Zona	4	4
•	Ophtalmique / V1	2	2
•	Droit	-	-
		6	

3	**Légendez les éléments fléchés. Quel diagnostic ophtalmologique retenez-vous ?**	Grille classique	Grille ECN
	• Légendes :	-	-
	- 1 = Iris	2	2
	- 2 = Cercle périkératique	2	2
	- 3 = Dendrite	2	2
	o Fluorescéine positive	-	-
	• Diagnostic :	-	-
	- Kératite	2	4
	- Aigüe	1	-
	- Zostérienne / Zona	2	2
	- Droite	1	-
		12	

4	**Quel élément de l'examen dermatologique était en faveur d'une atteinte ophtalmologique concomitante ?**	Grille classique	Grille ECN
	• Signe de Hutchinson :	3	4
	- Eruption cutanée vésiculeuse	-	-
	- Touchant le bout du nez	-	-
	- En rapport avec une atteinte du nerf naso-ciliaire (branche du V1)	1	-
		4	

5	**Quelle molécule (DCI et voie d'administration) prescrivez-vous ? Quel est son mécanisme d'action ?**	Grille classique	Grille ECN
	• Molécule :	-	-
	- Valaciclovir ou aciclovir	4	4
	- Per os	2	2
	- 7 jours	-	-
	• Mécanisme d'action :	-	-
	- Anti viral	-	-
	- Phosphorylation de l'aciclovir	1	1
	- Par la thymidine kinase virale	1	1
	- Puis incorporation au génome viral	1	1
	- Pour bloquer sa réplication	1	1
		10	

6	Quelles anomalies radio-biologiques relevez vous ?	Grille classique	Grille ECN
•	Biologie :	-	-
	- Anémie	2	2
	- Normocytaire	2	2
	- Arégénérative	2	2
	- Par probable envahissement médullaire	-	-
	- Hypercalcémie vraie	2	2
	- Hyper protidémie	2	2
	- Insuffisance rénale	2	2
	o D'allure chronique	-	-
	- Syndrome inflammatoire :	1	-
	o Dissociation VS / CRP	1	1
	o Evocateur du myélome	1	1
	- Electrophorèse : Gammapathie polyclonale / pic polyclonal dans les	-	-
	gamma globulines	2	2
	- Immunofixation :	-	-
	o IgG	-	-
	o kappa	1	1
•	Radiographie fémur :	1	1
	- Multiples	-	-
	- Zones d'ostéolyse	-	-
	- À contours nets	1	2
	- À l'emporte pièce	-	-
	- Correspondant aux Géodes	1	1
		1	1
		22	

7	Quelle mesure immédiate devez-vous prendre ? Justifiez.	Grille classique	Grille ECN
•	Arrêt immédiate de la metformine	4	4
•	Relai par Insuline	2	2
•	Car insuffisance rénale chronique	2	2
•	Risque d'acidose lactique aux biguanides	2	2
		10	

8	Quel diagnostic suspectez-vous ? Quel examen (1 seule réponse) effectuez vous pour le confirmer et dites le(s) résultat(s) attendu(s).	Grille classique	Grille ECN
•	Diagnostic :	-	-
	- Myélome	5	5
	- Stade C	-	-
	- À IgG kappa	-	-
•	Examen :	-	-
	- Myélogramme	3	5
	- Par ponction sternale	-	-
	- Envoi en anatomopathologie, cytologie	2	-
	- Recherche plasmocytose médullaire > 10%	2	2
	- Avec plasmocytes dysmorphiques	2	2
		14	

9	Comment expliquez-vous les infections pulmonaires de la patiente ? Quelle mesure préventive devez-vous prendre ? (1 seule réponse)	Grille classique	Grille ECN
•	Explication :	-	-
	- Immunodépression	1	-
	- Humorale	1	-
	- Par hypogammaglobulinémie résiduelle	1	4
	- Due au myélome	-	-
	- Provoquant une sensibilité accrue aux germes encapsulés	1	-
	(pneumocoque, Haemophilus, méningocoque…)	-	-
•	Prévention :	-	-
	- Vaccination	2	2
	- Anti grippale, anti pneumocoque	-	-
		6	

10	Quel diagnostic posez-vous ? Décrivez les caractéristiques sémiologiques des douleurs ressenties par la patiente.	Grille classique	Grille ECN
•	Diagnostic :	-	-
	- Algies post zostériennes	2	4
•	Douleurs :	-	-
	- Neuropathiques	1	2
	- Dans le territoire du V1 droit	-	-
	- Brulures de fond	1	1
	- Décharges électriques paroxystiques	1	1
	- Hypoesthésie	1	-
	- Ou hyperesthésie	1	-
	- Voire allodynie	1	-
	- A la palpation	-	-
		8	

COMMENTAIRES

Questions	Commentaires
Général	• 46 MOTS CLES : dossier très long.
1	• Par ordre de fréquence croissante : GAFA puis uvéite puis kératite. • Endophtalmie : NON car pas de contexte pot opératoire.
2	• Devant une éruption cutanée dans le territoire du V1, il faut savoir évoquer : le zona ophtalmique avant tout +++, un érysipèle, une cellulite faciale, un eczéma. • Ici, l'éruption vésiculeuse est typique du zona.
3	• La kératite herpétique ou zostérienne est typique : kératite épithéliale (donc prise de fluorescéine), dendritique ou en carte de géographie. • Cependant, toutes les atteintes sont possibles : kératite stromale nécrosante ou pas, endothélite...
4	• Signe classique dans le zona ophtalmique. • Le nerf ophtalmique (V1) naît du ganglion trigéminé et donne naissance à 3 nerfs : le nerf frontal, le nerf lacrymal et le nerf naso-ciliaire.
5	• Aciclovir (ZOVIRAX) ou valaciclovir (ZELITREX). • Posologie : ZELITREX : 500 mg : 2 comprimés matin, midi et soir 7 jours. • Ces anti viraux sont très spécifiques du virus (donc peu toxique) car le médicament est activé par la thymidine kinase virale.
6	• Myélome = CRAB => calcémie / rein / anémie / Bone (os). • La CRP n'est jamais élevée dans le myélome, sauf surinfection ajoutée. • EPP => Gammapathie polyclonale classique.
7	• L'arrêt de la metformine prime sur le traitement de l'hypercalcémie qui est légère (ce n'est pas une hypercalcémie maligne qui nécessite un traitement urgent). • N'oubliez pas le relai par insuline => il ne faut pas laisser le patient sans traitement anti diabétique !!
8	• Le diagnostic de myélome est évident ici. Seul le myélogramme confirme le diagnostic.
9	• Tout est dit.
10	• On parle d'algies post zostériennes en cas de persistance des douleurs neuropathiques 1 mois après l'éruption cutanée. • Le traitement est souvent difficile : médicamenteux (anti épileptiques comme la gabapentine), physique (électrostimulation transcutanée...). Le mot clé, c'est prise en charge PLURIDISCIPLINAIRE +++.

ITEMS ABORDEES

Items	Intitulés
84	• Infections à Herpes virus
166	• Myélome multiple des os
212	• Œil rouge douloureux

Dossier thématique transversal 21

Enoncé

Une patiente de 35 ans, boulangère, mariée 2 enfants, se présente à votre consultation hospitalière d'ophtalmologie pour une gène esthétique palpébrale.

En effet, la patiente se plaint d'avoir « changé de regard » depuis 6 mois environ. Elle vous explique qu'elle a en permanence les « yeux grand ouverts ». Vous avez du mal à la suivre tant la patiente parle vite et paraît nerveuse.

A l'interrogatoire, vous apprenez qu'elle ne prend pas de médicaments et n'a pas d'allergies. Elle est tabagique à 20 paquets années. Ses principaux antécédents sont un asthme intermittent nécessitant parfois la prise de salbutamol en spray. Elle vous dit avoir été victime il y a 2 ans d'une chute de cheveux sévère, brutale, sans cause retrouvée ayant bien répondu à un traitement local. Elle vous montre une photographie issue de son Smartphone de ses cheveux à cette époque :

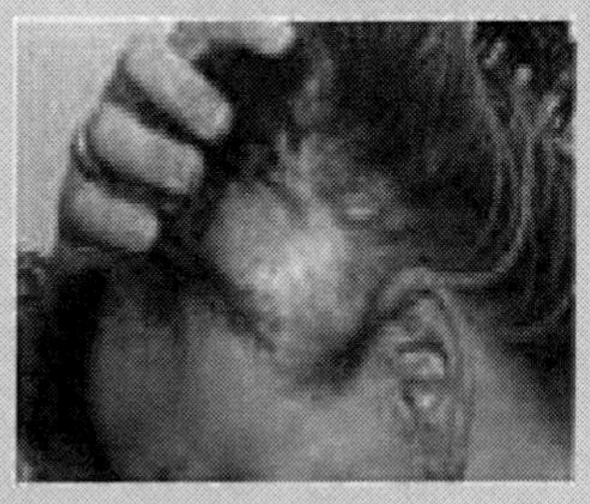

La patiente se plaint également d'une perte de poids de 8 kg en 6 mois qu'elle attribue à ses diarrhées récurrentes, d'une excitabilité inhabituelle à l'origine de conflits au travail, d'un tremblement des mains la gênant dans la découpe du pain et de palpitations paroxystiques.

Elle vous demande finalement de vérifier si il n'y aurait pas du sucre au niveau des yeux ou des paupières car sa sœur cadette a un diabète depuis 10 ans avec des piqures d'insuline.

L'examen ophtalmologique est le suivant :

- Acuité visuelle sans correction :
  OD : 10/10e P2
  OG : 10/10e P2
- Examen oculomoteur normal.

- Examen du segment antérieur à la lampe à fente des 2 yeux : cornée claire, sans prise de fluorescéine, chambre antérieure calme et profonde, réflexe photomoteur normal, cristallin clair. Une photographie du segment antérieure est présentée ci dessous :

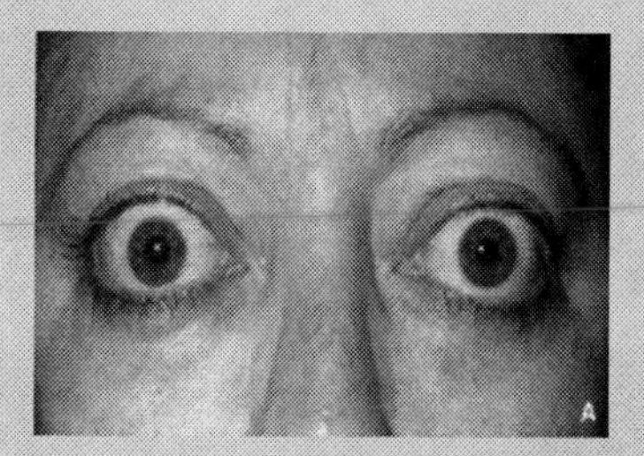

- Pression intra oculaire : 12 mm Hg aux 2 yeux.
- Fond d'oeil non dilaté : normal.

1/ Quelle anomalie palpébrale diagnostiquez-vous ? Quels sont les 2 muscles impliqués dans cette anomalie et rappelez leur innervation respective.
2/ Quel diagnostic dermatologique évoquez-vous pour expliquer sa chute de cheveux ? De quel traitement local a probablement bénéficié votre patiente à l'époque ?

Vous suspectez une maladie endocrinienne sous jacente :

3/ Laquelle ? Donnez en son étiologie la plus probable. Quel élément de l'examen clinique, capital dans ce contexte, est manquant dans cette observation ?
4/ Citez 4 examens biologiques que vous allez prescrire pour confirmer votre diagnostic endocrinologique.

Vous complétez votre bilan par un scanner orbitaire non injecté. Vous revoyez votre patiente une semaine plus tard. Votre bilan sanguin a confirmé votre suspicion clinique. La patiente vous remet les résultats de son scanner présenté ci dessous :

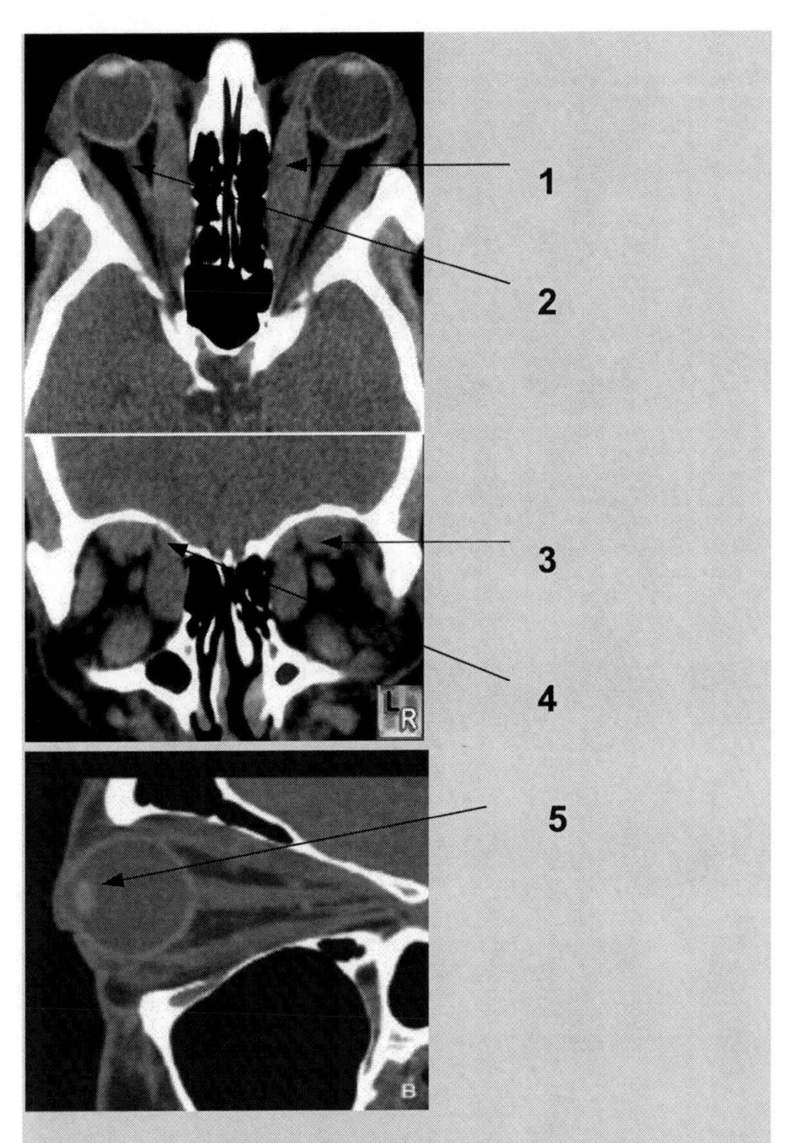

5/ Légendez les structures anatomiques fléchées. Donnez les 2 principales anomalies constatées sur ce scanner.

Vous décidez d'une prise en charge ambulatoire.

Q6) Quel traitement débutez-vous, hors surveillance ?

Votre patiente est suivie de manière pluridisciplinaire. L'évolution est marquée par de nombreuses rechutes et des difficultés à équilibrer son traitement. Une décision de traitement radical par IRA thérapie est prise en accord avec la patiente. Les suites immédiates sont simples.

Cependant, la patiente consulte à nouveau 1 semaine plus tard aux urgences ophtalmologiques de votre hôpital pour une baisse d'acuité visuelle de l'oeil gauche, douloureuse, depuis hier matin.

L'examen ophtalmologique est le suivant :

- **Acuité visuelle sans correction :**
  OD : 10/10e P2
  OG : 3/10e P10
- **L'examen oculomoteur retrouve une quasi ophtalmoplégie de l'oeil gauche.**
- **L'examen du segment antérieur à gauche retrouve une cornée claire, sans prise de fluorescéine, une hyperhémie conjonctivale importante avec chémosis, la chambre antérieure est calme et profonde, on note un déficit pupillaire afférent relatif gauche avec conservation du reflexe consensuel à l'éclairement de l'oeil droit, un cristallin clair.**

Une photographie du segment antérieur vous est présentée ci dessous :

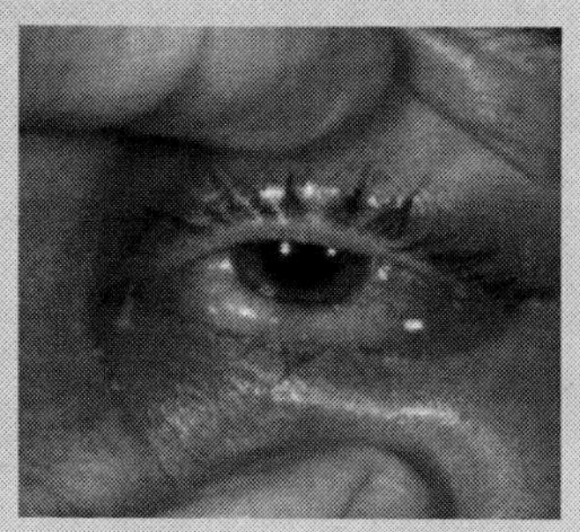

- **La pression intra oculaire est de 12 mm Hg (OD) / 20 mm Hg (OG).**
- **L'examen du fond d'œil gauche vous et présenté ci dessous :**

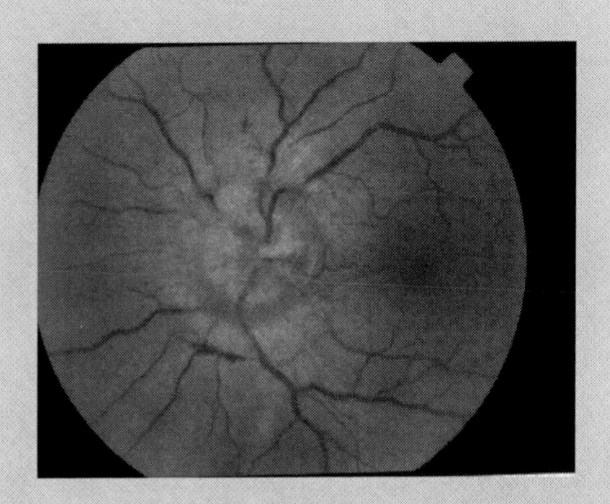

7/ Quelle anomalie constatez-vous au fond d'œil ? Comment l'expliquez-vous chez cette patiente ?

8/ Donnez 3 facteurs de risque de survenue de ce tableau clinique présents chez votre patiente.

Vous décidez d'hospitaliser votre patiente.

9/ Quelle molécule prescrivez-vous en urgence ? (DCI et voie d'administration)

Corrigé

PREMIERE LECTURE

Difficulté du dossier : 1/3

Dossier facile, mais assez long…

A classer en 1ere position parmi les 3 dossiers de l'épreuve.

Mots clés à inscrire sur le brouillon :

Dysthyroidie => palpation thyroïde (c'est bête mais on l'oublie souvent).

GRILLE DE CORRECTION

1	**Quelle anomalie palpébrale diagnostiquez-vous ? Quels sont les 2 muscles impliqués dans cette anomalie et rappelez leur innervation respective.**	Grille classique	Grille ECN
	• Anomalie :	-	-
	- Rétraction palpébrale supérieure	4	4
	- bilatérale	-	-
	• Muscles et innervation :	-	-
	- Muscle releveur de la paupière	2	2
	- Innerve par le nerf III / oculomoteur	2	2
	- Muscle de Muller	2	2
	- Innervé par le système orthosympathique	2	2
		12	

2	**Quel diagnostic dermatologique évoquez-vous pour expliquer sa chute de cheveux ? De quel traitement local a probablement bénéficié votre patiente à l'époque ?**	Grille classique	Grille ECN
	• Diagnostic :	-	-
	- Pelade	3	3
	• Traitement :	-	-
	- Dermocorticoïdes	2	2
		5	

3	Laquelle ? Donnez en son étiologie la plus probable. Quel élément de l'examen clinique capital dans ce contexte, est manquant dans cette observation ?	Grille classique	Grille ECN
•	Hyperthyroïdie	4	4
•	Etiologie : Maladie de Basedow	4	4
•	Elément manquant : Palpation thyroïdienne	4	4
		12	

4	Citez 4 examens biologiques que vous allez prescrire pour confirmer votre diagnostic endocrinologique	Grille classique	Grille ECN
•	TSH	2	2
•	T4L	2	2
•	T3L	2	2
•	Anticorps anti récepteur à la TSH	2	2
		8 PLUS DE 4 REPONSES = ZERO	

5	Légendez les structures anatomiques fléchées. Donnez les 2 principales anomalies constatées sur ce scanner.	Grille classique	Grille ECN
•	Légendes :	-	-
	- 1 = Muscle droit interne / médial gauche	2	2
	- 2 = Nerf optique droit	2	2
	- 3 = Muscle droit supérieur gauche	2	2
	- 4 = Muscle grand oblique droit	2	2
	- 5 = Cristallin	2	2
•	Anomalies :	-	-
	- Exophtalmie	2	3
	o Bilatérale	-	-
	o Grade 3	1	-
	- Hypertrophie / infiltration des muscles oculomoteurs	3	3
		16	

6	Quel traitement débutez-vous, hors surveillance ?	Grille classique	Grille ECN
•	Sevrage tabagique	1	2
•	Contraception orale	1	2
	- Efficace	-	-
	- Car risqué tératogène des anti thyroïdiens de synthèse (ATS)	1	-
	- Chez cette femme en âge de procréer	-	-
•	Traitement symptomatique :	-	-
	- Repos	1	2
	- Arrêt de travail	1	2
	- +/- anxiolytiques	1	-
	- Inhibiteurs calciques per os (Ex : diltiazem)	2	2
	PRESCRIPTION BETA BLOQUANT = ZERO A LA QUESTION	-	-
•	Traitement étiologique :	-	-
	- Anti thyroïdiens de synthèse (ATS)	2	2
	- Per os	1	-
	- Carbimazole / NEOMERCAZOLE®	2	2
	- Dose de charge puis décroissance progressive	-	-
	- Surveillance NFS car risque d'agranulocytose iatrogène +++	-	-
•	Traitement préventif oculaire :	1	-
	- Occlusion nocturne	1	2
	- Larmes artificielles	1	2
	- Pommade vitamine A	-	-
	- Education de la patiente : consulter si œil rouge douloureux... (kératite)	-	-
•	Information	1	-
•	Education thérapeutique	1	-
		18	

7	Quelle anomalie constatez-vous au fond d'œil ? Comment l'expliquez-vous chez cette patiente ?	Grille classique	Grille ECN
•	Anomalie :	-	-
	- Œdème papillaire	4	4
	- De stase	-	-
•	Explication :	-	-
	- Compression du nerf optique	2	3
	- Gauche	1	-
	- Au niveau de l'orbite	1	-
	- Secondaire	-	-
	- A une crise aigue thyrotoxique	2	3
	- Dans le cadre d'une décompensation de maladie de Basedow.	2	2
		12	

8	**Donnez 3 facteurs de risque de survenue de ce tableau clinique présents chez votre patiente.**	**Grille classique**	**Grille ECN**
•	Tabagisme	**3**	**3**
•	Absence d'euthyroidie / déséquilibre thyroïdien	**3**	**3**
•	IRA thérapie récente	**3**	**3**
		9 PLUS DE 3 REPONSES = ZERO	

9	**Quelle molécule prescrivez-vous en urgence ? (DCI et voie d'administration)**	**Grille classique**	**Grille ECN**
•	Corticothérapie :	**-**	**-**
•	Méthylprednisolone	**4**	**4**
•	IV	**3**	**4**
•	Par bolus	**1**	**-**
		8	

COMMENTAIRES

Questions	Commentaires
Général	• 39 MOTS CLES. • L'orbitopathie dysthyroidienne atteint soit la graisse orbitaire, soit les muscles oculomoteurs, soit les 2 (atteinte mixte fréquente).
1	• Ouverture de la paupière : muscle releveur principalement et muscle de Muller. • Fermeture de la paupière : muscle orbiculaire, innervé par le nerf facial (VII). • La rétraction palpébrale supérieure est souvent le 1er signe d'orbitopathie dysthyroidienne.
2	• La pelade est une maladie auto immune souvent en rapport avec des dysthyroidies qu'il faudra rechercher systématiquement (TSH +++). Leur traitement repose, selon l'étendue des lésions, sur les dermocorticoïdes.
3	• Hyperthyroïdie car syndrome de thyrotoxicose classique. • Basedow car argument de fréquence, orbitopathie, ATCD personnel et familial de maladies auto immunes. • La palpation thyroïdienne est souvent oubliée...pourtant c'est la base devant toute dysthyroidie. On va rechercher un goitre diffus dans le Basedow et éliminer ainsi un éventuel nodule thyrotoxique (apanage du sujet âgé).
4	• TSH sera effondrée car origine périphérique (non centrale). • T4 et T3 seront élevées. • TRAK n'est pas coté à l'ECN car ca correspond à la technique utilisée en laboratoire pour rechercher les anticorps.
5	• Les légendes sont faciles. • Pour quantifier le grade des exophtalmies, il faut tracer la ligne bicanthale et regarder ou se situe le pole postérieur de l'œil par rapport à cette ligne. Grade 1 si la ligne est en avant du pole postérieur, grade 2 si la ligne est sur le pole postérieur, grade 3 si la ligne est en arrière du pole postérieur. • Le grade 3 expose à un risque important de lagophtalmie (malocclusion de l'œil) responsable de kératite / ulcération cornéenne avec risque de perforation cornéenne et d'endophtalmie. • L'hypertrophie musculaire concerne avant tout le droit inférieur et le droit médial. Cela peut être à l' origine de troubles oculomoteurs / diplopies binoculaires.
6	• Traitement classique de l'hyperthyroïdie avec le piège ultra classique de l'asthme et des béta bloquants. • Les inhibiteurs calciques ne sont prescrits que provisoirement, en attendant l'efficacité des ATS. • N'oubliez pas la protection oculaire, surtout dans ce contexte d'exophtalmie.
7	• L'œdème papillaire de stase est du soit à une HTIC (il est alors bilatéral) ou à une compression optique souvent au niveau de l'orbite (il est alors unilatéral). • L'œdème papillaire de stase se présente comme un œdème papillaire à bords flous avec papille proéminente, dilatation veineuse, quelques hémorragies rétiniennes de stase +/- exsudats. • Les autres causes d'œdème papillaire unilatéral sont : NOIAA, OVCR, papillite (inflammatoire, infectieuse comme dans les uvéites postérieures...).
8	• Ce sont les 3 principaux facteurs de risque à connaître.
9	• Solumédrol = nom de spécialité = non coté à l'ECN => Méthylprednisolone +++

	• Il s'agit d'une urgence car risque d'atrophie optique avec malvoyance / voire cécité définitive. Dans ces cas la, le traitement de 1ere intention est la corticothérapie IV en bolus à fortes doses. Puis on peut discuter la radiothérapie orbitaire voire la décompression orbitaire chirurgicale (consiste à casser le plancher de l'orbite voire la paroi médiale de l'orbite).

ITEMS ABORDEES

Items	Intitulés
212	• Œil rouge douloureux
246	• Hyperthyroïdie

Notes personnelles

Dossier thématique transversal 22

Enoncé

Une jeune femme de 32 ans vient à votre consultation d'ophtalmologie pour une gène de la paupière supérieure gauche évoluant depuis 1 mois. Son problème, indolore, est apparu spontanément, et ne cesse de progresser pour devenir aujourd'hui inesthétique.

La patiente n'a aucun autre problème de santé, hormis 2 épisodes de gonflement du genou gauche puis de la cheville droite spontanés, ayant régressé sans traitement. Elle n'a pas d'allergie et possède un dispositif intra utérin au cuivre.

Elle est employée de mairie et n'a pas voyagé récemment.

L'examen ophtalmologique retrouve :

- **Acuité visuelle sans correction : 10/10 P2 aux 2 yeux.**
- **L'examen du segment antérieur à la lampe à fente retrouve une cornée claire, sans prise de fluorescéine, une chambre antérieure calme et profonde, un reflexe photomoteur normal, un cristallin clair.**
- **La pression intra oculaire est à 14 mm Hg (OD), 12 mm Hg (OG).**
- **Le fond d'oeil est sans particularités.**
- **L'inspection de la paupière supérieure gauche avant et après éversion vous est présentée ci dessous :**

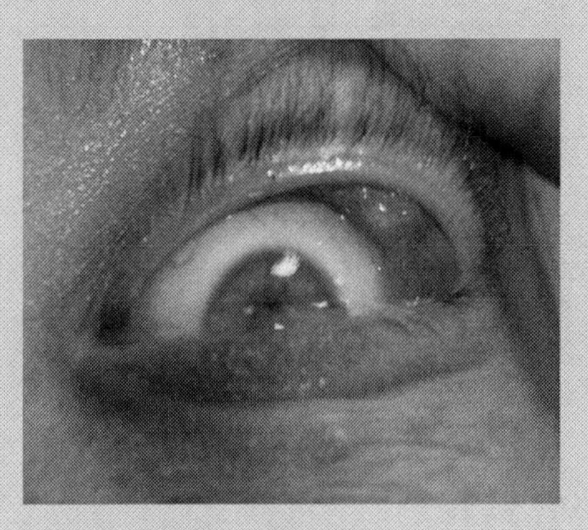

Vous complétez votre examen clinique par l'examen ci dessous :

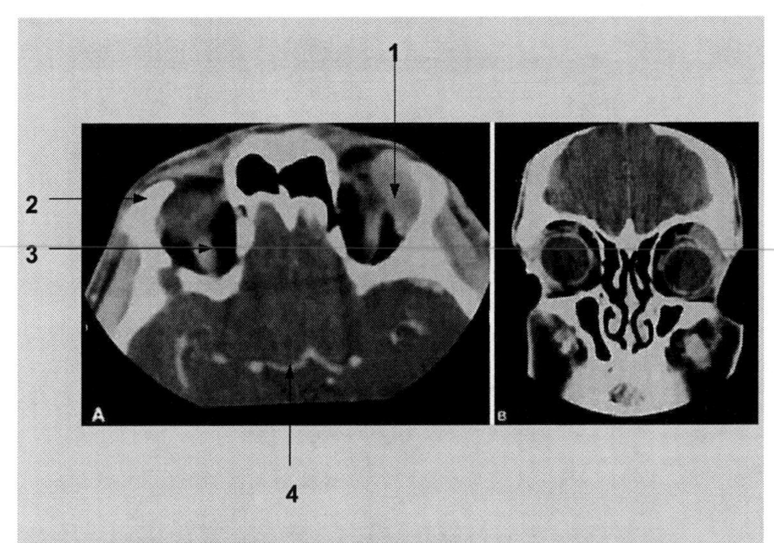

1/ Quel est cet examen ? Légendez les structures fléchées.
2/ Quel diagnostic posez-vous ?

Vous la revoyez 1 semaine plus tard pour lui annoncer les résultats de l'examen d'imagerie. Elle est particulièrement contente de vous voir aujourd'hui, non pas pour votre gentillesse, mais parce qu'elle présente depuis la veille un oeil droit douloureux, très rouge, très sensible à la lumière avec sensation de flou visuel. La survenue de cette douleur est spontanée, il n'y a pas eu de traumatisme selon elle.
L'examen ophtalmologique est le suivant :

- Acuité visuelle sans correction :
  OD : 6/10e
  OG : 10/10e

3/ Donnez les 2 diagnostics ophtalmologiques les plus probables dans ce cas.

Vous poursuivez votre examen :

- Segment antérieur à la lampe à fente : présenté ci-dessous.
- Pression intra oculaire : 12 mm Hg aux 2 yeux.
- Fond d'oeil : normal.

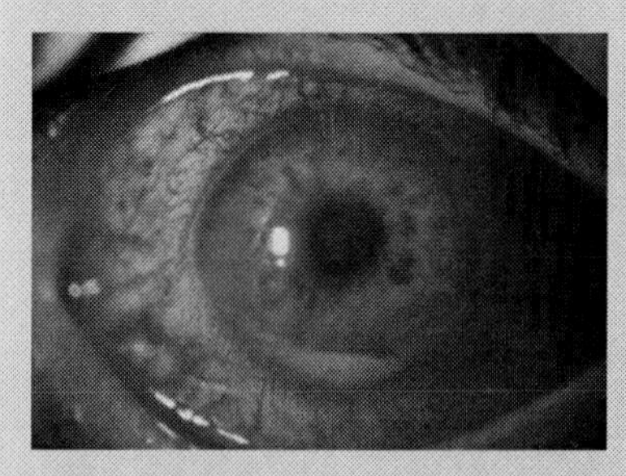

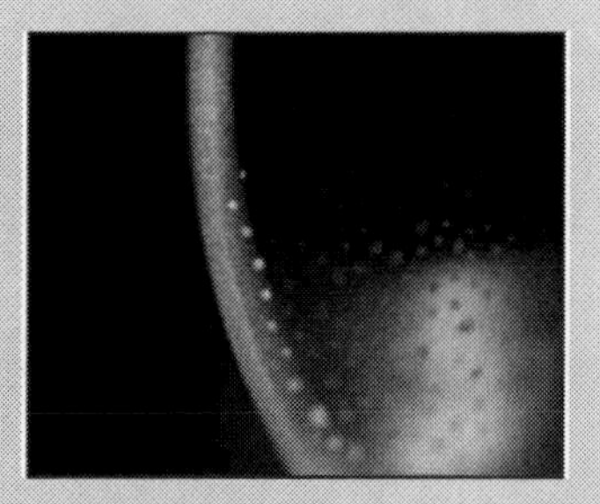

EXAMEN BIOMICROCOPIQUE DU SEGMENT ANTERIEUR OEIL DROIT

4/ Quelles anomalies constatez-vous sur l'examen du segment antérieur ? Quel diagnostic ophtalmologique retenez-vous ?

Vous reprenez l'examen de votre patiente. Elle ne se plaint de rien de plus que la dernière fois, mise à part de douleurs des 2 jambes depuis 72 heures avec quelques rougeurs qui ne l'inquiètent pas vraiment. Vous lui demandez de retirer son pantalon :

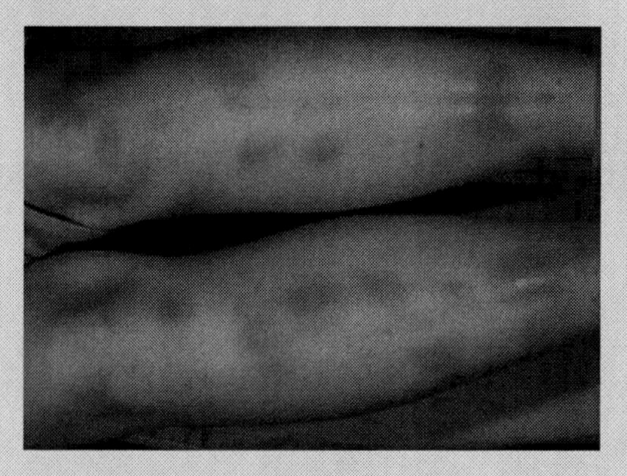

5/ Quel diagnostic dermatologique posez-vous ?

Vous décidez de traiter votre patiente en ambulatoire et de prescrire un bilan étiologique en externe puis de la revoir dans une semaine avec l'ensemble des résultats.

6/ Concernant le traitement ophtalmologique, donnez les 2 principaux traitements que vous prescrivez ainsi que leur(s) objectif(s) réciproques.

Vous revoyez votre patiente à J7. Elle va beaucoup mieux. Elle vous tend les résultats de sa prise de sang dont un extrait est joint ci dessous et vous tend sa radiographie du thorax.

Hb = 14 g/dl, VGM = 85µ, GB = 7500/mm3 (dont PNN = 6000/mm3, lymphocytes = 900/mm3) plaquettes = 355 000/mm3, Na = 136 mmol/l, K =3,9 mmol/l, Cl = 100 mmol/l, calcium = 2,85 mmol/l, créatinine = 75 µmol/l, ASAT = 30 U/l, ALAT = 29 U/L, gGT = 250 UI/l , PAL = 302 UI/l, VS = 5, CRP < 1 ng/ml, albumine = 40 g/l, sérologie VIH 1 et 2 ELISA négative, TPHA et VDRL négatifs. Electrophorèse des protéines sériques ci dessous :

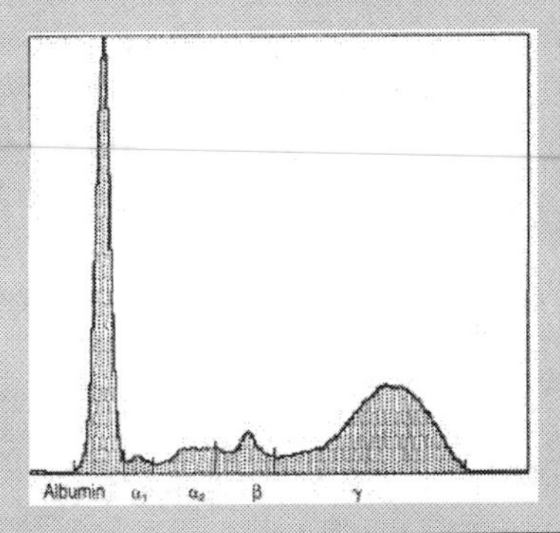

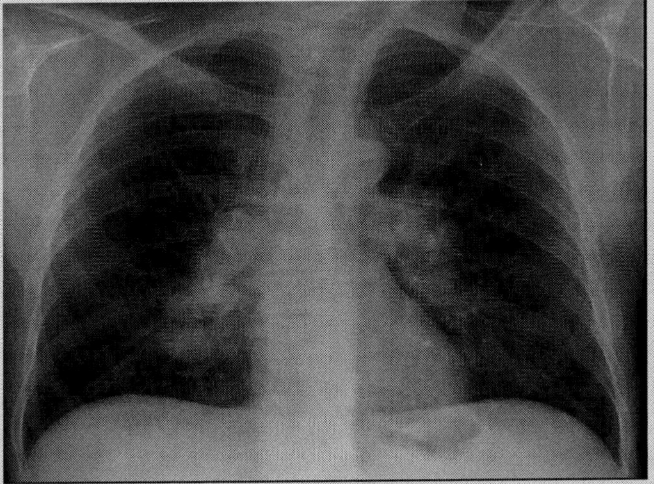

RADIOGRAPHIE THORAX FACE

7/ Quelles anomalies biologiques identifiez-vous ?

8/ Quelle est la principale anomalie présente sur la radiographie du thorax ? Donnez les 3 principaux diagnostics compatibles avec cette anomalie ?

9/ Quel examen (1 seule réponse) devez vous effectuez pour obtenir un diagnostic définitif ? Quel résultat attendez-vous dans ce cas précis ?

Alors que vous allez réaliser l'examen ci dessus, la patiente perd connaissance quelques secondes. Vous décidez de réaliser un ECG dont un extrait est joint ci dessous :

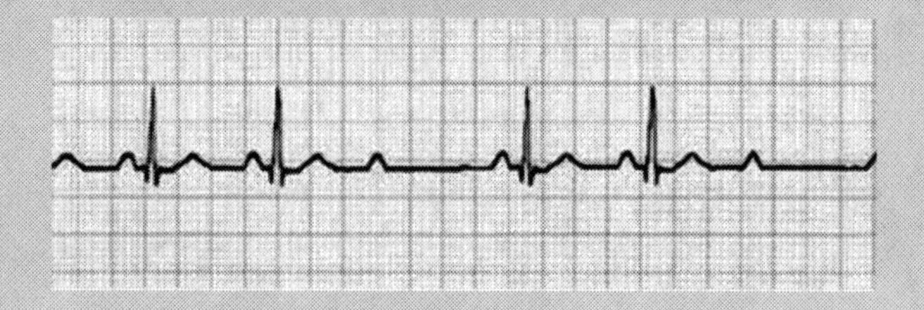

10/ Quel diagnostic cardiologique posez-vous ? Comment l'expliquez-vous dans ce contexte ?

Corrigé

PREMIERE LECTURE

Difficulté du dossier : 3/3

Dossier long et très transversal.

A classer en 3e position parmi les 3 dossiers de l'épreuve.

Mots clés à inscrire sur le brouillon :

Syncope = ECG.

Corticothérapie = décroissance progressive (contre l'effet rebond).

GRILLE DE CORRECTION

1	Quel est cet examen ? Légendez les structures fléchées.	Grille classique	Grille ECN
	• Examen :	-	-
	- TDM	1	2
	- Orbitaire / facial	1	2
	- Coupe axiale	1	-
	- Avec injection de produit de contraste	1	-
	• Legendes :	-	-
	- 1 = Glande lacrymale gauche	2	2
	- 2 = Os malaire / zygomatique	2	2
	- 3 = Nerf optique droit	2	2
	- 4 = Artère cérébrale antérieure droite	2	2
		12	

2	Quel diagnostic posez-vous ?	Grille classique	Grille ECN
	• Hypertrophie	2	3
	• Glande lacrymale	2	3
	• Gauche	1	-
	• Avec exophtalmie	1	-
	• Inféro interne gauche	-	-
		6	

3	Donnez les 2 diagnostics ophtalmologiques les plus probables dans ce cas.	Grille classique	Grille ECN
•	Uvéite antérieure aigüe	3	3
•	Kératite aigüe	3	3
		6 PLUS DE 2 DIAGNOSTICS = ZERO	

4	Quelles anomalies constatez-vous sur l'examen du segment antérieur ? Quel diagnostic ophtalmologique retenez-vous ?	Grille classique	Grille ECN
•	Anomalies :	-	-
	- Cercle périkératique	2	2
	- Hypopion	2	2
	- Précipités retro cornéens / retro descemétiques	2	2
•	Diagnostic :	-	-
	- Uvéite antérieure aigüe	3	4
	- De l'oeil droit	1	-
		10	

5	Quel diagnostic dermatologique posez-vous ?	Grille classique	Grille ECN
•	Erythème noueux	5	5
		5	

6	Concernant le traitement ophtalmologique, donnez les 2 principaux traitements que vous prescrivez ainsi que leur(s) objectif(s) réciproque(s).	Grille classique	Grille ECN
•	Corticothérapie :	2	4
	- Locaux / en collyre	1	1
	- Voie sous conjonctivale si grave	-	-
	- Dans l'oeil droit	-	-
	- Décroissance progressive	2	2
	o Pour éviter l'effet rebond	1	-
	- Exemple : dexaméthasone : 1 goutte par heure 48h puis 1 goutte 6/ jour puis 5 puis 4 puis 3 puis 2 puis 1/jour (traitement de 3 à 4 semaines) voire relai par un corticoïde moins puissant.	-	-
	- Objectif = diminuer l'inflammation intra oculaire	1	1
•	Mydriatiques :	3	4
	- Atropine 1%	1	-
	- Collyre	-	-

	Grille classique	Grille ECN
- 1 goutte x 2/jour 7 jours	-	-
- Objectif :	-	-
o Antalgique	2	2
o Prévention des synéchies irido-cristalliniennes +++	2	2
	16	

7	Quelles anomalies biologiques identifiez-vous ?	Grille classique	Grille ECN
• Lymphopénie		1	1
• Hypercalcémie		2	2
- Vraie		-	-
- Correction = 2,85 + 0,02 (40-40) = 2,87 mmol/l		-	-
• Cholestase anictérique		1	1
• Electrophorèse des protéines		-	-
- Gammapathie polyclonale / pic polyclonal dans le gamma globulines		2	2
		6 2 POINTS EN MOINS POUR CHAQUE REPONSE EN TROP	

8	Quelle est la principale anomalie présente sur la radiographie du thorax ? Donnez les 3 principaux diagnostics compatibles avec cette anomalie.	Grille classique	Grille ECN
• Anomalie :		-	-
- Adénopathies / adénomégalies		2	2
- Hilaires / médiastinales		2	2
- Bilatérales		2	2
- Non compressives		-	-
• Diagnostics :		-	-
- Sarcoïdose		3	3
- Lymphome		3	3
- Tuberculose		3	3
		15 PLUS DE 3 DIAGNOSTICS = ZERO	

9	Quel examen (1 seule réponse) devez vous effectuez pour obtenir un diagnostic définitif ? Quel résultat attendez-vous dans ce cas précis ?	Grille classique	Grille ECN
•	Examen :	-	-
	- Biopsie	4	4
	- Glande lacrymale	4	4
	- Gauche	2	2
	- Sous AL	-	-
	- Envoi en anatomopathologie	-	-
	- Mycobactériologie (tuberculose)	-	-
	SI BIOPSIE ERYTHEME NOUEUX : -5 POINTS		
	SI BIOPSIE GANGLIONNAIRE OU HEPATIQUE : - 3 POINTS		
•	Résultats :	-	-
	- Inflammation	-	-
	- Granulomateuse	1	2
	- Giganto-épithélio cellulaire	1	-
	- SANS nécrose caséeuse centrale +++	1	2
	- Suspicion de sarcoïdose	1	-
		14	

10	Quel diagnostic cardiologique posez-vous ? Comment l'expliquez-vous dans ce contexte ?	Grille classique	Grille ECN
•	Diagnostic :	-	-
	- Trouble de la conduction	1	-
	- Bloc auriculo-ventriculaire / BAV	2	2
	- Type 2	1	2
	- Mobitz 2	1	2
	- Conduction en 3/2	1	-
•	Explication :	-	-
	- Sarcoïdes / sarcoïdose	2	2
	- Du septum inter ventriculaire	2	2
		10	

Questions	Commentaires
Général	• 42 MOTS CLES.
1	• Notez l'asymétrie entre les 2 glandes lacrymales sur les coupes axiales et frontales.
2	• La glande lacrymale est située en supéro externe de l'orbite. Donc en cas d'hypertrophie (infiltration ou cancer) on aura une exophtalmie en inféro interne que l'on voit sur ce scanner.
3	• GAFA non car acuité visuelle trop bonne, pas le terrain. • Endophtalmie : non car pas de chirurgie de l'oeil...
4	• Signes d'uvéite antérieure aigüe : œil rouge avec cercle périkératique, douloureux, BAV variable, précipités rétro cornéens, Tyndall cellulaire voire protéique (membrane cyclitique inflammatoire), synéchies iridocornéennes ou irido cristalliniennes (+ fréquentes), hypotonie classiquement (sauf si Herpes, Posner Schlossman...) + recherche de signes d'uvéite intermédiaire (hyalite) et postérieure (papillite, vascularite, foyer choriorétinien => pan uvéite).
5	• Aspect typique : douleurs, nouures = nodules dermo-hypodermiques rouges multiples arrondis indurés bilatéraux sensibles à la palpation prédominant sur la face antérieure des jambes. • Les étiologies sont multiples : • **Maladies inflammatoires :** Sarcoïdose (Syndrome de Löfgren) Maladie de Behçet Entéropathies inflammatoires (MICI): maladie de Crohn, rectocolite hémorragique • **Infections :** streptococcique Primo-infection de la tuberculose Infection digestive à "Yersinia enterocolitica" Infection digestive à "Yersinia pseudotuberculosis" Infection à "Chlamydia" Infection à "Salmonelle" (Salmonellose) Maladie des griffes du chat Hépatites (Virus A, B, C) Mycoses profondes Brucellose Maladie de Hansen Lèpre • **Médicaments** Sulfamidés, antalgiques et AINS, dérivés iodés. • **Autres** Lymphome hodgkinien Au cours de la grossesse
6	• On peut aussi associer des collyres AINS (action synergique corticoïdes / AINS). • La décroissance des corticoïdes est capitale sinon effet rebond. La décroissance se fait en diminuant la posologie du corticoïde ou en switchant avec un corticoïde moins puissant. • L'atropine prévient ou lève les synéchies irido-cristalliniennes.

7	• RAS.
8	• RAS.
9	• La biopsie doit toujours être la moins invasive possible +++. Ici, les 2 principaux sites de biopsie sont la glande lacrymale gauche (motif de consultation initial) et les adénopathies médiastinales. Pour la patiente, le site le plus simple est la glande lacrymale : il suffit de faire une AL, d'éverser la paupière et de couper un peu d'hypertrophie lacrymale pour l'envoyer en anapath et mycobactériologie. La biopsie transbronchique est plus invasive et beaucoup plus désagréable pour la patiente… • Il s'agit ici d'une sarcoïdose, donc il faut répondre inflammation granulomateuse SANS nécrose caséeuse centrale.
10	• Une conduction auriculaire sur 3 n'est pas conduite. L'intervalle PP est régulier. La patiente est symptomatique. C'est donc un BAV type 2 Mobitz 2. • La sarcoïdose est une maladie systémique pouvant aussi toucher le cœur, notamment le septum inter ventriculaire.

ITEMS ABORDEES

Items	Intitulés
124	• Sarcoïdose
212	• Œil rouge douloureux
284	• Troubles de la conduction intra cardiaques

Notes personnelles

Dossier thématique transversal 23

Enoncé

Un patient de 75 ans se présente aux urgences ophtalmologiques de votre hôpital pour une baisse d'acuité visuelle de l'oeil droit importante, spontanée, indolore, survenue il y a 48H, associée à une amputation du champ visuel inférieur de son oeil droit.

Ses principaux antécédents sont un infarctus du myocarde ayant bénéficié d'une angioplastie transluminale avec pose de stent, une hypertension artérielle, une dyslipidémie, un diabète de type 2, une dépression, une coxarthrose bilatérale ayant bénéficié d'une prothèse totale de genou bilatérale, une obésité, une chirurgie de la cataracte des 2 yeux.

Ses traitements sont les suivants : esomeprazole, metformine, clopidogrel, pravastatine, candesartan, bisoprolol, bromazepam.

1/ A quelles clases médicamenteuses appartiennent les médicaments ci dessus ?

L'examen ophtalmologique est le suivant :

- Acuité visuelle corrigée :
  OD : 2/10e P14
  OG : 10/10e P2
- Examen du segment antérieur à la lampe à fente de l'oeil droit : oeil blanc, cornée claire sans prise de fluorescéine, chambre antérieure calme et profonde, implant de chambre postérieure en place, cataracte secondaire débutante.
- La pression intra oculaire par aplanation : 14 mm Hg aux 2 yeux.

2/ A quoi correspond la « cataracte secondaire » ? Quel en est le traitement ?

3/ Donnez les 4 diagnostics ophtalmologiques compatibles avec ce tableau clinique.

L'examen du segment postérieur après dilatation pupillaire vous est présenté ci dessous :

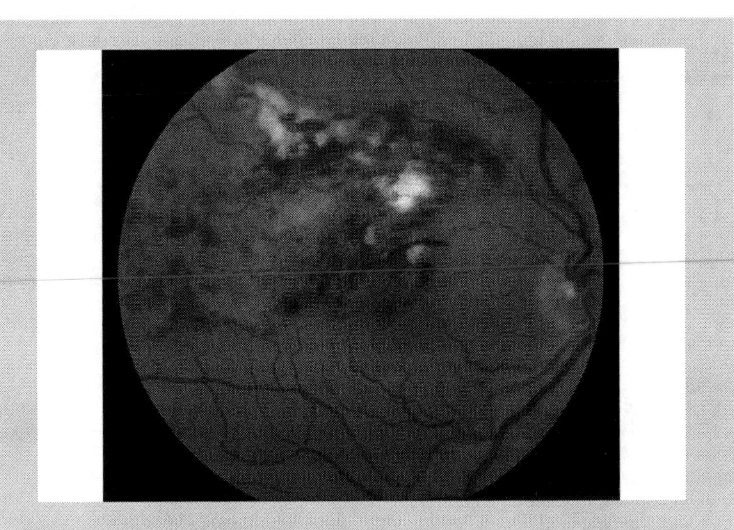

4/ Quel diagnostic ophtalmologique retenez-vous ?

Vous effectuez, au niveau de la macula de l'oeil droit, l'examen complémentaire suivant :

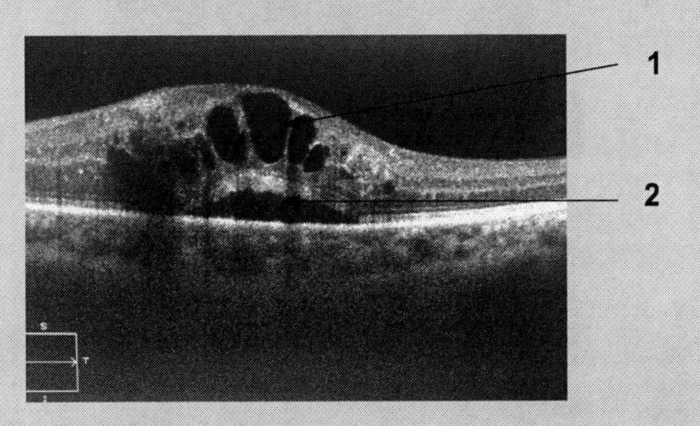

5/ Quel est cet examen ? Légendez les 2 anomalies fléchées. Quel diagnostic posez-vous ?

Un zoom de l'examen de la rétine de l'oeil gauche vous est présenté ci dessous :

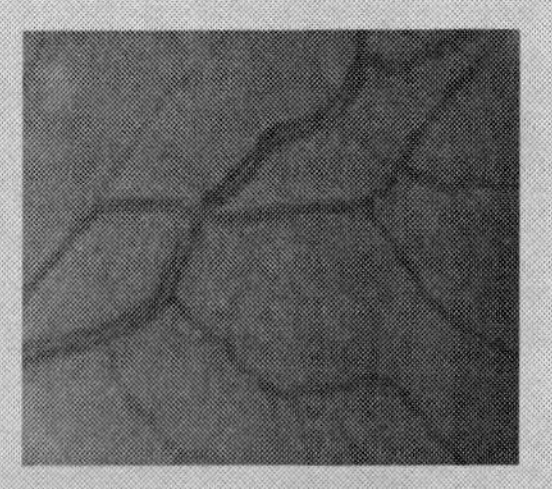

ZOOM RETINE GAUCHE

6/ Quelle anomalie constatez-vous ? Quelle pathologie sous jacente suspectez-vous ? Est-elle en rapport avec la pathologie ophtalmologique de l'oeil droit ?

Vous perdez de vue votre patient. 4 mois plus tard, vous le retrouvez aux urgences ophtalmologiques. En effet, il vous explique que la vision de son oeil droit s'était un peu améliorée spontanément mais que depuis hier, il ne voit quasiment plus rien de son oeil droit. Il n'y a pas eu de traumatisme et il n'a pas de douleurs.

L'examen ophtalmologique de l'oeil droit est le suivant :

- **Acuité visuelle corrigée : Voit bouger la main.**
- **L'examen du segment antérieur à la lampe à fente est identique.**
- **La pression intra oculaire est de 16 mm Hg.**
- **Le fond d'oeil droit est présenté ci dessous :**

7/ Quel est votre diagnostic ophtalmologique ? Comment l'expliquez-vous dans ce contexte ?

8/ Quel examen complémentaire ophtalmologique devez-vous effectuer ? Quelle anomalie devez-vous rechercher ?

9/ Quel traitement ophtalmologique préventif aurait pu éviter la survenue de ce tableau clinique ?

10/ Discutez l'arrêt du clopidogrel.

Corrigé

PREMIERE LECTURE

Difficulté du dossier : 2/3

Dossier assez difficile pour un dossier d'ophtalmologie. L'OBVCR et l'artériosclérose sont assez peu traitées. Pourtant, les occlusions veineuses (OVCR ou OBVCR) sont la 2 eme pathologie rétinienne vasculaire les plus fréquentes après la rétinopathie diabétique.

A classer en 2e position parmi les 3 dossiers de l'épreuve.

Mots clés à inscrire sur le brouillon :

OVCR = penser à prendre la PIO.

OBVCR = penser à l'artériosclérose et à la prise en charge des FDRCV.

GRILLE DE CORRECTION

1	A quelles clases médicamenteuses appartiennent les médicaments ci dessus ?	Grille classique	Grille ECN
•	Esomeprazole = Inhibiteur de la pompe à protons = IPP	2	2
•	Metformine = Biguanide	2	2
•	Clopidogrel = anti agrégant plaquettaire	2	2
•	Pravastatine = statine / hypolipémiant	2	2
•	Candesartan = antagoniste des récepteurs à l'angiotensine 2 / ARA 2	2	2
•	Bisoprolol = béta bloquant	2	2
•	Bromazepam = benzodiazépine	2	2
		14	

2	A quoi correspond la « cataracte secondaire » ? Quel en est le traitement ?	Grille classique	Grille ECN
•	Cataracte secondaire = opacification capsulaire postérieure	4	4
•	Traitement :	-	-
	- Capsulotomie	2	2
	- Au laser YAG	2	2
	- Sous anesthésie locale (gouttes anesthésiantes)	-	-
	- En consultation	-	-
		8	

3	Donnez les 4 diagnostics ophtalmologiques compatibles avec ce tableau clinique.	Grille classique	Grille ECN
•	Occlusion branche veineuse rétinienne	4	4
•	Occlusion branche artérielle rétinienne	4	4
•	Neuropathie optique ischémique antérieure aigue	4	4
•	Décollement de rétine	4	4
	- Supérieur	-	-
		16 PLUS DE 4 DIAGNOSTICS = ZERO	

4	Quel diagnostic ophtalmologique retenez-vous ?	Grille classique	Grille ECN
•	Occlusion branche veineuse rétinienne	3	3
•	Temporal supérieure	2	3
•	Droite	1	-
•	Avec atteinte maculaire	-	-
		6	

5	Quel est cet examen ? Légendez les 2 anomalies fléchées. Quel diagnostic posez-vous ?	Grille classique	Grille ECN
•	Examen :	-	-
	- OCT / Tomographie en cohérence optique	4	4
•	Anomalies :	-	-
	- 1 = Logette cystoïde	2	2
	- 2 = Décollement séreux rétinien (DSR)	2	2
•	Diagnostic :	-	-
	- Œdème maculaire	4	4
	- Cystoïde	1	2
	- Secondaire à l'occlusion veineuse	1	-
		14	

6	Quelle anomalie constatez-vous ? Quelle pathologie sous jacente suspectez-vous ? Est-elle en rapport avec la pathologie ophtalmologique de l'oeil droit ?	Grille classique	Grille ECN
•	Anomalie :	-	-
	- Signe du croisement artério-veineux	2	2
•	Pathologie :	-	-
	- Artériosclérose	4	4
•	Rapport :	-	-
	- Oui	2	2
		8	

7	Quel est votre diagnostic ophtalmologique ? Comment l'expliquez-vous dans ce contexte ?	Grille classique	Grille ECN
•	Diagnostic :	-	-
	- Hémorragie intra vitréenne (HIV)	6	8
	- Droite	-	-
•	Explication :	-	-
	- Saignement	1	-
	- D'un néovaisseau	2	2
	- Pré rétinien	1	-
	- Secondaire à une ischémie rétinienne	1	2
	- Secondaire à une occlusion de branche veineuse	1	-
		12	

8	Quel examen complémentaire ophtalmologique devez-vous effectuer ? Quelle anomalie devez-vous rechercher ?	Grille classique	Grille ECN
•	Examen :	-	-
	- Echographie	4	4
	- Oculaire	-	-
	- En mode B	1	2
	- De l'oeil droit	1	-
•	Anomalie :	-	-
	- Éliminer un décollement de rétine	3	4
	- Tractionnel	1	-
		10	

9	Quel traitement ophtalmologique préventif aurait pu éviter la survenue de ce tableau clinique ?	Grille classique	Grille ECN
•	Photocoagulation	2	4
•	Au laser argon	2	-
•	Des zones rétiniennes ischémiques	2	2
•	Guidé par l'angiographie rétinienne	-	-
		6	

10	Discutez l'arrêt du clopidogrel.	Grille classique	Grille ECN
•	Pas d'arrêt	2	2
•	Balance bénéfices-risques défavorable	2	2
•	Patient stenté / Risque de thrombose de stent en cas d'arrêt	2	2
		6	

COMMENTAIRES

Questions	Commentaires
Général	• 35 MOTS CLES.
1	• Reflexe ECN : metformine = penser à vérifier la clairance à la créatinine !!!!! PIEGE en vue +++ (sauf ici...).
2	• Aujourd'hui, la chirurgie de la cataracte se fait en extra-capsulaire, c'est-à-dire que l'on conserve la capsule postérieure pour poser l'implant dessus (implant de chambre postérieure). Dans près de 50% des cas, il va se produire une opacification de cette capsule postérieure (en partie due à l'implant). Le patient se plaint alors d'une baisse d'acuité visuelle, exactement comme lorsqu'il avait sa cataracte => c'est pour cela que ca s'appelle « cataracte secondaire » (terme un peu impropre). • Le traitement consiste à « trouer » cette capsule à l'aide d'un laser perforant : le laser YAG (prend moins de 5 minutes) en consultation, sous simple AL par gouttes avec pose d'un verre de contact à capsulotomie pour mieux focaliser l'impact laser sur la capsule postérieure. Il faut associer des gouttes hypotonisantes (risque de pic d'HTIO) et anti inflammatoires pendant 7 jours suite au laser. • Risques : échec, impact sur la cornée, impact sur l'implant, hypertonie aigue (rarement importante), impact rétinien (exceptionnel : en cas de mauvaise focalisation de l'impact laser), DECOLLEMENT DE RETINE à moyen / long terme.
3	• OBVR et OACR temporales supérieures car BAV (donc atteinte de la macula qui est en temporal, supérieure car amputation du champ visuel inférieur => pensez à inverser champ visuel et rétine). • NOIAA car patient polyvasculaire et BAV + amputation du champ visuel. • DR supérieur par amputation du champ visuel inférieur. La BAV signe un décollement de la macula (ou une HIV massive associée en cas de déchirure rétinienne sur un vaisseau rétinien). • Attention : l'HIV n'est pas acceptée ici car l'amputation du champ visuel est inférieure. Or, l'HIV sédimente vers le bas du fait de la gravité donc donne une amputation du champ visuel supérieur !! • DMLA exsudative : non car donne uniquement une BAV (+ métamorphopsies) mais donne uniquement un scotome central et ne touche pas le champ visuel périphérique.
4	• La macula est vascularisée par les branches temporales, principalement la branche temporale supérieure. Donc, l'occlusion de la branche artérielle ou veineuse temporale supérieure sera responsable d'une BAV par atteinte maculaire, comme c'est le cas ici.
5	• Dans les occlusions veineuses (OVCR ou occlusion de branche), la cause de la BAV est due à une maculopathie : œdème maculaire ou ischémie maculaire. • Les signes OCT sont toujours les mêmes (comme dans la DMLA) : logettes cystoïdes et DSR. Par contre, il n'y aura pas de DEP (décollement de l'épithélium pigmentaire) dans les occlusions veineuses, le DEP étant secondaire à un processus exsudatif choroïdien (néovaisseau choroïdien de la DMLA par exemple).
6	• L'artère et la veine rétinienne partagent l'adventice en commun lors de leur croisement. Dans l'artériosclérose, les parois de l'artère s'épaississent, ce qui va comprimer la veine. • Initialement, cela va simplement dilater la veine de part et d'autre de l'artère (signe du croisement artério-veineux). En cas d'artériosclérose évoluée, l'artère va comprimer la veine et la boucher. Par conséquent, les occlusions de branches surviennent

	souvent au niveau d'un croisement artério-veineux.
7	• Dans toutes les rétinopathies ischémiantes (diabète, Occlusions veineuses ischémiques, drépanocytoses, vascularites ischémiantes...), le mécanisme est toujours le même : les zones d'ischémie provoquent une synthèse de VEGF qui permet l'apparition de néovaisseaux. • Ces néovaisseaux sont fragiles (ils fuient donc risque d'hémorragie intra vitréenne et rétinienne) et vicieux (ils tractent la rétine donc risque de décollement de rétine tractionnel, et peuvent proliférer vers l'avant dans l'angle irido cornéen donc risque de glaucome néovasculaire). • La prévention repose sur la photocoagulation des zones ischémiques afin de les « détruire ». On peut aussi avoir recours aux anti VEGF hors AMM (ranibizumab = LUCENTIS® ou aflibercept = EYELEA® nouvel anti VEGF commercialise fin 2013) en intra vitréen comme dans les DMLA exsudatives afin de résorber l'hémorragie plus rapidement et de permettre la photocoagulation au laser argon. • A noter qu'ici, on retrouvait initialement des nodules cotonneux (taches blanches) qui sont, en général, un signe d'ischémie (occlusion des petits capillaires rétiniens).
8	• A chaque fois que le fond d'œil est inaccessible (HIV massive, hyalite intense), il faut faire une échographie en mode B (mode A = pour le calcul de la longueur axiale lors de la biométrie) pour vérifier l'état de la rétine : on recherchera toujours un DR car modifie l'attitude thérapeutique : si DR, indication chirurgicale (vitrectomie).
9	• Rappel : • Laser argon = coagule (les zones rétiniennes ischémique, les points de fuite capillaire comme dans la maculopathie diabétique ou les néovaisseaux maculaires non rétro fovéolaires dans la DMLA par exemple). • Laser YAG = perfore. Les 2 indications sont la capsulotomie (cf plus haut) et l'iridotomie (prévention du GAFA).
10	• En chirurgie ophtalmo, pas d'arrêt des anti agrégant et anti coagulants. C'est seulement en cas de chirurgie orbitaire ou d'anesthésie régionale (péri bulbaire, rétro bulbaire), qu'on peut arrêter les anti coagulants (avec relai par héparine) afin d'éviter la survenue d'un hématome orbitaire (grave : peut comprimer le nerf optique et rendre aveugle).

ITEMS ABORDEES

Items	Intitulés
130	• Occlusion veineuse rétinienne
187	• Anomalies de la vision d'apparition brutale

Dossier thématique transversal 24

Enoncé

Une patiente de 72 ans consulte dans le service d'ophtalmologie de votre hôpital pour baisse d'acuité visuelle bilatérale chronique indolore. En effet, depuis environ 1 an, la patiente est gênée pour regarder la télévision et faire ses mots croisés.

Il s'agit d'une patiente diabétique traitée par metformine (dernière HbA1c à 6,6%), hypertendue traitée par furosémide + enalapril, dyslipidémique traitée par atorvastatine. Elle a également une polyarthrite rhizomélique depuis 2 ans traitée par prednisone 7,5 mg/jour, associée à une supplémentation potassique et calcique.

Elle n'a pas d'allergie connue.

L'examen ophtalmologique est le suivant :

- Acuité visuelle avec correction :
  OD : 4/10 P10
  OG : 5/10 P10
- Examen des segments antérieurs à la lampe à fente : cornée claire sans prise de fluorescéine, chambre antérieure calme et profonde, reflexes photomoteurs normaux, cataracte bilatérale.
- Gonioscopie : angle irido-cornéen ouvert à 360°.
- Tonométrie à aplanation :
  OD = 26 mm Hg
  OG = 27 mm Hg
- Fond d'oeil bilatéral :

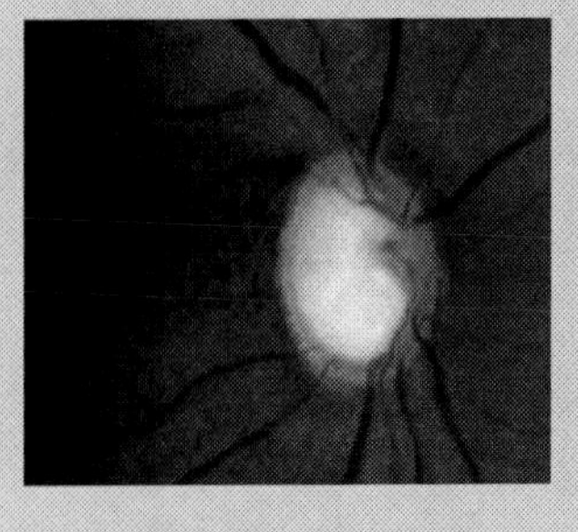

Oeil Droit

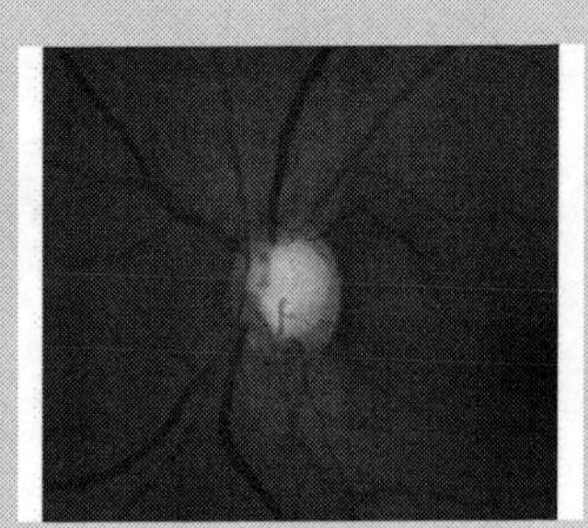

Oeil gauche

1/ Vous évoquez une cataracte sous capsulaire postérieure des 2 yeux. Quel est le principal argument de l'examen ophtalmologique en faveur de cette forme anatomique de cataracte ?

2/ Donnez 2 étiologies pouvant expliquer ce type anatomique de cataracte chez cette patiente.

3/ Quel(s) examen(s) paraclinique(s) effectuez-vous pour confirmer votre diagnostic ?

4/ Citez 3 arguments en faveur du diagnostic de glaucome chronique dans cette observation ?

Vous effectuez l'examen complémentaire ci dessous :

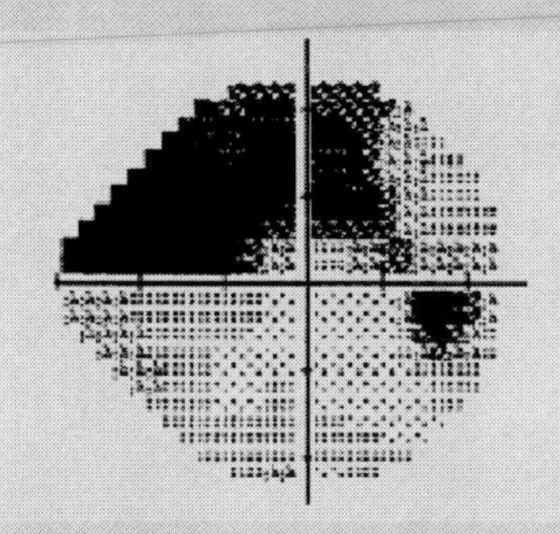

5/ Quel est cet examen ? Quelle est la principale anomalie retrouvée ?

Vous opérez votre patient de la cataracte de l'oeil droit. 4 jours plus tard, le patient revient pour oeil droit rouge douloureux avec flou visuel important.

6/ Donnez 4 diagnostics à évoquer devant ce tableau clinique.

7/ L'examen du segment antérieur de l'oeil droit est le suivant. Légendez les éléments anatomiques et pathologiques fléchés ci dessous :

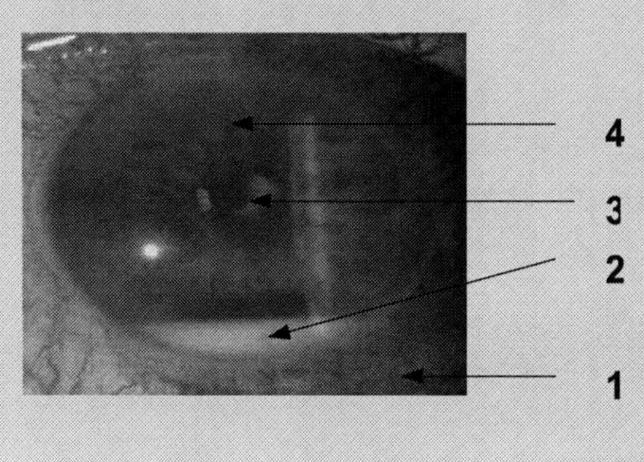

Vous retenez le diagnostic d'infection post opératoire.

8/ S'agit t-il d'une infection nosocomiale ? Justifiez.

Malgré une prise en charge adaptée pré, per et post opératoire, la patiente a gardé de grandes séquelles de cette infection. Elle ne distingue que quelques perceptions lumineuses au niveau de son oeil droit.

9/ Dans quel cadre juridique se trouve la patiente ? Justifiez.

10/ Après commission d'enquête, le taux d'IPP est fixé à 40%. Au près de quel organisme la patiente peut elle obtenir une indemnisation ?

Corrigé

PREMIERE LECTURE

Difficulté du dossier : 1/3

Dossier facile mêlant glaucome, cataracte, endophtalmie, aléa thérapeutique.
A classer en 1ere position parmi les 3 dossiers de l'épreuve.

Mots clés à inscrire sur le brouillon :

Œil rouge avec BAV +/- douloureux en post opératoire = endophtalmie jusqu'à preuve du contraire = urgence = ponction de chambre antérieure puis injection intra vitréenne d'antibiotiques, antibiothérapie locale (gouttes) et systémique +/- traitement chirurgical (vitrectomie) en 2nd intention et déclaration obligatoire au CLIN +++.

GRILLE DE CORRECTION

1	Vous évoquez une cataracte sous capsulaire postérieure des 2 yeux. Quel est le principal argument de l'examen ophtalmologique en faveur de cette forme anatomique de cataracte ?	Grille classique	Grille ECN
•	Baisse d'acuité visuelle prédominant de près	5	5
		5	

2	Donnez 2 étiologies pouvant expliquer ce type anatomique de cataracte chez cette patiente.	Grille classique	Grille ECN
•	Diabète / hyperglycémie	5	5
•	Corticothérapie au long cours	5	5
		10 PLUS DE 2 REPONSES = ZERO	

3	Quel(s) examen(s) paraclinique(s) effectuez-vous pour confirmer votre diagnostic ?	Grille classique	Grille ECN
•	Aucun	3	5
•	Le diagnostic de cataracte est clinique / biomicroscopique	2	-
		5	

4	Citez 3 arguments en faveur du diagnostic de glaucome chronique dans cette observation ?	Grille classique	Grille ECN
	• Hypertonie oculaire / pression intra oculaire > 21 mm Hg	4	4
	• Excavation papillaire au fond d'œil	4	4
	• Angle ouvert à la gonioscopie	4	4
		12 PLUS DE 3 REPONSES = ZERO	

5	Quel est cet examen ? Quelle est la principale anomalie retrouvée ?	Grille classique	Grille ECN
	• Examen :	-	-
	- Champ visuel	4	4
	- Statique	2	2
	- De HUMPHREY	1	2
	- De l'oeil droit	1	-
	• Anomalie :	-	-
	- Scotome	4	4
	- Arciforme de Bjerrum	2	2
		14	

6	Donnez les 4 diagnostics à évoquer devant ce tableau clinique.	Grille classique	Grille ECN
	• Endophtalmie	4	4
	OUBLI = ZERO A LA QUESTION	-	-
	• Hypertonie oculaire	4	4
	GLAUCOME AIGU PAR FERMETURE DE L'ANGLE = 2 POINTS	-	-
	• Kératite aigüe / ulcération cornéenne	4	4
	• Uvéite aigüe / inflammation post opératoire	4	4
		16 PLUS DE 4 DIAGNOSTICS = ZERO	

7	Légendez les éléments anatomiques et pathologiques fléchés ci dessous :	Grille classique	Grille ECN
	• 1 = Cercle périkératique	2	2
	• 2 = Hypopion	2	2
	• 3 = Pupille (membrane cyclitique pré pupillaire = accepté aussi)	2	2
	• 4 = Iris	2	2
		8	

8	S'agit t-il d'une infection nosocomiale ? Justifiez.	Grille classique	Grille ECN
	• OUI	5	5
	OUBLI = ZERO A LA QUESTION	-	-
	• Car	-	-
	• Infection acquise	-	-
	• Dans un établissement de santé / hôpital	2	2
	• Survenue 48h après l'entrée	2	2
	• En l'absence d'infection à l'entrée	2	2
		11	

9	Dans quel cadre juridique se trouve la patiente ? Justifiez.	Grille classique	Grille ECN
	• Aléa thérapeutique	5	5
	• Car	-	-
	• Faite suite à un acte médical	2	2
	• En l'absence de faute médicale	2	2
	• Non en rapport avec l'état initial du patient / de l'évolution naturelle prévue	2	2
	• Occasionnant un dommage corporel	2	2
		13	

10	Après commission d'enquête, le taux d'IPP est fixé à 40%. Au près de quel organisme la patiente peut elle obtenir une indemnisation ?	Grille classique	Grille ECN
	• Office national d'indemnisation des accidents médicaux (ONIAM)	6	6
		6	

COMMENTAIRES

Questions	Commentaires
Général	• 30 MOTS CLES.
1	• Dans une cataracte corticale ou cortico-nucléaire, la BAV prédomine de loin. Dans la capsulaire postérieure, la BAV prédomine de près (ici la BAV prédomine de près en témoigne l'échelle de Parinaud plus atteinte que celle de Monoyer).
2	• Diabète, corticothérapie, traumatisme oculaire sont les 3 principaux facteurs de risque de cataracte sous capsulaire postérieure.
3	• Cataracte = diagnostic clinique. • Signes fonctionnels : BAV, sensation de brouillard, photophobie, diplopie monoculaire. • Clinique : œil blanc, indolore, opacification du cristallin à l'examen biomicroscopique (lampe à fente). Toujours prendre la tension pour éliminer un glaucome et un fond d'œil dilaté pour éliminer une cause mixte à cette BAV (DMLA, glaucome). • La kératométrie et la biométrie ne sont utiles qu'en pré opératoire afin de calculer la puissance de l'implant.
4	• GPAO = tétrade. • 1 = Hypertonie oculaire > 21 mm Hg (élément NON indispensable au diagnostic, il existe des glaucomes à pression normale). • 2 = Angle ouvert en gonioscopie (verre à 3 miroirs) => élimine les glaucomes secondaires (pigmentaire, exfoliatifs, néovasculaires, à angle fermé chronique...hors programme). • 3 = Papille pathologique : excavée (rapport cup/disc augmenté, pâleur (aspect blanchâtre, hémorragies péri papillaires, rejet nasal des vaisseaux). • 4 = Champ visuel pathologique (HUMPHREY ou OCTOPUS) = paraclinique. • Les autres examens paracliniques (OCT, HRT...) sont accessoires et NON indispensables.
5	• Le champ visuel statique (HUMPHREY ou OCTOPUS) est l'examen du champ visuel de référence dans le glaucome. Il tend (et il l'est déjà presque partout) à être aussi la référence en neuro-ophtalmologie (adénomes hypophysaires, autres tumeurs cérébrales, AVC...). • Les 2 premières anomalies du champ visuel dans le glaucome sont : le ressaut nasal et le scotome arciforme de Bjerrum (scotome partant de la tache aveugle et allant en nasal en contournant le point de fixation correspondant à la macula).
6	• L'endophtalmie est LE diagnostic à évoquer de principe. Oubli = impardonnable !!! • GAFA = exceptionnel chez un patient pseudophaque. Ne se voit qu'en cas de luxation antérieure de l'implant venant fermer l'angle irido-cornéen. En revanche, l'hypertonie oculaire avec angle irido-cornéen ouvert post opératoire est TRES fréquente et souvent due aux produits viscoélastiques utilisés lors de la chirurgie et qui ont du mal à s'éliminer par le trabéculum ; elle peut aussi être due à une importante inflammation post opératoire. C'est pour cela que GAFA n'est compté que 2 points. Retenez que le GAFA survient chez le VIEUX, hypermétrope avec chambre antérieure étroite (donc angle irido cornéen fermé), et avec une GROSSE CATARACTE ++++. • Kératite : très fréquente aussi en post opératoire. Favorisée par les antiseptiques (Bétadine) per opératoires mais aussi par les gouttes corticoïdes et AINS utilisées en post opératoire qui sont très toxiques pour l'épithélium cornéen. • Uvéite / inflammation post opératoire : il y a toujours une légère inflammation en post

	opératoire, rarement cette dernière est majeure (pouvant parfois aboutir à un TASS syndrome = inflammation massive du segment antérieure aseptique, mimant l'endophtalmie, mais répondant très bien au traitement anti inflammatoire).
7	• La membrane cyclitique correspond à un dépôt de cellules inflammatoires dans le segment antérieur (dans les uvéites inflammatoires importantes) et mixte (cellules inflammatoires et germes) dans les endophtalmies. C'est un peu comme un hypopion « trainant » se trouvant souvent devant l'aire pupillaire.
8	• Les principaux germes incriminés dans les endophtalmies sont des germes saprophytes conjonctivaux : staphylocoques (épidermidis +++, aureus), streptocoques +++, pseudomonas aeruginosa (très fréquent par exemple sur la surface oculaire des porteurs de lentilles).
9 et 10	• Toutes les victimes d'un accident médical grave, qu'il ait pour origine un acte de prévention, un acte de diagnostic ou un acte thérapeutique, peuvent demander à bénéficier d'une indemnisation. • Cette demande doit d'abord passer par une Commission Régionale de Conciliation et d'Indemnisation (CRCI) qui est chargée d'instruire le dossier. Saisie par un particulier : • Soit la CRCI considère que les dommages invoqués tombent en deçà d'un seuil de gravité fixé par la loi (24 %), et propose donc une indemnisation rapide (à l'amiable ou au niveau judiciaire). • Soit la CRCI considère que les dommages invoqués passent le taux (24 %) et lance une expertise et statue sur : • La présence d'une faute, la CRCI propose une conciliation avec l'assureur de l'établissement de santé ou du praticien. • En l'absence de faute, le dossier est transmis à l'ONIAM pour une indemnisation par la solidarité nationale. • <u>L'ONIAM a plusieurs missions</u> : • Organiser l'indemnisation des victimes d'accidents médicaux • Indemniser les victimes d'aléa thérapeutique • Indemniser les victimes de vaccinations obligatoires • Indemniser les transfusés et hémophiles contaminés par le VIH ou le VHC.

ITEMS ABORDEES

Items	Intitulés
10	• Responsabilité médicale
58	• Cataracte
91	• Infections nosocomiales
212	• Œil rouge douloureux
240	• Glaucome

Dossier thématique transversal 25

Enoncé

Un homme de 27 ans, ferrailleur, sans antécédent médico-chirurgical particulier hormis un tabagisme actif estimé à 1,5 Paquet-année, sans allergie, sans traitement, est amené par les sapeurs pompiers aux urgences ophtalmologiques de votre hôpital à 15H pour un traumatisme de l'oeil droit survenu une heure auparavant au travail suite à l'utilisation d'un marteau-burin.

Le patient se plaint d'un oeil gauche douloureux et d'une baisse importante de la vision de cet oeil.

L'examen ophtalmologique est le suivant :

- Acuité visuelle corrigée : 10/10e (OD) / 1/10e (OG).
- L'examen du segment antérieur à la lampe à fente et une rétinographie de l'oeil gauche sont présentés ci dessous :

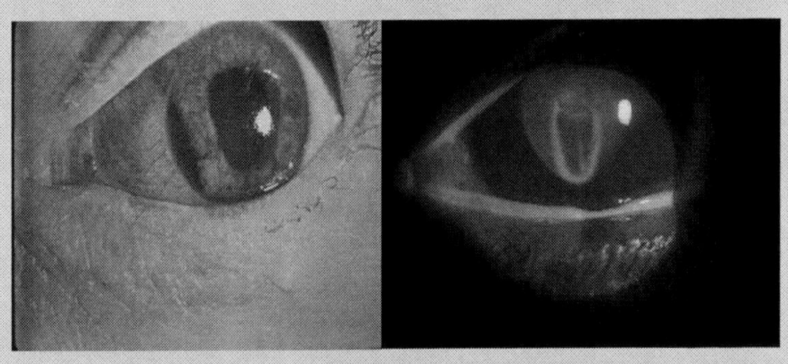

Photo N°1 — Photo N°2 : Lumière bleue avec fluorescéine

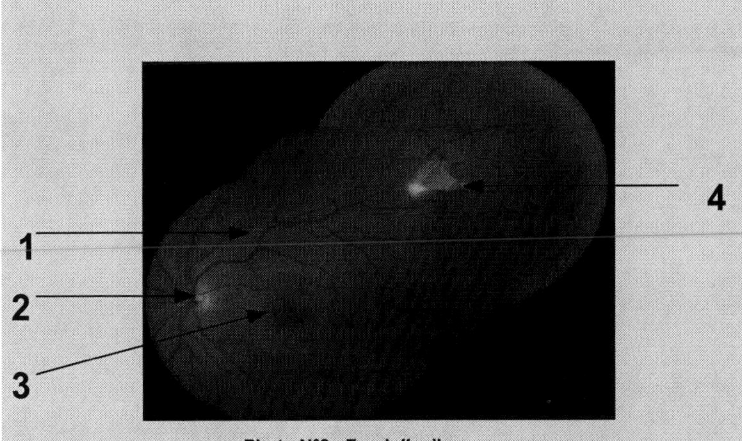

Photo N°3 : Fond d'oeil

Vous posez le diagnostic de corps étranger intra oculaire (CEIO) gauche.

1/ Quelle est la principale anomalie présentée sur la photographie N°1 ?
2/ Lors de l'instillation de fluorescéine sur l'oeil gauche (photo N°2), vous constatez un lavage de la fluorescéine spontané. Comment s'appelle ce signe ? Quelle en est la signification ?
3/ Légendez les éléments fléchés sur la photo N°3.
4/ Pourquoi n'avez-vous pas mesuré la tension intra oculaire lors de votre examen ?
5/ Quel examen paraclinique d'imagerie demandez-vous ? (1 seule réponse)
6/ Quels sont les principaux risques encourus à court et moyen / long terme en cas de corps étranger intra oculaire ?

Votre diagnostic est confirmé. Vous décidez d'hospitaliser en urgence votre patient. Votre prise en charge comprend un bilan sanguin pré opératoire, une pose de voie veineuse périphérique avec administration d'une bi- antibiothérapie intra veineuse, comportant de la levofloxacine et l'imipenème, d'antalgiques IV, de collyres locaux antibiotiques et anti- inflammatoires, un rappel tétanique.

7/ A quelles familles d'antibiotiques appartiennent les antibiotiques administrés par voie intra veineuse ?

Une exploration chirurgicale en urgence est décidée.

8/ Quelle question indispensable devez-vous poser à votre patient ?

Votre prise en charge chirurgicale, complexe, en deux temps, est adaptée. Les suites opératoires sont relativement simples.
Vous remplissez le certificat d'accident de travail.

9/ Donnez 3 avantages que procure la rédaction de ce certificat pour le patient.

1 mois plus tard, lors d'une consultation de contrôle, votre patient se plaint d'une nouvelle aggravation de sa baisse d'acuité visuelle de l'oeil gauche, sans douleur. L'examen du segment antérieur de l'oeil gauche à la lampe à fente après dilatation pupillaire est le suivant :

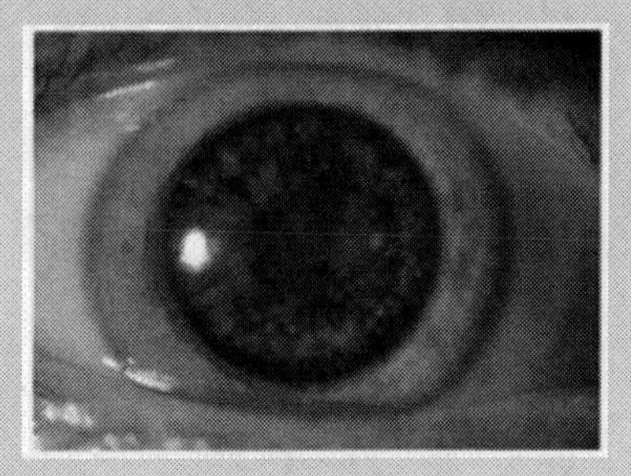

10/ Quel diagnostic posez-vous immédiatement ?

Corrigé

PREMIERE LECTURE

Difficulté du dossier : 3/3

Dossier très court, mais portant sur la traumatologie oculaire, sujet souvent négligé d'où sa difficulté.

A classer en 3e position parmi les 3 dossiers de l'épreuve.

Mots clés à inscrire sur le brouillon :

Plaie (même oculaire) = SAT-VAT.

Accident du travail => rédaction du certificat.

GRILLE DE CORRECTION

1	Quelle est la principale anomalie présentée sur la photographie N°1 ?	Grille classique	Grille ECN
•	Iridodialyse	5	5
		5	

2	Lors de l'instillation de fluorescéine sur l'oeil gauche (photo N°2), vous constatez un lavage de la fluorescéine spontané. Comment s'appelle ce signe ? Quelle en est la signification ?	Grille classique	Grille ECN
•	Signe de SEIDEL	10	10
•	Signification :	-	-
	- Plaie de cornée transfixiante / plaie du globe transfixiante	5	5
		15	

3	Légendez les éléments fléchés sur la photo N°3.	Grille classique	Grille ECN
•	1 = Vaisseau (artère ou veine) temporal supérieur	3	3
•	2 = Papille / nerf optique	3	3
•	3 = Macula	3	3
•	4 = Corps étranger intra oculaire (CEIO)	3	3
		12	

4	Pourquoi n'avez-vous pas mesuré la tension intra oculaire lors de votre examen ?	Grille classique	Grille ECN
	• Contre indiqué	-	-
	• Car plaie cornéenne transfixiante / signe de Seidel positif	4	4
	• Risque de vider / hypotoniser encore plus le globe et d'aggraver les lésions intra oculaires	4	4
		8	

5	Quel examen paraclinique d'imagerie demandez-vous ?	Grille classique	Grille ECN
	• TDM / Scanner	4	4
	• Orbitaire	2	2
	• En coupe millimétrique	1	-
	• Non injecté	1	2
	SI IRM : -10 POINTS. ECHOGRAPHIE OCULAIRE : -5 POINTS.		
		8	

6	Quels sont les principaux risques encourus à court et moyen / long terme en cas de corps étranger intra oculaire ?	Grille classique	Grille ECN
	• A court terme :	-	-
	- Endophtalmie	2	3
	- Déchirure rétinienne	2	3
	- Hémorragie rétinienne	1	-
	- Hémorragie intra vitréenne	1	-
	- Œdème rétinien de Berlin	1	3
	• A long terme :	-	-
	- Décollement de rétine	3	3
	- Métallose / sidérose	2	3
	- Trou rétinien	1	-
	- Hypertonie oculaire / glaucome post traumatique	2	2
	- Ou hypotonie oculaire avec risque de phtyse	2	-
	- Ophtalmie sympathique	2	2
		19	

7	A quelles familles d'antibiotiques appartiennent les antibiotiques administrés par voie intra veineuse ?	Grille classique	Grille ECN
	• Levofloxacine = fluoroquinolone	4	4
	• Imipenème = pénicilline	4	4
		8	

8	Quelle question indispensable devez-vous poser à votre patient ?	Grille classique	Grille ECN
•	Heure du dernier repas / boissons / cigarette ?	5	5
		5	

9	Donnez 3 avantages que procure la rédaction de ce certificat pour le patient.	Grille classique	Grille ECN
•	Indemnités journalières	4	4
•	Prise en charge à 100% des soins	4	4
•	Tiers payant	4	4
		12 PLUS DE 3 REPONSES = ZERO	

10	Quel diagnostic posez-vous immédiatement ?	Grille classique	Grille ECN
•	Cataracte	6	6
•	Post traumatique	2	2
		8	

COMMENTAIRES

Questions	Commentaires
Général	• 27 MOTS CLES = dossier court donc mots clés avec grosse cotation donc c'est un dossier qui fait forcément la différence aux ECN. • Traumatologie oculaire (et toute traumatologie en général) : 2 types : - Traumatisme contusif (fermé) - Traumatisme perforant (ouvert) - Sachant qu'un traumatisme est souvent mixte, à la fois contusif et perforant !!!!
1	• Iridodialyse = désinsertion post traumatique de la racine de l'iris (ca fait une 2eme pupille en périphérie).
2	• Capital à savoir : le Seidel positif signifie que l'humeur aqueuse « lave » la fluorescéine, donc qu'il y a une plaie transfixiante (= sur toute son épaisseur) de la cornée => c'est une plaie du globe, donc urgence chirurgicale dans les 6 heures (risque d'endophtalmie et de phtyse du globe). • Le signe de SEIDEL ne figure pas dans le poly national => c'est le seul oubli du livre.
3	• Ici, le corps étranger est facilement visible. Il est métallique. Il faut rechercher une déchirure rétinienne sous jacente (en per opératoire qui nécessitera un traitement soit par endolaser, soit par cryothérapie, associé à un tamponnement interne).
4	• Traumatisme perforant du globe : les 3 choses strictement contre indiquées (ZERO A LA QUESTION) sont : prise de la tension oculaire (par aplanation ou jet d'air), échographie en mode B (car appuie sur le globe), IRM (corps étranger métallique).
5	• Il faut toujours préciser les coupes millimétriques car certains corps étrangers sont infra millimétriques. • L'intérêt du scanner est de rechercher d'autres CEIO, d'explorer la rétine en ca d'HIV (Echo B contre indiquée), de rechercher une perforation sclérale postérieure, d'étudier les muscles oculomoteurs et de rechercher un corps étranger intra orbitaire.
6	• Si corps étranger en cuivre => chalcose avec anneau de Kayser Fleischer comme dans la maladie de Wilson. • Ophtalmie sympathique = pan uvéite réactionnelle de l'œil traumatisé et/ou de l'œil adelphe pouvant survenir plusieurs semaines, mois, voire années suivant le traumatisme initial. Survient classiquement dans les 3 mois suivant le traumatisme. Le traitement repose sur la corticothérapie (locale et systémique).
7	• Levofloxacine = TAVANIC® = fluoroquinolone de 3e génération. Attention aux tendinopathies surtout chez les sujets jeunes travailleurs manuels et au risque de convulsions +++. • Imipenème = pénicilline.
8	• Questions avant bloc en urgence : heure du dernier repas, prise d'anti agrégant / anti coagulant, statut tétanique, allergies. • Si à jeun > 6H : bloc cash. • Si à jeun < 6H : on attend les 6 heures. • Ce n'est pas une urgence vitale (pas de risque de mort), donc on intube le patient à estomac vide (pas d'induction en séquence rapide ici).
9	• Question classique d'accident du travail.
10	• Facteurs de risque de cataracte ici : le traumatisme contusif, le traumatisme perforant (CEIO), les interventions chirurgicales (chirurgie du segment postérieur = cataracte obligatoire à plus ou moins long terme), les collyres corticoïdes.

ITEMS ABORDEES

Items	Intitulés
58	• Cataracte
108	• Accidents du travail
201	• Traumatismes / polytraumatisé

Notes personnelles

Dossier thématique transversal 26

Enoncé

Un jeune patient de 16 ans se présente aux consultations d'ophtalmologie de votre hôpital car il a cassé ses lunettes hier et ne voit plus rien depuis. Ce patient n'a aucun antécédent particulier, ne prend aucun traitement, n'a pas d'allergies connues.
Il vous explique qu'il porte des lunettes depuis l'enfance car il ne voit rien de loin mais très bien de près.
L'examen ophtalmologique retrouve :

- **Acuité visuelle sans correction :**
  OD : 1/10e P2
  OG : 1/10e P2
- **Auto réfractométrie automatique :**
  OD : -6,50
  OG : -6,75
- **Acuité visuelle corrigée :**
  OD : 10/10e P2
  OG : 10/10e P2
- **Segments antérieurs et postérieurs sans anomalie.**

1/ Quelle amétropie diagnostiquez-vous ? Parmi les 3 schémas optiques ci dessous, lequel correspond à l'amétropie que vous suspectez ?

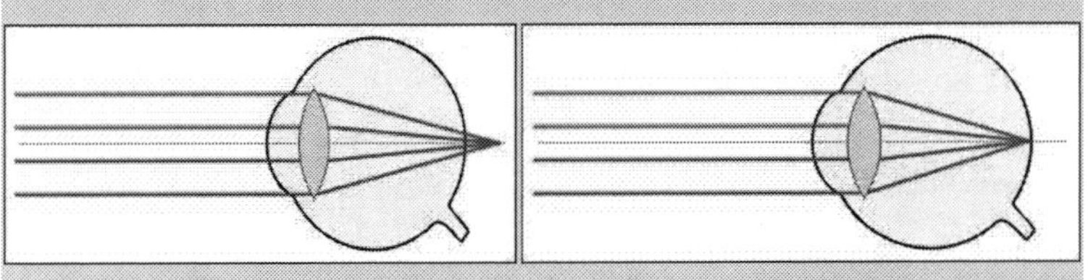

SCHEMA N°1 **SCHEMA N°2**

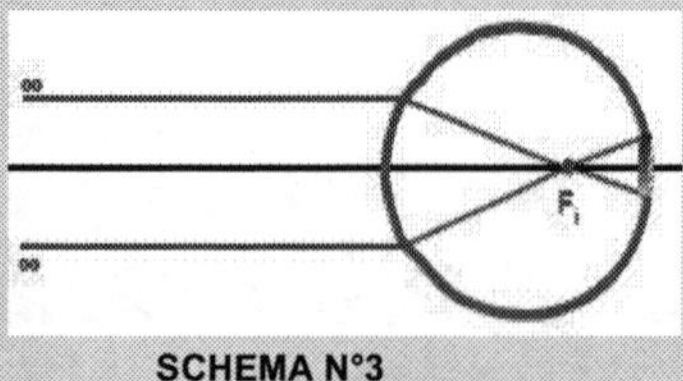

SCHEMA N°3

2/ Citez les 3 moyens de correction optique possibles.

Votre prise en charge est la bonne. Votre patient ne vous a pas oublié et revient quelques années plus tard.

Votre patient a désormais 69 ans. Il vous consulte à nouveau pour une baisse de vision bilatérale prédominant à gauche évoluant depuis plusieurs années, devenue particulièrement gênante pour ce jeune retraité. Il présente aussi une photophobie, surtout la nuit avec les phares de voiture.

Ses principaux antécédents sont : hypertension artérielle, fibrillation auriculaire, dyslipidémie, apnées du sommeil, coxarthrose bilatérale. Son ordonnance comprend : candesartan, fluindione (dernier INR il y a 1 mois = 2,9), atorvastatine, paracétamol.

L'examen ophtalmologique est le suivant :

- **Acuité visuelle corrigée :**
  OD : 5/10e P4
  OG : 3 /10e P6
- **L'examen des segments antérieurs à la lampe à fente retrouve une cornée claire sans prise de fluorescéine, une chambre antérieure calme et profonde, une cataracte cortico-nucléaire bilatérale prédominant à gauche, un réflexe photomoteur et consensuel normal.**
- **La pression intra oculaire par aplanation est de : 15 mm Hg (OD) / 14 mm Hg (OG).**
- **Le fond d'oeil dilaté des 2 yeux est sans particularités.**

Vous complétez votre examen par une kératométrie sans particularités et une mesure de la longueur axiale (LA) bilatérale mesurée à 28 mm (normale = 22 mm).

3/ Comment expliquez-vous la longueur axiale de l'oeil de votre patient ?

Vous proposez une chirurgie de la cataracte de l'oeil gauche. Votre patient accepte.

4/ Citez les principales étapes de la chirurgie de la cataracte.
5/ Arrêtez-vous la fluindione ? Justifiez.

Vous opérez votre patient sans incident. Les suites opératoires sont simples. Lors de la consultation de contrôle à 1 mois, l'acuité visuelle corrigée de l'oeil gauche est à 10/10e P2. Votre patient est fort satisfait.

Cependant, 1 an plus tard, il revient vous voir et vous explique qu'il pense avoir une nouvelle cataracte à gauche : en effet, il se plaint d'une baisse de vision progressive de son oeil gauche depuis 3 mois maintenant, totalement indolore.

L'examen ophtalmologique est le suivant :

- **Acuité visuelle corrigée :**

OD : 4/10e P6
OG : 5/10e P4

- La tension intra oculaire est à 13 mm Hg aux 2 yeux.
- L'examen du segment antérieur gauche à la lampe à fente est présenté ci-dessous.
- Le fond d'oeil est sans particularités.

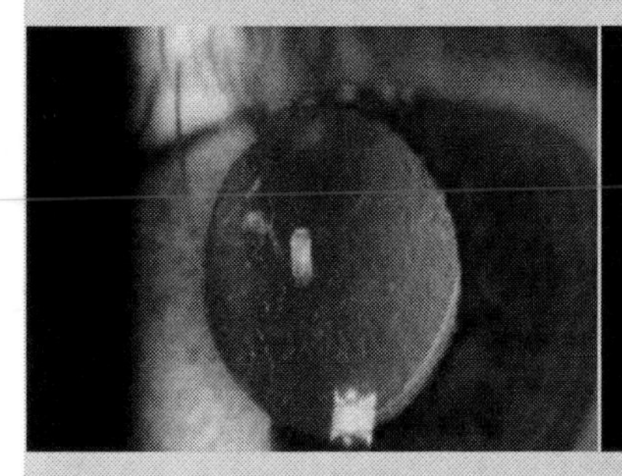

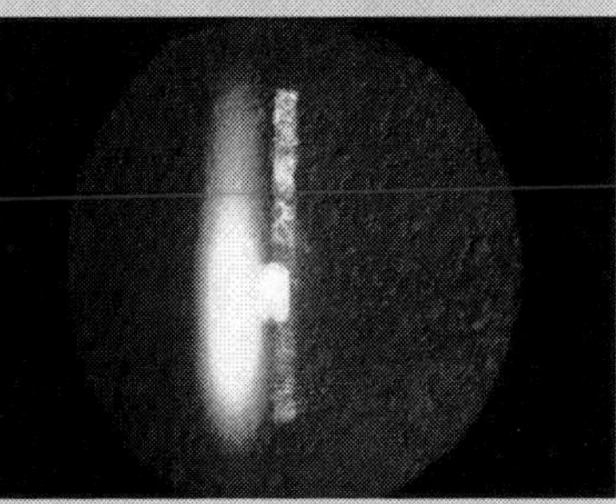

LAMPE A FENTE OG **ZOOM**

6/ Quel diagnostic portez-vous ? Quel traitement proposez-vous ? (1 seule réponse)

Votre traitement est un succès. Vous revoyez votre patient 5 ans plus tard aux urgences ophtalmologiques pour une amputation du champ visuel inférieur de son oeil gauche depuis hier rapidement progressive, de survenue spontanée, sans la moindre douleur. Le patient vous signale avoir vu des mouches et filaments flottants noirs et des flashs lumineux devant cet oeil gauche quelques heures auparavant.

Votre examen ophtalmologique est le suivant :

- Acuité visuelle corrigée :
  OD : 3/10e P8
  OG : 10/10e P2 mais gène due à l'amputation du champ visuel inférieur.
- L'examen des segments antérieurs est sans particularités hormis une cataracte cortico-nucléaire droite et un implant de chambre postérieure à gauche.
- La tension intra oculaire est de 16 mm Hg (OD) / 10 mm Hg (OG).

7/ Donnez les 3 diagnostics ophtalmologiques compatibles avec ce tableau clinique.

Le fond d'oeil gauche est le suivant :

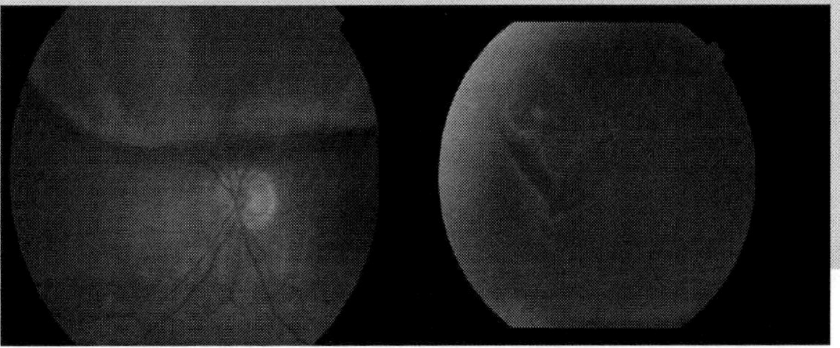

8/ Quel est votre diagnostic complet ? Expliquez la physiopathologie des signes fonctionnels ressentis par le patient.

9/ Donnez 3 facteurs de risque de cette pathologie présents dans cette observation ? Quel traitement préventif aurait pu éviter la survenue de cette pathologie ?

10/ Comment expliquez-vous l'acuité visuelle gauche à 10/10e P2 ?

Corrigé

PREMIERE LECTURE

Difficulté du dossier : 2/3

Dossier classique : myopie => décollement de rétine chez le pseudophaque.

A classer en 2e position parmi les 3 dossiers de l'épreuve.

Mots clés à inscrire sur le brouillon :

Myopie => risque accru de cataracte, DR ++++, glaucome, DMLA et néovaisseaux choroïdiens.

DR = recherche de déchirure et EXAMEN DE L'ŒIL ADELPHE +++.

GRILLE DE CORRECTION

1	Quelle amétropie diagnostiquez-vous ? Parmi les 3 schémas optiques ci dessous, lequel correspond à l'amétropie que vous suspectez ?	Grille classique	Grille ECN
•	Diagnostic : Myopie	3	3
•	Schema N°3	2	2
		5	

2	Citez les 3 moyens de correction optique possibles.	Grille classique	Grille ECN
•	Lunettes	-	-
	- Verres sphériques	2	2
	- Concaves	2	2
•	Lentilles de contact	2	2
•	Chirurgie laser	2	2
		8	

3	Comment expliquez-vous la longueur axiale de l'oeil de votre patient ?	Grille classique	Grille ECN
•	Myopie	2	2
•	Axile	1	1
•	Longueur axiale augmentée	-	-
		3	

4	Citez les principales étapes de la chirurgie de la cataracte.	Grille classique	Grille ECN
	• Extraction extra capsulaire :	2	2
	• Anesthésie locale (gouttes) +/- régionale (péri bulbaire).	1	1
	- AG exceptionnelle		-
	• Désinfection cutanée et conjonctivale bétadinée	1	1
	• Incision cornéenne (2,8 mm ou 2,2 mm ou 1 mm…)	1	1
	• Injection de produit viscoélastique (PVE) pour maintenir le volume du globe	1	-
	• Capsulorhéxis antérieur	1	2
	• Hydrodissection	1	1
	• Phacoémulsification du cristallin en quartiers	1	2
	• Cracking du cristallin émulsifié	1	-
	• Aspiration du cristallin	-	-
	• Aspiration des masses périphériques	-	-
	• Injection de PVE	-	-
	• Mise en place de l'ICP = implant en chambre postérieure	1	2
	• Aspiration du PVE (pour éviter l'hypertonie post opératoire)	-	-
	• Injection intra camérulaire (dans la chambre antérieur) d'antibiotique (cefuroxime = APROKAM®)	1	1
	• Hydro suture	1	1
	• Pommade antibio-corticoïde (STERDEX®)	1	-
	• Pansement	-	-
	• Collyres post opératoires (antibio-corticoïdes), consultations de contrôle à J1, J7, 1 mois.	-	-
		14	

5	Arrêtez-vous la fluindione ? Justifiez.	Grille classique	Grille ECN
	• NON	2	2
	OUBLI = ZERO A LA QUESTION		
	• Car	-	-
	• Chirurgie oculaire	-	-
	• Non / peu hémorragique	2	2
	• INR non surdosé	2	2
	• Risque d'AVC cardioembolique / accident cardioembolique	1	2
	• Car ACFA	1	-
	• Balance bénéfices / risques défavorable	2	2
		10	

6	Quel diagnostic portez-vous ? Quel traitement proposez-vous ? (1 seule réponse)	Grille classique	Grille ECN
	• Diagnostic :	-	-
	- Opacification capsulaire postérieure	4	4
	- Cataracte secondaire = ACCEPTE MAIS SEULEMENT 2 POINTS		
	• Traitement :	-	-
	- Capsulotomie	2	4
	- Au laser YAG	2	-
		8	

7	Donnez les 3 diagnostics ophtalmologiques compatibles avec ce tableau clinique	Grille classique	Grille ECN
	• Décollement de rétine	4	4
	• Occlusion branche d'artère centrale de la rétine	4	4
	• Occlusion branche de veine centrale de la rétine	4	4
	REPONSES COMPLETES EXIGEES		
		12	

8	Quel est votre diagnostic complet ? Expliquez la physiopathologie des signes fonctionnels ressentis par le patient.	Grille classique	Grille ECN
	• Diagnostic :	-	-
	- Décollement de rétine	4	4
	- Supérieur	1	2
	- Bulleux	1	2
	- Sans décollement maculaire	1	-
	- Rhegmatogéne	2	2
	- Secondaire à une déchirure rétinienne	2	2
	- À clapet / en fer à cheval	1	-
	• Physiopathologie :	-	-
	- Corps flottants = myodesopsies	2	2
	o Condensations du vitré / décollement du vitré	2	2
	- Phosphènes / photopsies	2	2
	o Correspond à une traction rétinienne	2	2
	o Secondaire au décollement du vitré	-	-
	- Amputation du champ visuel	-	-
	o Correspond à la rétine décollée	2	2
		22	

9	Donnez 3 facteurs de risque de cette pathologie présents dans cette observation ? Quel traitement préventif aurait pu éviter la survenue de cette pathologie ?	Grille classique	Grille ECN
•	<u>Facteurs de risque :</u>	-	-
	- Myopie	2	2
	- Pseudophaque / chirurgie de la cataracte	2	2
	- Capsulotomie au laser YAG	2	2
•	<u>Traitement préventif :</u>	-	-
	- Photocoagulation	2	4
	- Au laser ARGON	2	-
	- Autour de la déchirure rétinienne	4	4
		14	

10	Comment expliquez-vous l'acuité visuelle gauche à 10/10e P2 ?	Grille classique	Grille ECN
•	Pas de décollement maculaire	4	4
		4	

COMMENTAIRES

Questions	Commentaires
Général	• 45 MOTS CLES = dossier long.
1	• Schéma N°1 = œil trop court : l'image se projette en arrière de la rétine donc le sujet doit accommoder pour ramener l'image sur la rétine => HYPERMETROPIE. • Schéma N°2 = l'image se projette sur la rétine donc normal => EMETROPIE. • Schéma N°3 = œil trop long donc l'image se projette devant la rétine => MYOPIE.
2	• Ce sont les 3 mêmes traitements pour toutes les amétropies.
3	• La myopie forte augmente la longueur axiale de l'œil et étire la rétine ce qui est à l'origine du staphylome myopique du pôle postérieur, les fragilités rétiniennes (givre, trous rétiniens, palissades) avec risque accru de déhiscences rétiniennes (déchirures) et donc de décollement de rétine. • La myopie forte donne de gros yeux ce qui est un diagnostic différentiel de l'exophtalmie bilatérale !!!! (fausse exophtalmie).
4	• Tout est dit. • Insistez bien sur : extraction extra capsulaire, l'anesthésie locale, la désinfection bétadinée, Capsulorhéxis, phacoémulsification, implant de chambre postérieure, injection intra camérulaire d'antibiotiques. • L'injection intra camérulaire (en chambre antérieure) d'antibiotiques (cefuroxime) fait partie des recommandations, mais reste encore très débattue, certaines études montrant qu'elle ne réduit pas le risque d'endophtalmie. Pour les ECN, mettez le, sauf si allergie aux C3G.
5	• Pas d'arrêt des AVK sauf si anesthésie locorégionale (péri bulbaire) car risque d'hématome orbitaire avec compression optique.
6	• L'opacification capsulaire postérieure se voit mieux pupille dilatée. La capsulotomie au laser YAG donne d'excellents résultats fonctionnels et elle est totalement indolore. • Cataracte secondaire = seulement 2 points car terme impropre : ce n'est plus le cristallin la gène mais la capsule. Ce terme permet au patient de mieux comprendre sa gène et le traitement correspondant.
7	• On est en présence d'une amputation du champ visuel sans BAV. On vous demande un diagnostic ophtalmologique donc oubliez les causes neurologiques. • Il s'agit de pathologies du segment postérieur (œil indolore) donc par élimination : • NOIAA : non car pas de BAV (il existe des NOIAA sans BAV mais rare et peu tombable à l'ECN). • NORB : pas le terrain. • HIV : non car l'amputation du CV inférieur, or, l'HIV sédimente vers le bas du fait de la gravité donc donne une amputation du CV supérieur (inversez !!). • OACR : non car donne que quasi cécité (c'est la BAV la plus brutale et la plu grave de toutes les BAV). • OVCR : non car ici l'amputation du CV est localisé. Donc occlusion de BRANCHE veineuse ++. • DMLA / autre maculopathie : non car pas de BAV et donne des scotomes centraux sans déficit dans le CV périphérique. • Ici, il peut s'agir d'une occlusion de branche veineuse ou artérielle. Il peut ne pas y avoir de BAV si les branches occluses n'irriguent pas la macula, ce qui est le cas ici.

8	• Physiopathologie du DR : décollement postérieur du vitré (spontané, sans réel facteur déclenchant) => myodesopsies. Parfois, ce décollement du vitré va provoquer une traction sur la rétine (phosphène vu par le patient à l'opposé de la traction rétinienne), ce qui peut parfois provoquer une déchirure rétinienne. Du liquide sous rétinien va s'infiltrer dans cette déchirure et décoller la rétine de proche en proche : c'est le décollement de rétine. La zone de rétine décollée n'est plus vue par le patient donc amputation du champ visuel. Le DR est d'autant plus grave qu'il est supérieur car il va s'étendre plus rapidement du fait de la gravité. Quand la macula sera décollée, il y aura une BAV importante. • Précisez toujours le type de DR (rhegmatogéne +++ sur déchirure ou exsudatif ou tractionnel). • Précisez toujours le statut maculaire (décollée ou pas).
9	• FDR de DR : ATCD personnel ou familiaux de DR / myopie / traumatisme oculaire / chirurgie cataracte / rupture capsulaire postérieure lors de la chirurgie cataracte / capsulotomie YAG. • ET N'OUBLIEZ PAS L'EXAMEN DE L'OEIL ADELPHE AU V3M POUR RECHERCHER DES LESIONS PREDISPOSANTES SUR LA PERIPHERIE RETINIENNE +++++++.
10	• Question qui permet de savoir si vous avez compris les bases de la rétine (macula = vision centrale fine, la périphérie rétinienne est responsable du champ visuel périphérique). • Traitement du DR = hors programme. Sachez simplement qu'il existe un traitement par voie externe « ab externo » (cryothérapie, indentation sclérale, +/- ponction liquide sous rétinien) et une voie interne « ab interno » (vitrectomie, endolaser, tamponnement interne). La voie interne est largement plus pratiquée +++.

ITEMS ABORDEES

Items	Intitulés
57	• Cataracte
187	• Anomalies de la vision brutale
287	• Troubles de la réfraction

Notes personnelles

Dossier thématique transversal 27

Enoncé

Un patient de 71 ans consulte ce dimanche aux urgences ophtalmologiques de votre hôpital car il voit double depuis hier. En effet, alors qu'il regardait le match de rugby à la télévision le samedi après midi, il a brutalement constaté une vision double qui ne régresse pas. Il n'a pas de céphalées. Il est très étonné car il vous dit avoir toujours eu une bonne vue.

Ses principaux antécédents sont une hypertension artérielle, une dyslipidémie, une prothèse totale de Hanche, un ulcère duodénal il y a plus de 10 ans, et une hépatite C post transfusionnelle guérie.

Son traitement comprend : atorvastatine, hydrochlorothiazide et paracétamol.

Il n'a pas d'allergies.

Les constantes prises aux urgences sont les suivantes : FC = 75/min, TA = 175/85 mm Hg, FR = 13/min, SpO2 = 98%, T° = 37,6°.

Vous débutez votre examen clinique et confirmez immédiatement la diplopie binoculaire.

1/ Comment pouvez-vous affirmer le caractère binoculaire de cette diplopie ?

Vous poursuivez votre examen. Les reflets cornéens semblent centrés, la motilité oculaire semble conservée même si votre patient se plaint d'une accentuation de sa diplopie lors de l'abduction de l'oeil gauche. L'examen au cover test retrouve un mouvement de refixation de l'oeil gauche du dedans vers le dehors.

L'examen ophtalmologique est le suivant :

- Acuité visuelle corrigée :
  OD : 8/10e P2
  OG : 7/10e P3
- L'examen des segments antérieurs à la lampe à fente retrouve une cornée claire sans prise de fluorescéine, une chambre antérieure calme et profonde, un reflexe photomoteur normal, une cataracte cortico nucléaire bilatérale.
- La pression intra oculaire est de 11 mm Hg aux 2 yeux.
- L'examen du fond d'oeil gauche vous est présenté ci dessous :

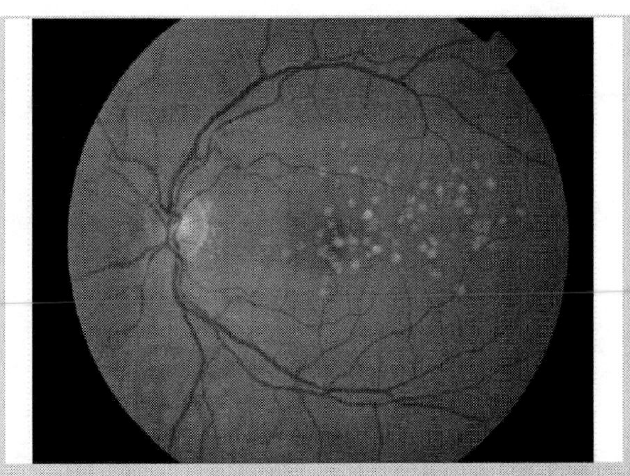

FO OG

2/ Quelle anomalie constatez-vous ? Existe t-il un rapport avec sa diplopie ?

Vous complétez vos investigations par l'examen paraclinique suivant :

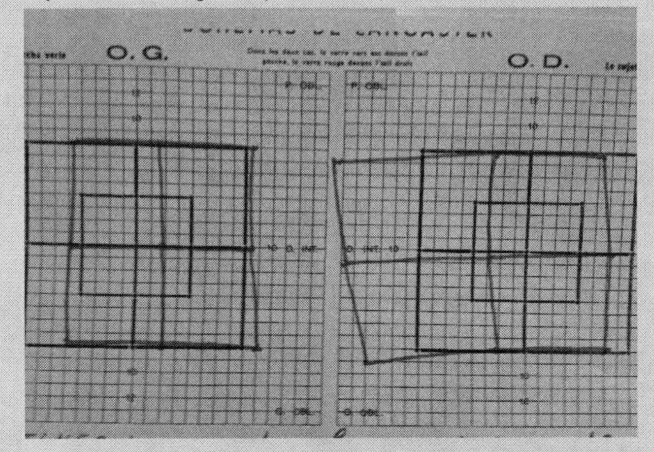

3/ Quel est cet examen ? Quelle en est votre interprétation ? Quel muscle est déficient et quelle est son innervation ?

Votre patient en profite pour vous demander s'il doit se faire opérer de la cataracte.

4/ Que lui répondez-vous ? Justifiez votre réponse à partir de 2 éléments.

Vous réalisez un bilan sanguin, un ECG et une IRM cérébrale présentés ci dessous :
Hb = 14,8 g/dl, VGM = 88 fl, TCMH = 29 pg, CCMH = 33 g/dl, GB = 7900/mm3, plaquettes = 226 000/mm3, VS = 6 /15 mm, CRP = 3 mg/l, TP = 94%, TCA = 32 s (témoin 33s), urée = 3,67 mmol/l, créatinine = 63,8 µmol/l, Na = 130 mmol/l, K = 3,1 mmol/l, Cl = 97 mmol/l.
ECG 12 dérivations :

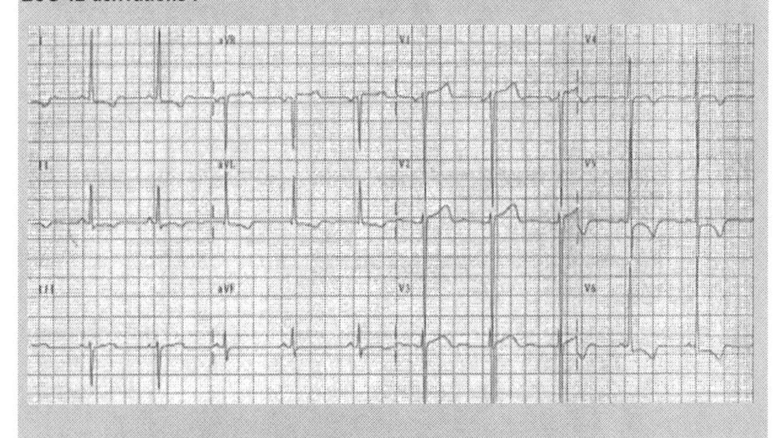

IRM cérébrale :

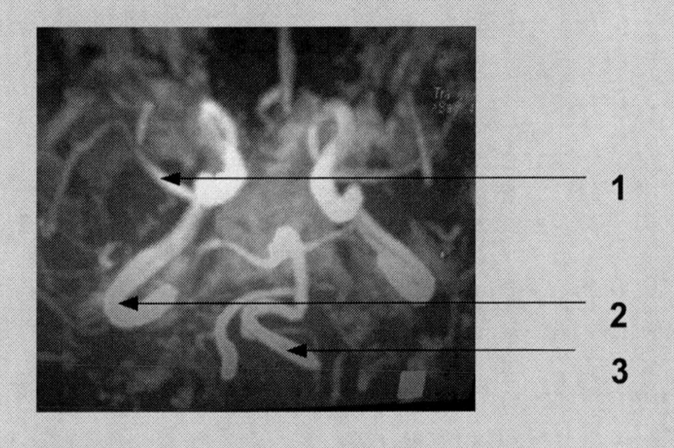

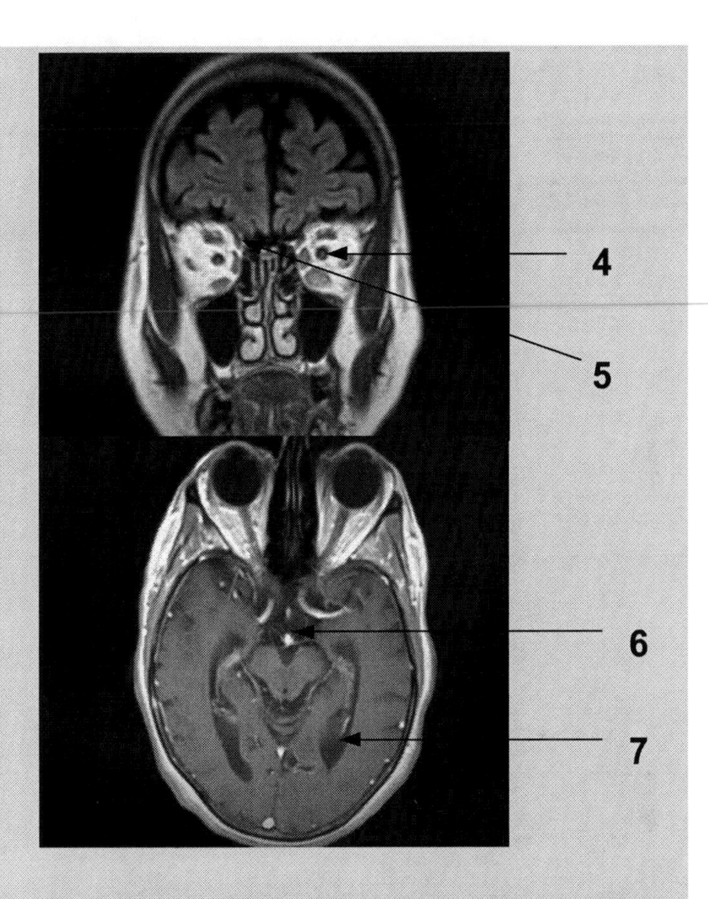

5/ Donnez les 2 anomalies biologiques sur le bilan sanguin. Comment les expliquez-vous (1 seule réponse) ?

6/ Quelles anomalies constatez-vous sur l'ECG ? Quelle en est l'explication (1 seule réponse) ?

7/ Légendez les éléments fléchés sur l'IRM.

Vous réalisez un bilan cardiovasculaire complet dont la seule anomalie et une plaque d'athérome carotidienne interne gauche ulcérée peu sténosante.
Vous concluez à une diplopie d'origine embolique sur plaque d'athérome carotidienne.
Vous prescrivez, notamment, du clopidogrel per os.

8/ Justifiez cette prescription.

Les suites sont rapidement favorables. Lors de la consultation de contrôle à 1 mois, le patient ne présente plus de diplopie. L'examen ophtalmologique est inchangé.

Vous revoyez 2 ans plus tard votre patient aux urgences ophtalmologiques. En effet, le patient se plaint d'une baisse visuelle importante de l'oeil gauche, indolore, de survenue rapide avec déformation des lignes droites. Il ne se plaint pas de phosphènes ou de myodesopsies.

L'examen ophtalmologique est le suivant :

- Acuité visuelle corrigée :
  OD : 8/10e P2
  OG : 1/10e >P14
- Examen des segments antérieurs à la lampe à fente : cornées claires sans prise de fluorescéine, chambres antérieures calmes et profondes, cataracte cortico-nucléaire bilatérale, reflet pupillaire normal.
- La pression intra oculaire par aplanation est de 12 mm Hg aux 2 yeux.

9/ Donnez les 4 diagnostics ophtalmologiques les plus probables devant ce tableau clinique.

L'examen du fond d'oeil dilaté gauche vous est présenté ci dessous :

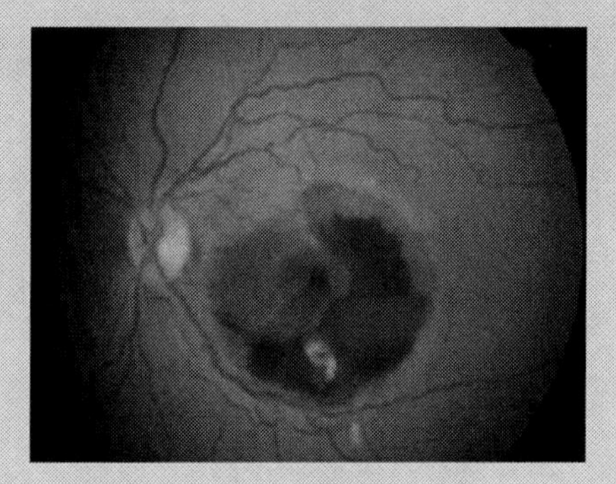

10/ Quel diagnostic suspectez-vous ? Quel traitement (1 seule réponse) débuteriez-vous en cas de confirmation diagnostique ?

Corrigé

PREMIERE LECTURE

Difficulté du dossier : 1/3

Dossier transversal mais facile.

A classer en 1ere position parmi les 3 dossiers de l'épreuve.

Mots clés à inscrire sur le brouillon :

DMLA exsudative = IVT d'anti VEGF.

GRILLE DE CORRECTION

1	Comment pouvez-vous affirmer le caractère binoculaire de cette diplopie ?	Grille classique	Grille ECN
	• Suppression de la diplopie à la fermeture d'un œil.	5	5
		5	

2	Quelle anomalie constatez-vous ? Existe t-il un rapport avec sa diplopie ?	Grille classique	Grille ECN
	• Drusen	5	5
	• NON, pas de rapport.	5	5
		10	

3	Quel est cet examen ? Quelle en est votre interprétation ? Quel muscle est déficient et quelle est son innervation ?	Grille classique	Grille ECN
	• Examen :	-	-
	- Test de Hess Lancaster	4	4
	• Interprétation :	-	-
	- Hypoaction du muscle droit latéral / externe gauche	2	2
	- Hyperaction compensatrice du muscle droit médial / interne droit	2	2
	- Conformément à la loi de Sherrington	-	-
	• Muscle déficient : Muscle droit latéral / externe gauche	2	2
	• Innervation : Nerf VI / abducens gauche	2	2
		12	

4	**Que lui répondez-vous ? Justifiez votre réponse à partir de 2 éléments.**	Grille classique	Grille ECN
	• NON, pas d'indication	3	3
	• Car	-	-
	• Pas de gêne fonctionnelle ("toujours eu une bonne vue")	3	3
	• Acuité visuelle > 4/10e (seuil de l'HAS)	3	3
		9	

5	**Donnez les 2 anomalies biologiques sur le bilan sanguin. Comment les expliquez-vous (1 seule réponse) ?**	Grille classique	Grille ECN
	• Anomalies :	-	-
	- Hyponatrémie	2	2
	- Hypokaliémie	2	2
	• Explication :	-	-
	- Diurétique de l'anse / hydrochlorothiazide	6	6
		10	

6	**Quelles anomalies constatez-vous sur l'ECG ? Quelle en est l'explication (1 seule réponse) ?**	Grille classique	Grille ECN
	• Anomalies :	-	-
	- Hypertrophie ventriculaire gauche	2	2
	o Car indice de Sokolow > 35 mm	1	1
	- Ondes T négatives	2	2
	o En latéral (V4 V5 V6 D1 aVL)	1	1
	• Explication :	-	-
	- Hypertension artérielle / HTA	3	4
	- Systolique	1	-
		10	

7	**Légendez les éléments fléchés sur l'IRM.**	Grille classique	Grille ECN
	• 1 = Artère sylvienne	2	2
	• 2 = Artère cérébrale postérieure	2	2
	• 3 = Artère vertébrale	2	2
	• 4 = Nerf optique	2	2
	• 5 = Muscle grand oblique / oblique supérieur	2	2
	• 6 = Tronc basilaire	2	2
	• 7 = Ventricule latéral	2	2
		14	

8	Justifiez cette prescription.	Grille classique	Grille ECN
	• Prescription justifiée car :	-	-
	• Indiquée :	-	-
	- Episode d'accident vasculaire cérébral (diplopie binoculaire)	2	2
	- Permet une prévention secondaire cardiovasculaire	2	2
	- Contre indication à l'aspirine / kardegic car antécédent d'ulcère duodénal	2	2
	• Pas de contre indication :	2	2
	- Pas de chutes à répétition	-	-
	- Pas d'allergies	-	-
	• Balance bénéfices-risques favorable	2	2
		10	

9	Donnez les 4 diagnostics ophtalmologiques les plus probables devant ce tableau clinique.	Grille classique	Grille ECN
	• DMLA / dégénérescence maculaire liée à l'âge exsudative	3	3
	• OVCR / Occlusion veine centrale de la rétine	3	3
	• OACR / Occlusion artère centrale de la rétine	3	3
	• NOIAA / Neuropathie optique ischémique antérieure aigüe	3	3
		12 PLUS DE 4 REPONSES = ZERO	

10	Quel diagnostic suspectez-vous ? Quel traitement (1 seule réponse) débuteriez-vous en cas de confirmation diagnostique ?	Grille classique	Grille ECN
	• Diagnostic :	-	-
	- DMLA	2	2
	- Exsudative	2	2
	- De l'oeil gauche	-	-
	• Traitement :	-	-
	- Injections intra vitréennes / IVT	2	2
	- D'anti VEGF	2	2
		8	

COMMENTAIRES

Questions	Commentaires
Général	• 39 MOTS CLES.
1	• Diplopie. Précisez toujours le caractère monoculaire (causes ophtalmologiques donc non urgentes) ou binoculaire (causes souvent neurologiques : vasculaires, inflammatoires donc potentielles urgences vitales).
2	• Les drusen correspondent à l'accumulation pathologique de la phagocytose normale des photorécepteurs au niveau de l'épithélium pigmentaire. Les drusen sont situés entre l'épithélium pigmentaire et la membrane de Bruch (en avant de la choroïde). Ils sont un signe de vieillissement rétinien. • Il en existe 2 types : les miliaires (petits) et les séreux (plus gros avec des bords flous). • Ils siègent principalement au niveau du pôle postérieur : on parle alors de maculopathie liée à l'âge. • Attention, les drusen ne sont pas synonymes de DMLA. Ils sont un facteur de risque d'évolution vers une DMLA. • La présence de drusen séreux de grande taille et/ou d'anomalies pigmentaires justifie le recours aux compléments alimentaires. • Bien sûr, aucun rapport avec la diplopie binoculaire.
3	• Le test de Lancaster est indispensable devant toute diplopie binoculaire : il confirme le caractère binoculaire de la diplopie, le muscle atteint, et permet le suivi de la diplopie. • La loi de Sherrington dit que toute hypoaction d'un muscle est compensée par une hyperaction du muscle agoniste de l'autre œil. • Innervation : • III => droit supérieur, inférieur, médial, petit oblique, releveur de la paupière et aussi les 2 muscles intrinsèques (muscle sphincter de la pupille, nerf ciliaire). • IV => grand oblique. • VI => droit latéral.
4	• La gêne fonctionnelle (qui dépend de l'âge du patient, de ses activités au quotidien : conduite, travail...) et l'acuité visuelle sont les 2 principaux paramètres permettant de poser l'indication de la chirurgie.
5	• Pensez toujours à l'origine iatrogène. • Effets secondaires des thiazidiques : hypotension orthostatique, hyponatrémie, hypokaliémie, alcalose métabolique, hyper uricémie, hyperglycémie, hypersensibilité.
6	• L'HTA augmente la post charge ventriculaire gauche. En réponse à cela, le myocarde du VG va s'hypertrophier pour maintenir un volume d'éjection systolique stable. Cela se traduit par une HVG systolique sur l'ECG.
7	• RAS.
8	• Pour justifier une prescription médicamenteuse, j'utilisais toujours le même plan : médicament indiqué (bénéfices...), pas de contre indications, balance bénéfice-risques favorables. • Pareil pour justifier un examen d'imagerie : examen indiqué (permet le diagnostic positif, étiologique, lésionnel, extension, signes de gravité, élimine les diagnostics différentiels...), pas de contre indication, balance bénéfices-risques ou cout-bénéfices favorable. • La diplopie par atteinte du VI chez le sujet âgé aux FDRCV est TRES fréquente. Elle

	est en général due à l'obstruction de l'artère vascularisant le nerf VI. Il s'agit donc 'un accident vasculaire cérébral à minima qui justifie un bilan cardiovasculaire complet. Dans plus de 80% des cas, l'évolution est spontanément favorable avec régression de la diplopie en quelques semaines.
9	• Il faut évoquer la DMLA exsudative bien sûr car le patient avait des drusen, et aussi en priorité les causes vasculaires chez ce patient aux ATCD d'AVC : NOIAA, OVCR et OACR. • HIV = non car reflet pupillaire normal (non hémorragique). • NORB = ce n'est pas le terrain. • DR = non car pas de myodesopsies, pas de phosphènes, pas de facteurs de risque.
10	• DMLA exsudative car hémorragie / hématome maculaire. • Examens à pratiquer : OCT et angiographie à la fluorescéine (examen de l'œil adelphe aussi +++). • Traitement : IVT d'anti VEGF : protocole d'attaque avec 3 IVT d'anti VEGF à 1 mois d'intervalle. Ensuite, plusieurs schémas de réinjection sont possibles (systématique, inject and extend, pro re nata... => hors programme).

ITEMS ABORDEES

Items	Intitulés
60	• DMLA
176	• Prescription et surveillance des diurétiques
187	• Anomalies de la vision d'apparition brutale
309	• ECG

Dossier thématique transversal 28

Enoncé

Mme M, patiente de 29 ans, se présente à votre consultation hospitalière d'ophtalmologie pour une baisse d'acuité visuelle bilatérale indolore prédominant à droite, évoluant depuis de nombreux mois et qu'elle avait mis sur le compte d'une fatigue chronique. Elle vous explique que cela la gène considérablement pour regarder la télévision ou lire ses SMS. Elle n'a pas vu d'ophtalmologiste depuis plus de 10 ans.

Son principal antécédent est un diabète de type 1 découvert à l'âge de 10 ans actuellement traité par insulinothérapie selon un schéma basal bolus.

Elle n'a pas d'allergies et ne prend pas de médicaments.

Elle n'a pas d'emploi et n'en cherche visiblement pas.

Sa sœur est également diabétique et est traitée par levothyroxine pour une maladie de Hashimoto.

Mme M vous tend les résultats de sa dernière prise de sang remontant à 2 mois :
Hb = 9,1 g/dl, VGM = 125 fl, Réticulocytes = 15 000/mm3, GB = 7900/mm3, PNN = 4819/mm3, plaquettes = 226 000/mm3, VS = 25 mm (1ere heure) / 51 mm (2e heure), CRP = 2 mg/l, TP = 94%, TCA = 32,6 s (témoin 33s), urée = 0,22 g/l, créatinine = 63,6 µmol/l, protéinurie = 0,7 g/jour, HbA1c = 9,8 %, Na = 141 mmol/l, K+ = 4,3 mmol/l, Cl = 108 mmol/l, ASAT = 20 UI/l, ALAT = 25 UI/l, PAL = 75 UI/l, B9 = 10 µg/l (6-18 µg/l), TSH = 2,427 µUI/ml.

L'examen ophtalmologique est le suivant :
- **Motilité oculaire normale.**
- **Acuité visuelle non corrigée :**
  OD : 5/10e P6
  OG : 7/10e P4

1/ Donnez les 2 diagnostics ophtalmologiques les plus probables pouvant expliquer la plainte de votre patiente.

Vous poursuivez votre examen ophtalmologique :
- **Acuité visuelle corrigée :**
  OD : 6/10e P6
  OG : 7/10e P4
- **L'examen des segments antérieurs à la lampe à fente retrouve une cornée claire sans prise de fluorescéine, une chambre antérieure calme et profonde, un reflexe photomoteur normal et un cristallin clair.**

- La pression intra oculaire est de 13 mm Hg aux 2 yeux.
- Le fond d'oeil dilaté de l'oeil gauche est présenté ci dessous :

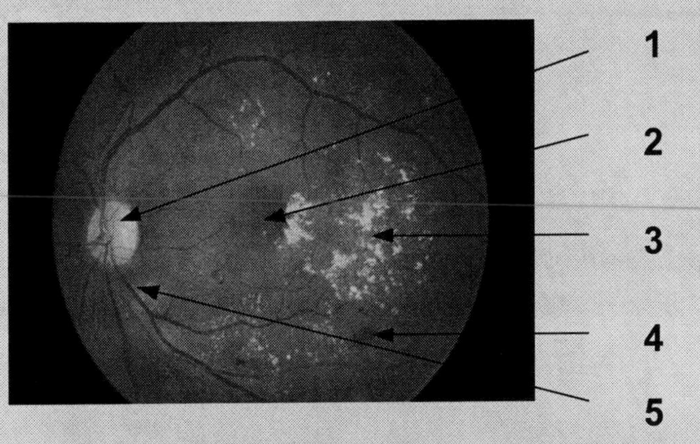

2/ Légendez les éléments fléchés du fond d'oeil gauche.

L'examen du fond d'oeil droit, complété par deux examens complémentaires, vous est présenté ci dessous :

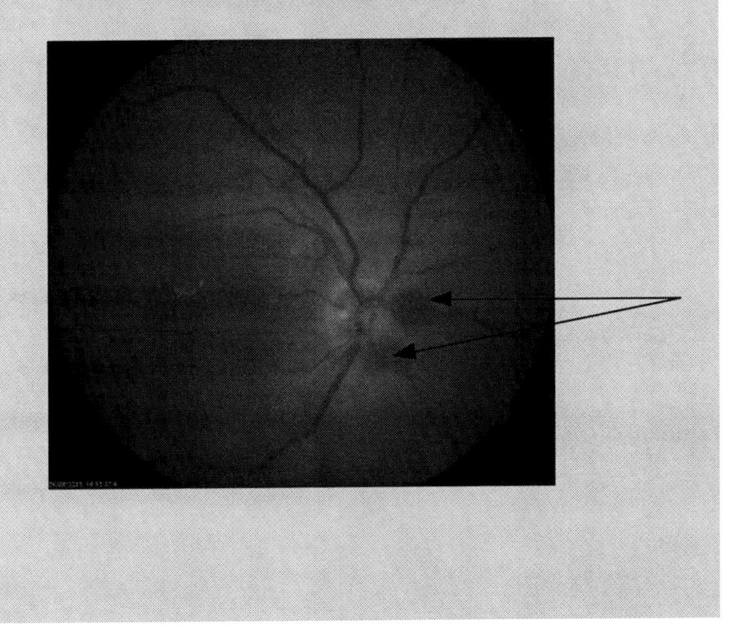

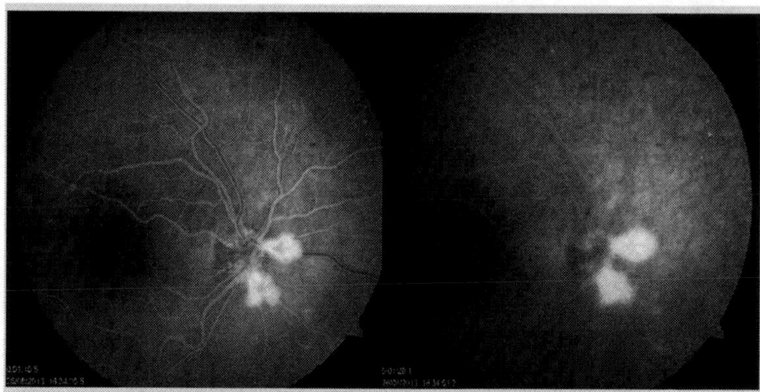

EXAMEN N°1

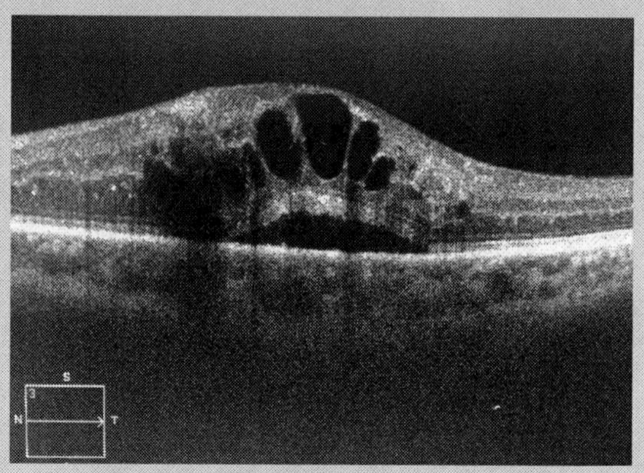

EXAMEN N°2

3/ Quels sont les 2 examens complémentaires réalisés ?

4/ A quoi correspond l'anomalie fléchée ? Donnez 3 complications ophtalmologiques potentielles de cette anomalie.

5/ Quel est votre diagnostic ophtalmologique ?

6/ Citez 3 facteurs de risque de progression de la pathologie présents dans l'énoncé.

7/ Comment expliquez-vous la baisse d'acuité visuelle de l'oeil droit ?

8/ Quel traitement ophtalmologique devez-vous réaliser rapidement ? Quel en est le principe physiopathologique ?

9/ Interprétez et expliquez les résultats du bilan sanguin.

10/ Quel diagnostic hématologique suspectez-vous ? Quelle en est l'étiologie la plus probable dans le cas présent ?

Corrigé

PREMIERE LECTURE

Difficulté du dossier : 2/3

Dossier de rétinopathie diabétique. Sujet à connaitre parfaitement +++.

A classer en 2e position parmi les 3 dossiers de l'épreuve.

Mots clés à inscrire sur le brouillon :

Diabète : HbA1c, dextro, 100%.

GRILLE DE CORRECTION

1	**Donnez les 2 diagnostics ophtalmologiques les plus probables pouvant expliquer la plainte de votre patiente.**	**Grille classique**	**Grille ECN**
•	Trouble de la réfraction / Amétropie	2	2
•	Rétinopathie diabétique	2	2
		4	

2	**Légendez les éléments fléchés du fond d'oeil gauche.**	**Grille classique**	**Grille ECN**
•	1 = Papille / nerf optique	2	2
•	2 = Macula	2	2
•	3 = Exsudat	2	2
•	4 = Hémorragie	2	2
•	5 = Vaisseau (artère ou veine) temporal inférieur (réponse complète exigée)	2	2
		10	

3	**Quels sont les 2 examens complémentaires réalisés ?**	**Grille classique**	**Grille ECN**
•	Examen N°1 : Angiographie rétinienne à la fluorescéine	4	4
•	Examen N°2 : OCT / Tomographie en Cohérence Optique	4	4
	- Maculaire	-	-
		8	

4	A quoi correspond l'anomalie fléchée ? Donnez 3 complications ophtalmologiques potentielles de cette anomalie	Grille classique	Grille ECN
	• Anomalie :	-	-
	- Néovaisseaux	4	6
	- Pré papillaires	2	-
	• Complications :	-	-
	- Hémorragie intra vitréenne ou pré rétinienne	3	3
	- Décollement de rétine TRACTIONNEL	3	3
	- Glaucome néovasculaire	3	3
		15 PLUS DE 3 REPONSES = ZERO	

5	Quel est votre diagnostic ophtalmologique ?	Grille classique	Grille ECN
	• Rétinopathie diabétique	4	4
	• Proliférante	4	4
	• Non compliquée	4	4
	• Avec œdème maculaire	-	-
	- Cystoïde	-	-
		12	

6	Citez 3 facteurs de risque de progression de la pathologie présents dans l'énoncé.	Grille classique	Grille ECN
	• Diabète ancien (19 ans ici)	3	3
	• Diabète déséquilibré / HbA1c élevée / malobservance	3	3
	• Protéinurie	3	3
		9 PLUS DE 3 REPONSES = ZERO	

7	Comment expliquez-vous la baisse d'acuité visuelle de l'oeil droit ?	Grille classique	Grille ECN
	• Œdème maculaire	5	6
	• Cystoïde	2	2
	• Diabétique	1	-
		8	

8	Quel traitement ophtalmologique devez-vous réaliser rapidement ? Quel en est le principe physiopathologique ?	Grille classique	Grille ECN
•	<u>Traitement :</u>	-	-
	- Pan photocoagulation laser / PPR	3	6
	- Au laser ARGON	1	-
	- En urgence car néovaisseaux	1	-
	- Bilatérale	1	-
•	<u>Principe :</u>	-	-
	- Coaguler / brûler la rétine périphérique	2	2
	- En épargnant le pole postérieur	-	-
	- Afin de détruire les zones d'ischémie rétiniennes	2	2
	- Et de stopper la production de VEGF induite par l'ischémie	2	2
	- Qui est à l'origine de la néovascularisation et de ses complications	-	-
		12	

9	Interprétez et expliquez les résultats du bilan sanguin.	Grille classique	Grille ECN
•	Anémie	2	2
•	Macrocytaire / mégalocytaire	2	2
•	Arégénérative	2	2
•	Dissociation VS élevée / CRP basse	1	1
	- En rapport avec l'anémie	1	1
•	Protéinurie élevée	1	1
	- En rapport avec la glomérulopathie diabétique	1	1
	- Sans insuffisance rénale	-	-
•	HbA1c élevée / >7%	2	2
		12	

10	Quel diagnostic hématologique suspectez-vous ? Quelle en est l'étiologie la plus probable dans le cas présent ?	Grille classique	Grille ECN
•	<u>Diagnostic :</u>	-	-
	- Carence en vitamine B12	5	5
•	<u>Etiologie :</u>	-	-
	- Maladie de Biermer	4	5
	- Rentrant dans le cadre d'une polyendocrinopathie auto immune (PEAI)	1	-
		10	

Questions	Commentaires
Général	• 35 MOTS CLES.
1	• Devant toute baisse d'acuité visuelle chronique indolore, il faut évoquer d'avant en arrière : • Trouble de la réfraction (ici l'acuité visuelle était donnée sans correction). • Pathologie cornéenne type kératocône chez un sujet jeune (mais trop complexe pour les ECN). • Cataracte : mais patiente trop jeune quand même. • Glaucome chronique : trop jeune. • Rétinopathies / maculopathies : endocrinienne (diabète), toxique (éthambutol, anti paludéens), dégénératives (DMLA, membranes épi rétiniennes mais trop jeune), inflammatoire (uvéites, syndrome des taches blanches...=> hors programme), infectieuse (toxoplasmose), tumoral. • Et les atteintes cérébrales. ⇨ N'oubliez pas que les troubles de la réfraction sont la 1ere étiologie de BAV chronique +++.
2	• Exsudats : tâches jaunes bien limitées. • Nodules cotonneux : tâches blanchâtres mal limitées.
3	• L'angiographie à la fluorescéine et l'OCT sont les 2 principaux examens complémentaires d'exploration de la rétine.
4	• Les néovaisseaux correspondent à des proliférations fibrovasculaires rouges-blanches se développant devant la papille, les arcades vasculaires. • Les néovaisseaux sont fragiles (ils fuient donc sont hyperfluorecents en angiographie et peuvent donner des hémorragies intra oculaires) et vicieux (ils prolifèrent, parfois jusqu' niveau de l'angle irido-cornéen entrainant un glaucome néovasculaire, ils peuvent tracter la rétine et donner un décollement de rétine tractionnel).
5	• Proliférante car présence de néovaisseaux. • Non compliquée car il n'y a pas encore de glaucome néovasculaire, de DR tractionnel, d'hémorragie intra oculaire. • Classification de la rétinopathie diabétique :

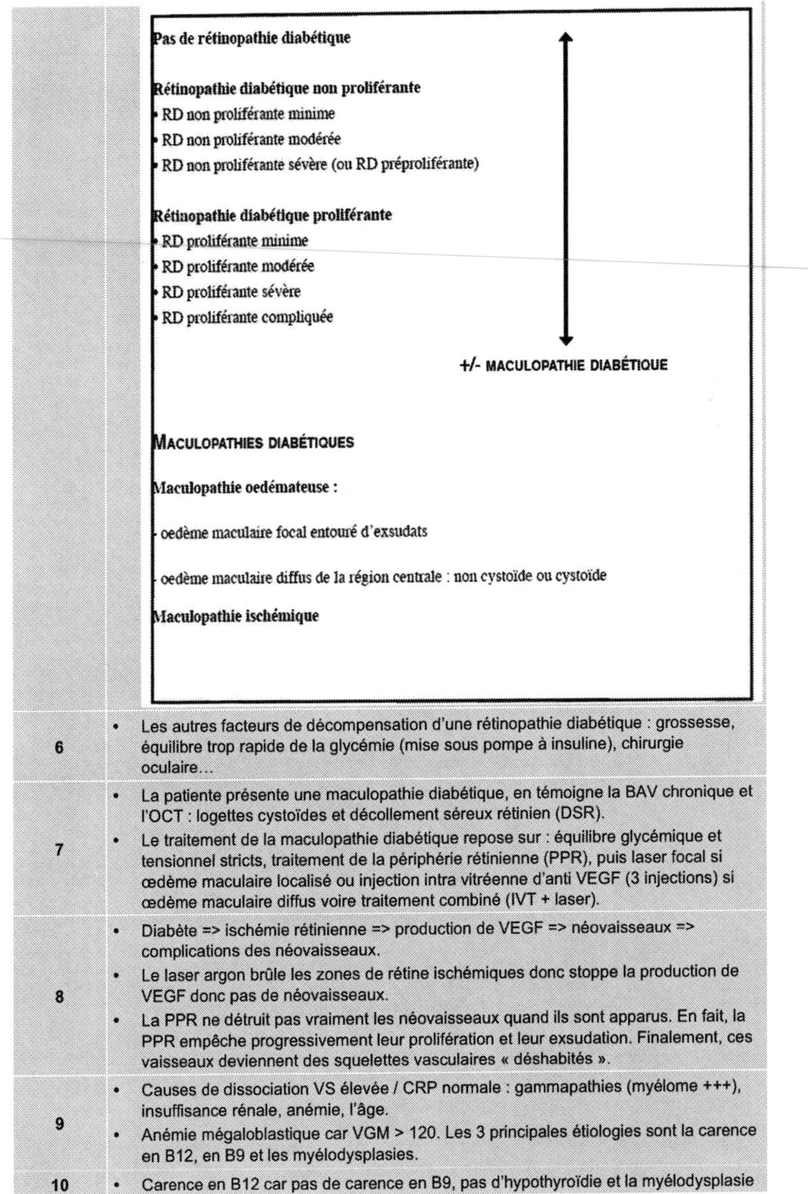

6	• Les autres facteurs de décompensation d'une rétinopathie diabétique : grossesse, équilibre trop rapide de la glycémie (mise sous pompe à insuline), chirurgie oculaire…
7	• La patiente présente une maculopathie diabétique, en témoigne la BAV chronique et l'OCT : logettes cystoïdes et décollement séreux rétinien (DSR). • Le traitement de la maculopathie diabétique repose sur : équilibre glycémique et tensionnel stricts, traitement de la périphérie rétinienne (PPR), puis laser focal si œdème maculaire localisé ou injection intra vitréenne d'anti VEGF (3 injections) si œdème maculaire diffus voire traitement combiné (IVT + laser).
8	• Diabète => ischémie rétinienne => production de VEGF => néovaisseaux => complications des néovaisseaux. • Le laser argon brûle les zones de rétine ischémiques donc stoppe la production de VEGF donc pas de néovaisseaux. • La PPR ne détruit pas vraiment les néovaisseaux quand ils sont apparus. En fait, la PPR empêche progressivement leur prolifération et leur exsudation. Finalement, ces vaisseaux deviennent des squelettes vasculaires « déshabités ».
9	• Causes de dissociation VS élevée / CRP normale : gammapathies (myélome +++), insuffisance rénale, anémie, l'âge. • Anémie mégaloblastique car VGM > 120. Les 3 principales étiologies sont la carence en B12, en B9 et les myélodysplasies.
10	• Carence en B12 car pas de carence en B9, pas d'hypothyroïdie et la myélodysplasie

	est peu probable à cet âge. • Sur ce terrain auto immun personnel et familial, la 1ere étiologie à évoquer est la maladie de Biermer.

ITEMS ABORDEES

Items	Intitulés
233	• Diabète sucré type 1 et 2
293	• Orientation diagnostique devant une altération de la fonction visuelle
297	• Orientation diagnostique devant une anémie

Dossier thématique transversal 29

Enoncé

Une patiente de 77 ans se présente aux consultations de votre hôpital pour une baisse d'acuité visuelle bilatérale prédominant à droite, évoluant depuis au moins 5 ans, sans douleurs. La patiente se dit aujourd'hui particulièrement handicapée dans la vie quotidienne, notamment lors de la conduite nocturne en raison d'un éblouissement intense par les phares des voitures.
Il s'agit d'une patiente dyslipidémique, hypertendue avec insuffisance rénale chronique modérée. Son traitement associe kardegic, furosémide, atorvastatine. Elle n'a pas d'allergies connues.

L'examen ophtalmologique est le suivant :

- Auto réfractométrie automatique :
  OD : +2,50 (–0,50, 35°)
  OG : +2 (-0,75, 30°)
- Acuité visuelle corrigée :
  OD : 3/ 10e P5
  OG : 5/10e P4
- L'examen du segment antérieur de l'oeil droit à la lampe à fente après dilatation est le suivant :

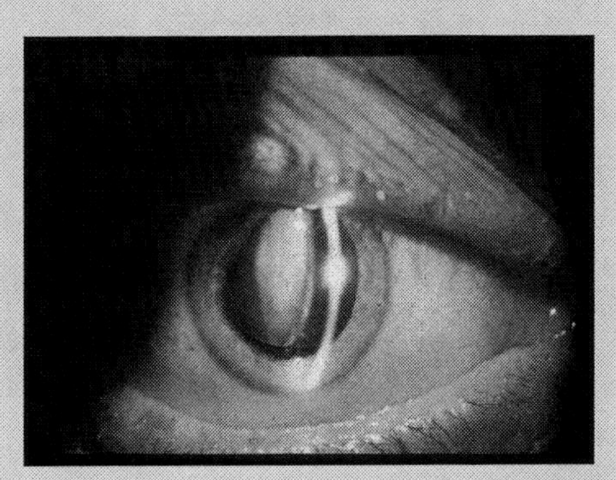

- La tension intra oculaire à aplanation retrouve 14 mm Hg aux 2 yeux.
- L'examen du fond d'oeil droit dilaté est le suivant :

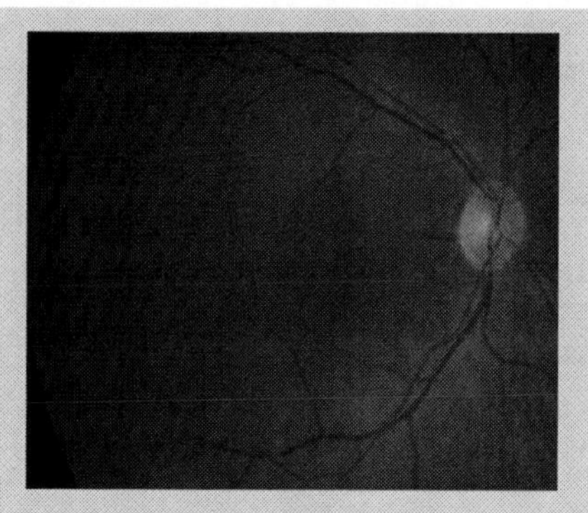

1/ Quelle est la cause de sa baisse d'acuité visuelle de l'oeil droit ? Justifiez.
2/ Donnez 2 arguments en faveur d'une indication opératoire.
3/ Quels examens complémentaires demandez vous en vue de l'opération ? Dans quel(s) but(s) ?

Vous programmez l'intervention à votre patiente.
Le lendemain, vous la revoyez, avec surprise, en urgence à votre consultation pour un oeil droit rouge et douloureux avec céphalées hémi crâniennes droites intenses associé à une baisse d'acuité visuelle. Elle a présenté 2 épisodes de vomissement la nuit dernière.
L'examen ophtalmologique retrouve :
- Acuité visuelle :
  OD : simple perception lumineuse
  OG : 5/10e
- L'examen du segment antérieur à la lampe à fente de l'oeil droit est le suivant :

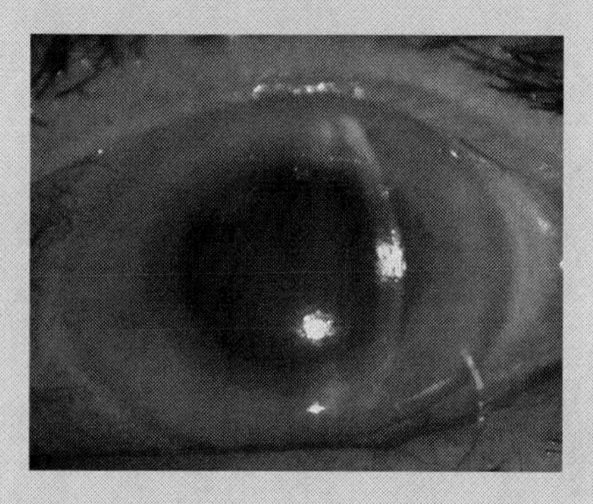

4/ Quel diagnostic portez-vous ? Comment le confirmez-vous ? (1 seule réponse)

5/ Quel en est le principal mécanisme physiopathologique ? Donnez 3 facteurs prédisposant à cette pathologie présents dans cette observation.

Vous hospitalisez votre patiente en ophtalmologie. Vous débutez rapidement un traitement systémique et local adapté comprenant notamment de l'acétazolamide par voie intra veineuse.

6/ Quel est le risque principal de ce médicament chez cette patiente ? Justifiez.

Les suites sont finalement favorables. Vous décidez 3 mois plus tard d'opérer votre patiente de sa cataracte de l'oeil droit.
L'opération s'effectue en ambulatoire, sans incident particulier.

7/ Quels sont les principes de la chirurgie ambulatoire ?

Vous revoyez votre patiente le lendemain pour la consultation de contrôle post opératoire. La patiente se plaint de douleurs de l'oeil droit intenses apparues dans la nuit.

8/ Donnez les 3 principaux diagnostics que vous devez évoquer en priorité.

L'évolution est rapidement favorable. Vous revoyez votre patiente à 1 semaine puis à 1 mois. Vous lui prescrivez alors une paire de lunettes adaptée. L'acuité visuelle est remontée à 8/10e P2 à l'oeil droit. L'examen des segments antérieurs et postérieurs est sans particularités.
La patiente reconsulte 1 mois plus tard et se plaint d'une nouvelle baisse d'acuité visuelle de son oeil droit, totalement indolore cette fois ci.
L'examen ophtalmologique retrouve :

- **Acuité visuelle corrigée :**
  OD : 4/10e P10
  OG : 5/10e P4
- **L'examen biomicroscopique des segments antérieurs et postérieurs (FO) est sans particularités.**
- **La tension intra oculaire est à 13 mm Hg aux 2 yeux.**

Vous effectuez sur l'oeil droit l'examen suivant :

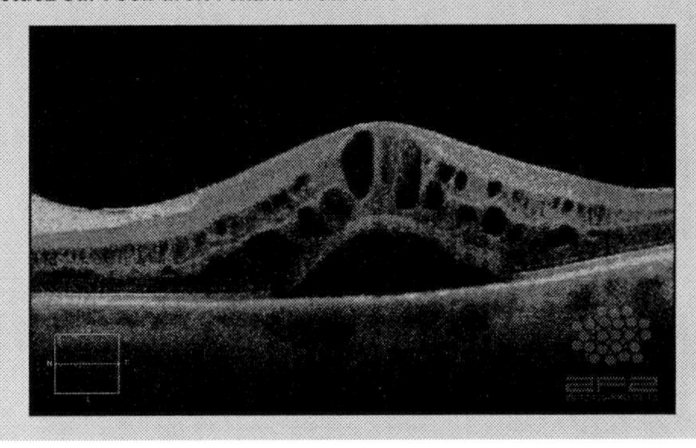

9/ Quel est cet examen? Quel diagnostic retenez-vous ?

Vous prescrivez un traitement local et systémique adapté améliorant rapidement la situation de votre patiente. Vous la perdez de vue pendant 2 ans.
Cette dernière revient une nouvelle fois en consultation pour, encore une fois, baisse d'acuité visuelle de son oeil droit, toujours indolore, de survenue progressive. Elle ne ressent aucune autre gêne oculaire.
Votre examen retrouve :

- **Acuité visuelle corrigée :**
  OD : 5/10e P5
  OG : 4:10e P6
- **L'examen du segment antérieur à la lampe à fente de l'oeil droit dilaté est présenté ci dessous:**

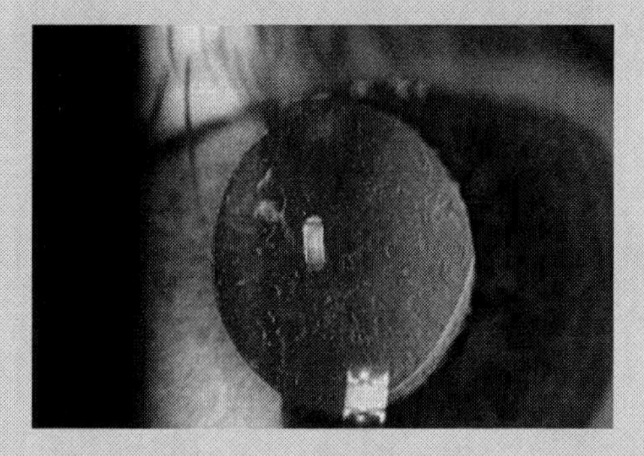

- **La tonométrie est à 14 mm Hg aux 2 yeux.**
- **Le fond d'oeil dilaté est sans particularité.**

10/ Quel diagnostic portez-vous ? Quel traitement lui proposez-vous ? (1 seule réponse)

Corrigé

PREMIERE LECTURE

Difficulté du dossier : 1/3

Dossier facile de cataracte et des suites post opératoires d'une chirurgie de cataracte.
A classer en 1ere position parmi les 3 dossiers de l'épreuve.

Mots clés à inscrire sur le brouillon :

Œil rouge douloureux + BAV chez un patient âgé avec cataracte = GAFA jusqu'à preuve du contraire +++.

GRILLE DE CORRECTION

1	Quelle est la cause de sa baisse d'acuité visuelle de l'oeil droit ? Justifiez.	Grille classique	Grille ECN
	• Cause :	-	-
	- Cataracte	4	4
	- Cortico-nucléaire	1	2
	- Sénile	1	-
	• Justification :	-	-
	- Age élevé	1	1
	- Argument de fréquence	-	-
	- Baisse d'acuité visuelle	1	1
	- Prédominant de loin (échelle de Monnoyer plus altérée que celle de Parinaud)	1	1
	- Progressive / chronique	1	1
	- Indolore	-	-
	- Bilatérale	1	1
	- Mais asymétrique	1	1
	- Photophobie	1	1
	- Opacification cristallinienne à la lampe à fente / segment antérieur	1	1
	- Fond d'œil normal	1	1
	- Pas de DMLA	1	1
	- Pas de glaucome / papille non excavée / pas d'hypertonie oculaire	-	-
		16	

2	Donnez 2 arguments en faveur d'une indication opératoire.	Grille classique	Grille ECN
	• Gêne fonctionnelle	3	3
	• Acuité visuelle < 5/10e	3	3
		6 PLUS DE 2 REPONSES = ZERO	

3	Quels examens complémentaires demandez-vous en vue de l'opération ? Dans quel(s) but(s) ?	Grille classique	Grille ECN
	• Bilan pré opératoire (hémostase...)	2	2
	• Consultation d'anesthésie (même si sous AL)	2	2
	• Mesure de la puissance de l'implant :	2	2
	- Kératométrie	2	2
	- Mesure de la longueur axiale de l'œil	2	2
	SI BIOMETRIE : COMPTER LES 4 POINTS		
	TOUT EXAMEN POUR CONFIRMER LE DIAGNOSTIC DE CATARACTE = ZERO A LA QUESTION, CAR LE DIAGNOSTIC EST CLINIQUE +++		
		10	

4	Quel diagnostic portez-vous ? Comment le confirmez-vous ? (1 seule réponse)	Grille classique	Grille ECN
	• Diagnostic :	-	-
	- Glaucome aigu par fermeture de l'angle / GAFA	5	6
	- De l'œil droit	1	-
	• Confirmation :	-	-
	- Pression intra oculaire élevée	4	4
		10	

5	Quel en est le principal mécanisme physiopathologique ? Donnez 3 facteurs prédisposant à cette pathologie présents dans cette observation	Grille classique	Grille ECN
	• Mécanisme :	-	-
	- Bloc pupillaire	3	3
	• Facteurs de risque :	-	-
	- Hypermétropie / chambre antérieure étroite	3	3
	- Cataracte mûre	3	3
	- Dilatation la veille chez l'ophtalmologiste / mydriase iatrogéne	3	3
		12	

6	Quel est le risque principal de ce médicament chez cette patiente ? Justifiez.	Grille classique	Grille ECN
	• Risque :	-	-
	- Hypokaliémie	4	4
	• Justification :	-	-
	- Patiente insuffisante rénale	2	2
	- Sous diurétiques hypokaliémiant / furosémide	2	2
		8	

7	Quels sont les principes de la chirurgie ambulatoire ?	Grille classique	Grille ECN
	• Principes :	-	-
	- Pour de la chirurgie programmée	1	-
	- Peu lourde / ne nécessitant pas de surveillance intensive	1	-
	- Chez des patients observants / ayant compris les informations	1	2
	- Education thérapeutique	1	-
	- Ne vivant pas seuls à domicile	1	2
	- Le patient récupère l'ensemble des numéros de téléphone d'urgence	1	-
	- Entrée le matin de l'intervention	1	2
	- Surveillance post opératoire minimale	1	2
	- Sortie quelques heures plus tard	1	2
	- Contrôle clinique le lendemain	1	-
	• Intérêts :	-	-
	- Réduction des coûts de santé +++	-	-
	- Améliore le confort du patient	-	-
		10	

8	Donnez les 3 principaux diagnostics que vous devez évoquer en priorité.	Grille classique	Grille ECN
	• Endophtalmie aigüe	4	4
	• Hypertonie aigüe	4	4
	• Kératite aigüe / ulcération cornéenne	4	4
	OUBLI ENDOPHTALMIE = ZERO A LA QUESTION		
		12	

9	Quel est cet examen? Quel diagnostic retenez-vous ?	Grille classique	Grille ECN
	• Examen :	-	-
	- OCT / tomographie en cohérence optique	**3**	**4**
	- Maculaire	**1**	-
	- De l'oeil droit	-	-
	• Diagnostic :	-	-
	- Syndrome d'Irvine Gass / œdème maculaire cystoïde post opératoire	**4**	**4**
		8	

10	Quel diagnostic portez-vous ? Quel traitement lui proposez-vous ? (1 seule réponse)	Grille classique	Grille ECN
	• Diagnostic :	-	-
	- Opacification capsulaire postérieure	**4**	**4**
	Cataracte secondaire = 2 points seulement		
	• Traitement :	-	-
	- Capsulotomie	**2**	**2**
	- Au laser YAG	**2**	**2**
		8	

COMMENTAIRES

Questions	Commentaires
Général	• 41 MOTS CLES.
1	• Il suffit de reprendre toutes les données de l'énoncé et d'interpréter la photographie. • La cataracte correspond à la partie jaunâtre vue au niveau du cristallin. • Justification d'un diagnostic => TA FAC PD.
2	• Vous les connaissez par cœur maintenant je pense.
3	• La biométrie comprend la kératométrie et la mesure de la longueur axiale de l'œil. • Kératométrie = mesure la puissance réfractive de la cornée (environ 40 dioptries). • Mesure de la longueur axiale de l'œil (22 mm en moyenne) avec l'échographie en mode A (A comme Axial). • Toujours une consultation d'anesthésie même si c'est juste une AL, car il s'agit souvent de patients âgés à risque de décompensation (classique OAP per opératoire favorisé par la position allongée et l'HTA induite par le stress et la non prise le matin de l'opération de leur médicament anti hypertenseur qu'ils auraient dû prendre)...
4	• GAFA car œil rouge douloureux, BAV massive, œdème cornéen (regard « glauque »), semi mydriase, chambre antérieure étroite. • La PIO sera TRES élevée, > 50 mm Hg. Le mieux est de la prendre par aplanation, mais, si vous n'êtes pas ophtalmo, il suffit de faire une palpation bi digitale du globe qui sera dur comme une « bille de verre ».
5	• Bloc pupillaire : il se produit un accolement à 360° entre le cristallin et l'iris => l'humeur aqueuse ne peut plus passer en chambre antérieure => elle s'accumule en chambre postérieure => la chambre postérieure va monter en pression et va venir bomber vers l'avant et fermer l'angle irido-cornéen. C'est le GAFA. • L'iridotomie périphérique empêche tout bloc pupillaire car elle crée un shunt entre chambre antérieure et postérieure. • Patiente hypermétrope car valeurs positives à l'auto-réfractomètre. • Le GAFA iatrogéne du à l'ophtalmo qui dilate est un grand classique. C'est pourquoi il faut toujours évaluer la profondeur de la chambre antérieure avant de dilater un patient pour un FO. • Les principaux facteurs de risque de GAFA sont : cataracte avancée (donc l'âge), chambre antérieure étroite / hypermétropie, le sexe féminin, l'origine ethnique (asiatiques +++).
6	• CAT : diminuer les doses de DIAMOX® et supplémentation potassique systématique avec contrôle quotidien du ionogramme et ECG avant traitement.
7	• Question pas vraiment au programme, mais capitale à connaître car l'un des objectifs de santé dans les années à venir et d'augmenter la part de la chirurgie ambulatoire au dépend de l'hospitalisation, comme dans les pays scandinaves.
8	• Toute douleur ou BAV post op = endophtalmie. • L'hypertonie est TRES fréquente (due au produit visqueux à base d'acide hyaluronique que l'on met dans l'oeil en per opératoire pour maintenir un volume du globe normal. Ce produit doit s'évacuer en fin d'intervention mais parfois il en reste un peu et il est mal éliminé par le trabéculum donc hypertonie. Le traitement repose sur le Diamox®. • Les kératites sont très fréquentes aussi. Ce sont surtout des kératites toxiques dues à la toxicité épithéliale de la bétadine ophtalmologique utilisée en antisepsie pré opératoire.

9	• Irvine Gass = œdème maculaire cystoïde inflammatoire post opératoire. Apparaît vers le 1er mois post opératoire. Traitement à base d'anti inflammatoires locaux et d'acétazolamide per os (+ Diffu K).
10	• Sujet déjà abordé.

ITEMS ABORDEES

Items	Intitulés
58	• Cataracte
187	• Anomalies de la vision d'apparition brutale
212	• Œil rouge douloureux

Dossier thématique transversal 30

Enoncé

Un homme de 38 ans, d'origine tunisienne vivant en France depuis 2 ans, sans antécédents particuliers, sans allergies, sans traitement, se présente chez un médecin généraliste pour une douleur génitale importante évoluant depuis 5 jours survenue spontanément.
L'examen génital est le suivant :

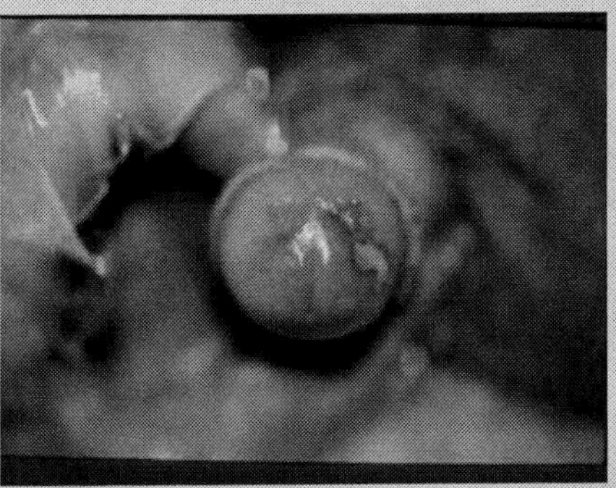

1/ A partir de la photographie ci dessus, citez les 2 principaux diagnostics étiologiques à évoquer.

Une semaine plus tard, le patient se présente aux urgences ophtalmologiques de votre hôpital pour un oeil gauche rouge, douloureux avec sensation de voile et de points noirs flottants devant l'oeil depuis 24 heures maintenant.
L'examen ophtalmologique est le suivant :

- **Acuité visuelle avec correction adaptée :**
  OD : 10/10e P2
  OG : 4/10e P10

2/ Citez les 2 diagnostics ophtalmologiques que vous devez évoquer en priorité devant ce tableau clinique.

Vous poursuivez votre examen :

- **L'examen de l'oeil droit est normal.**
- **L'examen du segment antérieur de l'oeil gauche à la lampe à fente retrouve une cornée claire, sans prise de fluorescéine, un reflexe photomoteur normal, un cristallin clair.**
- **La pression intra oculaire est de 15 mm Hg aux 2 yeux.**

Deux photographies du segment antérieur gauche sont présentées ci-dessous :

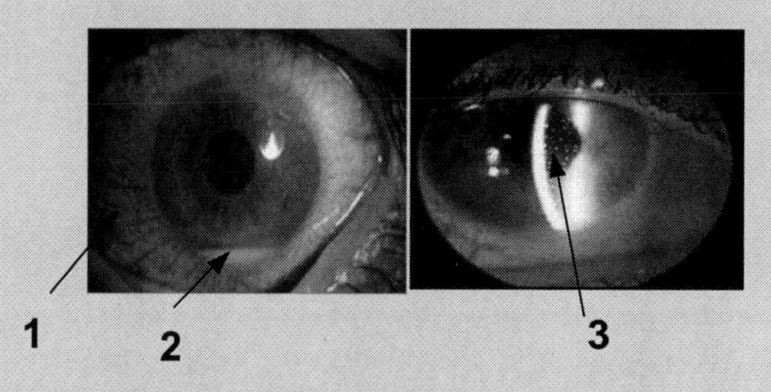

3/ Légendez les éléments fléchés.

L'examen du fond d'oeil dilaté de l'oeil gauche retrouve une hyalite à 2+, des exsudats maculaires et une vascularite veineuse diffuse.
Vous complétez l'examen du patient par l'examen suivant centré sur la macula gauche :

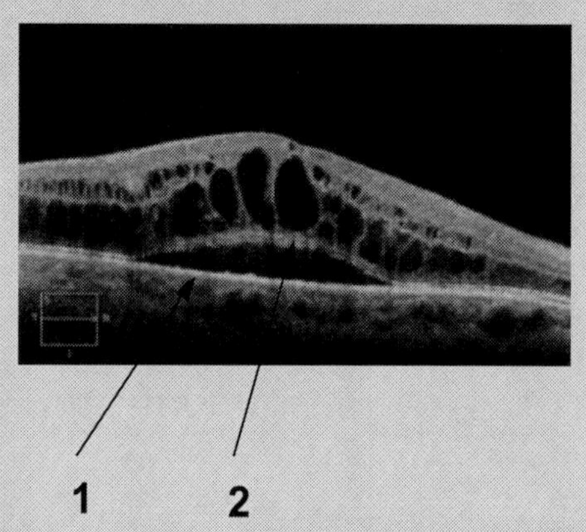

4/ Quel est cet examen ? Légendez les 2 anomalies fléchées. Quel est votre diagnostic maculaire ?

5/ Quel est votre diagnostic ophtalmologique complet de l'oeil gauche ?

Vous décidez d'hospitaliser votre patient en ophtalmologie. Lors de l'enregistrement, il vous explique qu'il vit en France en situation irrégulière.

6/ Quelle mesure médico-sociale devez-vous mettre en place ? Quelles en sont les 3 conditions ?

Vous hospitalisez finalement votre patient. Le lendemain, il vous dit avoir des douleurs buccales, spontanées, accentuées lors de l'alimentation, depuis 3 jours.
Une photographie de votre examen buccal est présentée ci dessous :

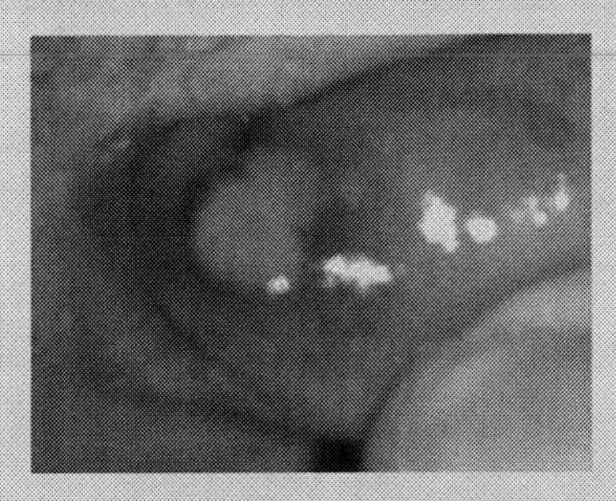

7/ Quelle maladie systémique sous jacente devez-vous évoquer dans ce cas précis ? Justifiez.

Votre diagnostic se confirme. Votre traitement associe une corticothérapie locale et systémique intensive avec décroissance progressive.
Votre patient sort de l'hôpital au 10e jour. L'examen ophtalmologique s'est normalisé.

Cependant, 3 mois plus tard, le patient se présente à nouveau aux urgences ophtalmologiques de votre hôpital. Il vous explique qu'il pense être victime d'une récidive aux 2 yeux.
En effet, il présente un flou visuel bilatéral depuis 3 jours associé à des céphalées diffuses importantes. Il a présenté ce matin un épisode de vomissement.
Les constantes à l'accueil sont : TA = 135/85 mm Hg, FC = 75/min, Sp02 = 99%, T° = 37,5°.
L'examen ophtalmologique est le suivant :
- Acuité visuelle corrigée = 8/10e bilatéral.
- L'examen du segment antérieur à la lampe à fente retrouve une cornée claire, une chambre antérieure calme et profonde un reflexe photomoteur normal.
- La pression intra oculaire est de 12 mm Hg aux 2 yeux.
- L'examen du fond d'oeil dilaté est le suivant :

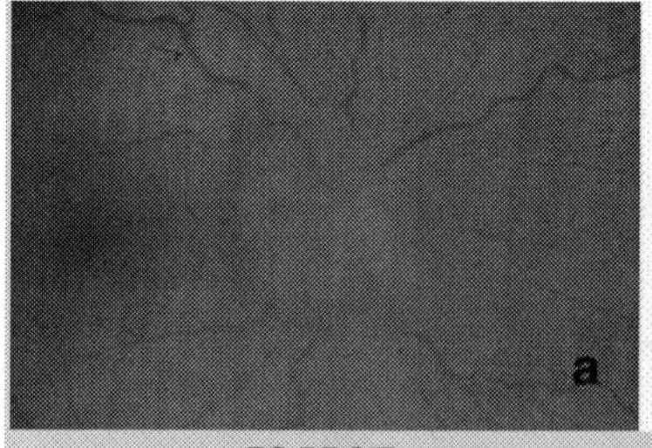

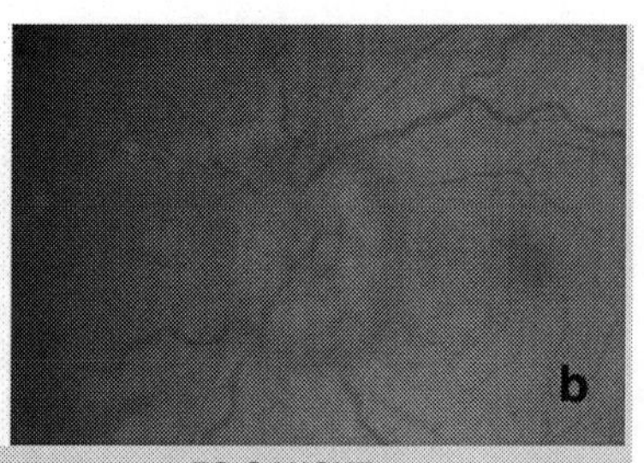

FO DROIT **FO GAUCHE**

8/ Quel est votre diagnostic ophtalmologique ?

Vous réalisez l'examen suivant :

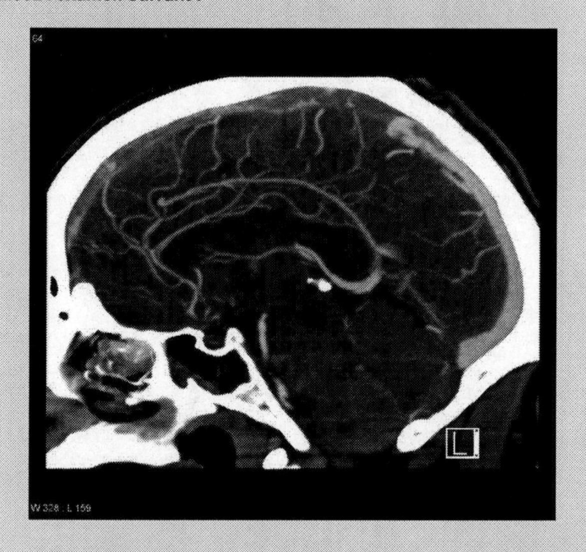

9/ Quel est cet examen ? Quelle anomalie constatez-vous ? (1 seule réponse)

10/ Quelle molécule prescrivez-vous en urgence (DCI, voie d'administration, posologie) ?

Corrigé

PREMIERE LECTURE

Difficulté du dossier : 3/3

Dossier très transversal et assez long.

A classer en 3e position parmi les 3 dossiers de l'épreuve.

Mots clés à inscrire sur le brouillon :

Œdème papillaire bilatéral = urgence vitale = imagerie cérébrale en urgence.

GRILLE DE CORRECTION

1	A partir de la photographie ci dessus, citez les 2 principaux diagnostics étiologiques à évoquer.	Grille classique	Grille ECN
	• Herpes génital	4	4
	• Aphte génital	4	4
		8 PLUS DE 2 REPONSES = ZERO	

2	Citez les 2 diagnostics ophtalmologiques que vous devez évoquer en priorité devant ce tableau clinique.	Grille classique	Grille ECN
	• Uvéite antérieure aigüe	4	4
	• Kératite aigüe	4	4
		8 PLUS DE 2 REPONSES = ZERO	

3	Légendez les éléments fléchés.	Grille classique	Grille ECN
	• 1 = Cercle périkératique	3	3
	• 2 = Hypopion	3	3
	• 3 = Précipités rétrodescemétiques / retro-cornéens	3	3
		9	

4	Quel est cet examen ? Légendez les 2 anomalies fléchées. Quel est votre diagnostic maculaire ?	Grille classique	Grille ECN
	• Examen : OCT / tomographie en cohérence Optique	5	5
	• Anomalies :	-	-
	- 1 = Décollement séreux rétinien	3	3
	- 2 = Logettes cystoïdes	3	3
	• Diagnostic :	-	-
	- Œdème maculaire	3	4
	- Cystoïde	1	-
		15	

5	Quel est votre diagnostic ophtalmologique complet de l'oeil gauche ?	Grille classique	Grille ECN
	• Pan-uvéite	6	6
	• Inflammatoire	-	-
	• De l'oeil gauche	-	-
		6	

6	Quelle mesure médico-sociale devez-vous mettre en place ? Quelles en sont les 3 conditions ?	Grille classique	Grille ECN
	• Mesure :	-	-
	- AME / Aide médicale d'état	6	6
	• Conditions :	-	-
	- Séjour en France > 3 mois	2	2
	- En situation irrégulière	2	2
	- Sous condition de ressources / finances	2	2
		12	

7	Quelle maladie systémique sous jacente devez-vous évoquer dans ce cas précis ? Justifiez.	Grille classique	Grille ECN
	• Maladie :	-	-
	- Maladie de Behcet	6	6
	• Justification :	-	-
	- Originaire du pourtour méditerranéen	2	2
	- Aphtose bipolaire	2	2
	- Pan uvéite	1	2
	- À hypopion	1	-
		12	

8	Quel est votre diagnostic ophtalmologique ?	Grille classique	Grille ECN
	• Œdème papillaire	4	6
	• Bilatéral	1	-
	• De stase	1	-
	• Hypertension intra crânienne / HTIC	-	-
		6	

9	Quel est cet examen ? Quelle anomalie constatez-vous ? (1 seule réponse)	Grille classique	Grille ECN
	• Examen :	-	-
	- Scanner / TDM injecté OU angioscanner	2	4
	- Cérébral	1	-
	- En coupe sagittale	1	-
	• Anomalie :	-	-
	- Thrombophlébite	6	6
	- Du sinus longitudinal supérieur	2	2
		12	

10	Quelle molécule prescrivez-vous en urgence (DCI, voie d'administration, posologie)	Grille classique	Grille ECN
	• HNF / Héparine non fractionnée	4	4
	- Intraveineuse	4	4
	- 500 UI/kg/jour	4	4
	• Enoxaparine (LOVENOX®)	4	4
	- Sous cutanée	4	4
	- 100 UI/kg/jour x2/jour	4	4
	• Tinzaparine (INNOHEP®)	4	4
	- Sous cutanée	4	4
	- 175 UI/kg/jour x1/jour	4	4
	AU CHOIX : UNE DES TROIS POSSIBILITES CI DESSUS		
		12	

COMMENTAIRES

Questions	Commentaires
Général	• 27 MOTS CLES.
1	• La syphilis donne une ulcération INDOLORE. • Il n'y a pas eu de traumatisme donc l'ulcération post traumatique n'est pas valable ici.
2	• Il s'agit d'un œil rouge, douloureux avec BAV. • GAFA : non car ce n'est pas le terrain. • Endophtalmie : non car pas de contexte post opératoire. • Les kératites sont de loin les plus fréquentes.
3	• On a donc une uvéite antérieure. • Le cercle périkératique est une rougeur importante surtout autour de la cornée => c'est le témoin d'une pathologie grave du segment antérieur. • En pratique, il est très difficile de vous montrer une photo d'un effet Tyndall à l'ECN car c'est particulièrement fin et difficile à photographier. En revanche, les précipités rétro cornéens sont faciles à photographier...
4	• Il s'agit d'un œdème maculaire d'origine inflammatoire, du à une uvéite postérieure. • L'uvéite postérieure peut toucher le nerf optique (papillite), la macula (œdème maculaire), les vaisseaux (vascularite), la choroïde-rétine (foyer choriorétinien). • Aujourd'hui, le diagnostic d'œdème maculaire repose principalement sur l'OCT.
5	• Pan uvéite = uvéite antérieure (CPK, Tyndall, précipités rétro cornéens, synéchies irido-cristalliniennes, hypopion, nodules iriens) + uvéite intermédiaire (hyalite, banquise) + uvéite postérieure (papillite, œdème maculaire, vascularite, choriorétinite, décollement rétinien exsudatif). • La 1ere étiologie de pan uvéite est la toxoplasmose +++.
6	• Bien connaitre les mesures médico-sociales car facilement tombable, notamment l'AME.
7	• Aphtose bipolaire = aphte génital + buccal. • Aphte = lésion jaunâtre avec bord rouge périphérique (cf les photos). • Le diagnostic de maladie de Behcet repose sur des critères cliniques (majeurs et mineurs, pas à connaitre je pense) : retenez l'aphtose bipolaire, l'uvéite à hypopion, les manifestations cutanées (pseudofolliculite, érythème noueux, Paterget test) et le risque de thrombophlébite, notamment cérébrale (cf après).
8	• Œdème papillaire bilatéral = HTIC = imagerie cérébrale en urgence.
9	• La thrombophlébite cérébrale provoque une HTIC à l'origine de l'œdème papillaire bilatéral. La thrombophlébite constitue LA complication la plus grave de la maladie de Behcet.
10	• Le traitement de la thrombophlébite cérébrale est une urgence et repose sur l'anticoagulation curative. • Attention : parfois, une thrombophlébite cérébrale peut provoquer un saignement => c'est une suffusion hémorragique (correspond à un infarcissement hémorragique en regard de la thrombose). L'hémorragie ne contre indique pas l'anticoagulation, bien au contraire, l'anticoagulation permettra de résorber l'hémorragie plus rapidement en reperméabilisant le sinus thrombosé.

ITEMS ABORDEES

Items	Intitulés
46	• Précarité
175	• Prescription d'un anti thrombotique
212	• Œil rouge douloureux

Notes personnelles

Dossier thématique transversal

QCM **1**

Vrai ou Faux ?

Enoncé QCM

Mme C, 72 ans, est amenée par les sapeurs pompiers au service d'accueil des urgences (SAU) de votre hôpital pour une crise convulsive généralisée survenue ce matin à 10H à domicile.

Son mari vous explique qu'après le petit déjeuner, Mme C a présenté une absence puis une hypertonie diffuse des 4 membres suivie, quelques secondes plus tard, de convulsions généralisées pendant environ 5 minutes. Il vous assure que c'est la première fois que sa femme présente une telle crise.

Mr C ne connait pas bien les antécédents de sa femme. Il vous tend sa dernière ordonnance qui comprend : paracétamol, rosuvastatine, hydrochlorothiazide, gliclazide, zolpidem.

Il vous précise cependant que sa femme se plaint de céphalées depuis environ 2 mois, particulièrement le matin au lever et de flou visuel assez vague. Sinon, il s'agit d'une femme parfaitement autonome, en « bonne santé » selon lui.

Il est 12H aux urgences :

- Les constantes sont les suivantes : FC = 90/min, TA = 155/85 mm Hg, FR = 28/min, Sp02 = 90%, T° = 39°.
- Examen neurologique : la patiente est somnolente, ouvre les yeux à la demande, elle semble confuse car ne connait ni la date du jour, ni le lieu ou elle se trouve. L'examen ne retrouve pas de déficit sensitivomoteur à la demande, les paires crâniennes semblent intactes, il n'y a pas de syndrome cérébelleux ni de syndrome méningé.

A ce stade de l'observation,

1 Donnez le score de Glasgow de la patiente.

a- 15
b- 14
c- 13
d- 12
e- 11
f- 10

2 **Quel examen complémentaire simple est manquant dans cette observation ?**

a- **Bandelette urinaire.**
b- **Glycémie capillaire.**
c- **ECG.**
d- **Diurèse.**
e- **Hémocue.**
f- **Prise de la pression intra crânienne (PIC).**

Vous réalisez une radiographie de thorax de face à votre patiente.

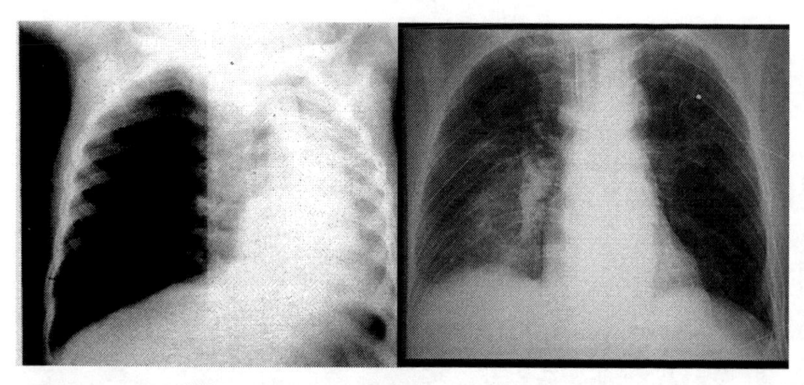

N°1 **N°2**

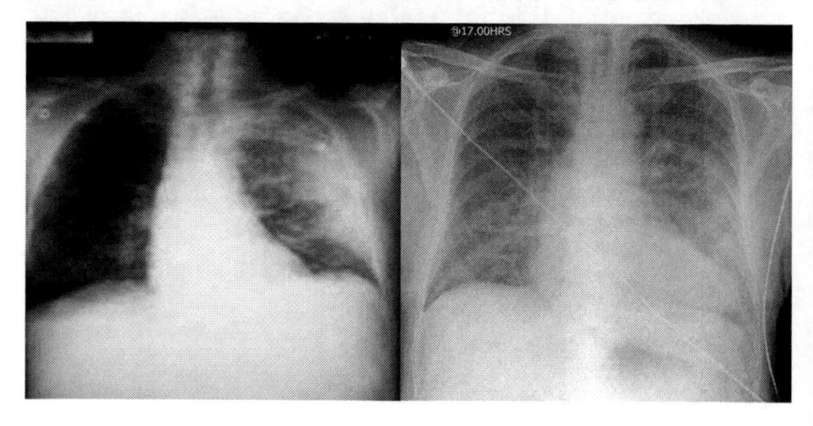

N°3 **N°4**

3 Selon vous, quelle radiographie parmi celles présentées ci-dessous est le plus susceptible d'appartenir à votre patiente ?

a- N°1.
b- N°2.
c- N°3.
d- N°4.
e- Aucune.

4 Vous décidez d'instaurer une antibiothérapie. Quelle molécule prescrivez-vous en première intention ?

a- Pristinamycine.
b- Levofloxacine.
c- Amoxicilline.
d- Amoxicilline + Acide clavulanique.
e- Clindamycine.
f- Azythromycine.

A 15H, l'état de votre patiente s'est amélioré. Elle est Glasgow 15. L'examen neurologique est sans particularités. L'examen cardio-pulmonaire s'est stabilisé.
Vous réalisez l'examen suivant :

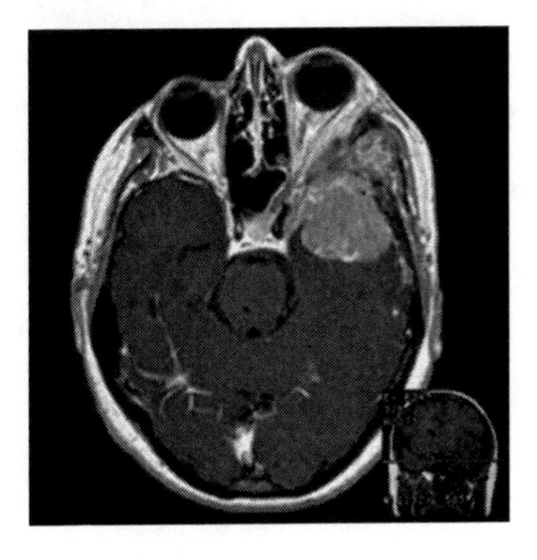

Votre radiologue évoque une tumeur cérébrale.

5 Quel diagnostic est le plus probable ?

a- Glioblastome.
b- Neurinome.
c- Lymphome.
d- Méningiome.
e- Métastase.
f- Ependymome.

6 Donnez 3 arguments radiologiques en faveur de ce diagnostic.

a- Lésion de grande taille.
b- Base d'implantation durale.
c- Croissance rapide.
d- Prise de contraste homogène.
e- Tumeur bien limitée.
f- Localisation antérieure.

Vous reprenez l'interrogatoire et recherchez des signes d'hypertension intra crânienne (HTIC).

7 Parmi les symptômes suivants, lesquels sont en rapport avec une HTIC ?

a- Céphalée diffuse en casque.
b- Céphalées augmentées à la toux.
c- Anisocorie.
d- Raideur nucale.
e- Vomissements.
f- Diplopie par atteinte du III.

Compte tenu de son flou visuel, vous adressez votre patiente en consultation ophtalmologique.
L'examen est le suivant :

- Acuité visuelle corrigée :
  OG : 2/10e P10
  OD : 4/10e P6
- Oculomotricité normale.
- Segments antérieurs à la lampe à fente : cornées claires sans prise de fluorescéine, chambres antérieures calmes et de profondeur moyenne, reflexes photomoteurs normaux, importante cataracte cortico-nucléaire +++ bilatérale.
- La pression intra oculaire par aplanation est de 11 mm Hg aux 2 yeux.
- Une rétinographie des 2 yeux non dilatée vous est présentée ci-dessous :

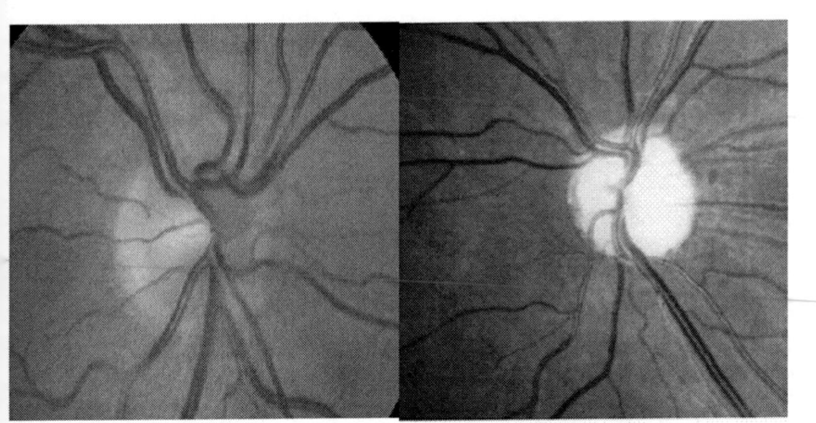

8 Quelle anomalie constatez-vous ?

a- Œdème papillaire gauche.
b- Atrophie du nerf optique gauche.
c- Occlusion veine centrale de la rétine droite.
d- Neuropathie optique ischémique antérieure droite.
e- Artériosclérose bilatérale.
f- Œdème papillaire droit.

9 Citez le mécanisme expliquant cette anomalie du fond d'œil et précisez son pronostic visuel.

a- Compression du nerf optique droit.
b- Compression du nerf optique gauche.
c- Hypertension intra crânienne.
d- Carentiel.
e- Pronostic : récupération visuelle.
f- Pronostic : pas de récupération visuelle.

Compte tenu du tableau clinique, vous adressez votre patiente en consultation de neurochirurgie. Une indication opératoire rapide est retenue. Une corticothérapie orale est prescrite jusqu'à l'intervention.

10 Quels sont les 2 principaux risques de la corticothérapie chez cette patiente ?

a- Hypertension artérielle.
b- Hyperkaliémie.
c- Anémie.
d- Convulsion.
e- Insuffisance corticotrope.
f- Hyperglycémie.

11 L'intervention consiste en une exérèse chirurgicale de la tumeur sous anesthésie générale. Citez les 3 principaux risques per opératoires.

a- Lésion de l'artère cérébrale antérieure.
b- Hémiplégie gauche.
c- Paralysie faciale gauche.
d- Hyposmie.
e- Lésion de l'artère communicante postérieure gauche.
f- Bradycardie per opératoire.

Le jour de l'intervention est arrivé. L'induction anesthésique est marquée par un épisode d'hypotension artérielle avec bradycardie sévère à 25/min nécessitant un remplissage vasculaire et une injection d'atropine et d'éphédrine. L'opération se déroule ensuite sans incident particulier.
Dans la salle de réveil, la patiente est somnolente mais se plaint immédiatement d'une douleur importante de l'œil gauche associée à un flou visuel de cet œil. Vous constatez que son œil gauche est rouge...

12 Citez les 2 principaux diagnostics ophtalmologiques à évoquer dans ce contexte.

a- Uvéite antérieure aigüe.
b- Sclérite aigüe.
c- Conjonctivite aigüe.
d- Episclérite aigüe.
e- Kératite aigüe.
f- Glaucome aigu par fermeture de l'angle.

Corrigé QCM

PREMIERE LECTURE

Difficulté du dossier : 2/3

Dossier classique de méningiome sphéno-orbitaire avec compression optique compliquée d'atrophie optique.

A classer en 2e position parmi les 3 dossiers de l'épreuve.

Méthodologie, réflexes, trucs et astuces en QCM :

Convulsions = libérer VAS, PLS, dextro.

GRILLE DE CORRECTION

1	a	F	**Réponse : 13.**
	b	F	**Réponse : 13.**
	c	V	**Y3 V4 M6**
	d	F	**Réponse : 13.**
	e	F	**Réponse : 13.**
	f	F	**Réponse : 13.**
2	a	F	**Utile seulement pour rechercher une acidocétose.**
	b	V	**Car diabétique sous sulfamides hypoglycémiants.**
	c	F	**Ce n'est pas la priorité ici (ischémie myocardique, trouble conduction haut degré...)**
	d	F	**Pas d'intérêt.**
	e	F	**Pas d'intérêt.**
	f	F	**Pas d'intérêt... et invasif !**
3	a	F	**Radiographie de corps étranger inhalé.**
	b	V	**Pneumopathie de la base droite : la bonne réponse.**
	c	F	**Pneumopathie gauche.**
	d	F	**OAP.**
	e	F	**Faux.**
4	a	F	**Non adaptée.**
	b	F	**En 2e intention dans les PAC, pas dans les pneumopathies d'inhalation.**
	c	F	**Il faut l'acide clavulanique en plus.**
	d	V	**Il faut être actif sur les germes ORL et les anaérobies.**

	e	F	Non.
	f	F	Actif sur les germes intra cellulaires.
5	a	F	Non car prise de contraste homogène.
	b	F	Ce n'est pas la localisation (sous tentoriel +++).
	c	F	Non car prise de contraste homogène.
	d	V	Aspect typique.
	e	F	Non car prise de contraste homogène.
	f	F	Sous tentoriel.
6	a	F	La taille importe peu, il existe des méningiomes de toute taille.
	b	V	Critère indispensable.
	c	F	Croissance LENTE +++ (tumeur bénigne).
	d	V	Contrairement aux tumeurs malignes (glioblastome, lymphome...).
	e	V	Contrairement aux tumeurs malignes (glioblastome, lymphome...).
	f	F	Peut siéger à n'importe quel endroit où il y a de la dure mère. Il existe des méningiomes de la fosse postérieure, de la faux du cerveau...
7	a	V	Céphalées diffuses, en casque.
	b	V	La toux et la défécation augmentent la pression intra crânienne.
	c	F	Plutôt un signe d'engagement.
	d	F	Syndrome méningé ou engagement des amygdales cérébelleuses.
	e	V	Vomissements en jet, soulageant les céphalées.
	f	F	Par atteinte du VI.
8	a	F	Pas de papille en relief donc faux.
	b	V	Atrophie à gauche : papille pâle blanche.
	c	F	Non, la rétine semble intacte...et ce n'est pas le contexte.
	d	F	Une NOIAA vue à plus d'un mois peut donner des atrophies optiques comme ici. Mais ici, la BAV est lente et progressive alors que la NOIAA est brutale.
	e	F	Aucun rapport.
	f	F	Papille droite normale.
9	a	F	Papille droite normale.
	b	V	Une compression optique chronique donne une atrophie optique.
	c	F	Donne un œdème papillaire bilatéral...puis une atrophie optique bilatérale.
	d	F	Atrophie optique bilatérale par névrite optique bilatérale ;
	e	F	Irréversible.
	f	V	Irréversible.
10	a	V	Oui d'autant que la patiente est hypertendue.
	b	F	Plutôt hypokaliémie.
	c	F	NON.
	d	F	NON.
	e	F	NON car durée insuffisante.
	f	V	Oui, surtout chez une patiente diabétique.

11	a	V	**Car lésion antérieure.**
	b	F	**Non car lésion à gauche.**
	c	F	**Non car lésion à gauche.**
	d	V	**Oui car le tractus olfactif passe à proximité.**
	e	F	**Non car lésion antérieure.**
	f	**V**	**Par reflexe oculo-cardiaque. Toute mobilisation du nerf optique entraine une bradycardie importante en per opératoire.**
12	a	F	**Ce n'est pas le contexte.**
	b	F	**Ce n'est pas le contexte et pas de BAV dans la sclérite.**
	c	F	**Pas douloureux et pas de BAV.**
	d	F	**Pas de BAV dans l'épisclérite.**
	e	V	**Oui, par malocclusion palpébrale => kératite sèche avec risque d'ulcération cornéenne.**
	f	**V**	**Oui, d'autant qu'il y a eu injection de para sympathicolytiques (atropine) +++.**

1 POINT PAR QCM ENTIER JUSTE. MAXIMUM : 12 POINTS

COMMENTAIRES

Questions	Commentaires
Général	• Dossier très transversal.
1	• Bien connaitre le score de GLASGOW. Ici, la patiente a un léger déficit post critique. • Convulsion et fièvre : méningite ou pneumopathie d'inhalation lors de la crise.
2	• Dextro systématique devant toute crise convulsive d'autant que la patiente est sous sulfamide hypoglycémiant.
3	• Inhalation => Pneumopathie de la base droite car la bronche souche droite est plus verticale que la bronche souche gauche.
4	• Il faut être efficace aussi sur les anaérobies d'où l'acide clavulanique.
5	• Méningiome = tumeur bénigne à base d'implantation durale, de croissance lente, à bords réguliers, avec prise de contraste homogène. Le traitement est uniquement chirurgical. • Pensez au méningiome de la faux du cerveau responsable d'une paraparésie…
6	• RAS.
7	• HTIC = céphalées diffuses en casque, prédominant le matin, augmentées à la toux et la défécation, avec vomissements en jet soulageant, diplopie par paralysie du VI non localisatrice, parfois flou visuel par œdème papillaire (augmentation de la tâche aveugle).
8	• Atrophie car papille blanche et pâle. Atrophie secondaire à une compression chronique par la tumeur.
9	• Due à une compression du nerf optique.
10	• Car patiente hypertendue et diabétique.
11	• Méningiome sphénoïdal => proche de la cérébrale antérieure du tractus olfactif et bien sur du nerf optique.
12	• Ce sont les 2 étiologies à évoquer en post AG. • Kératite sèche par malocclusion palpébrale. • GAFA favorisé par une cataracte connue sous jacente et par l'utilisation de parasympaticolytiques.

ITEMS ABORDEES

Items	Intitulés
146	• Tumeurs intra crâniennes
212	• Œil rouge douloureux.
293	• Altération de la fonction visuelle

Dossier thématique transversal

QCM **2**

Vrai ou Faux ?

Enoncé QCM

Mr X, 59 ans, se présente à votre consultation hospitalière pour une gène esthétique. En effet, son œil gauche gonfle depuis un mois. Ce n'est pas douloureux ce qui explique le retard de consultation. Il n'y a pas de notion de traumatisme.
Ses principaux antécédents sont une hypertension artérielle et un tabagisme actif.
Il vous confie être particulièrement fatigué et avoir perdu 6 kg en 1 mois. Son testicule gauche aurait également augmenté de volume depuis 3 mois environ. Il doit d'ailleurs voir son médecin traitant la semaine prochaine pour ce problème gênant.
Une photographie de votre patient est présentée ci-dessous :

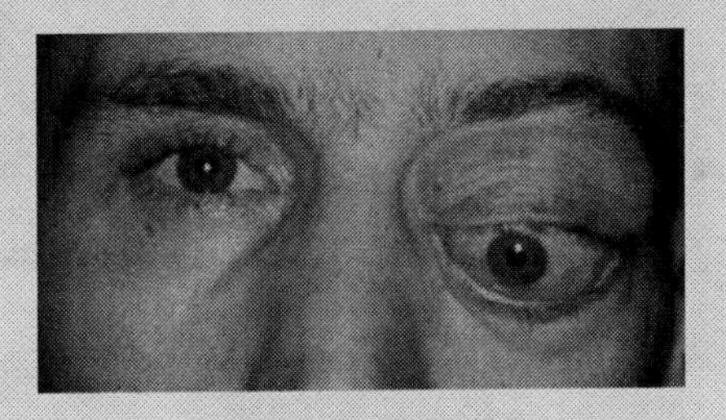

A l'examen, cette protrusion est indolore, non réductible, sans souffle à l'auscultation.

1 **Quelle anomalie constatez-vous ?**

- a- Exophtalmie.
- b- Myopie unilatérale.
- c- Enophtalmie.
- d- Exotropie.
- e- Endophtalmie.
- f- Esotropie.

2 Quelle en est l'étiologie la plus probable ?

a- Dysthyroidie.
b- Vasculaire.
c- Tumorale.
d- Post traumatique.
e- Infectieuse.
f- Inflammatoire.

3 Sur quels arguments ?

a- Croissance rapide.
b- Axile.
c- Soufflante.
d- Irréductible.
e- Indolore.
f- Unilatérale.

Votre examen ophtalmologique est sans anomalie notable : l'acuité visuelle est de 10/10e bilatéral sans correction, les segments antérieurs et postérieurs sont normaux. Vous prescrivez l'examen suivant :

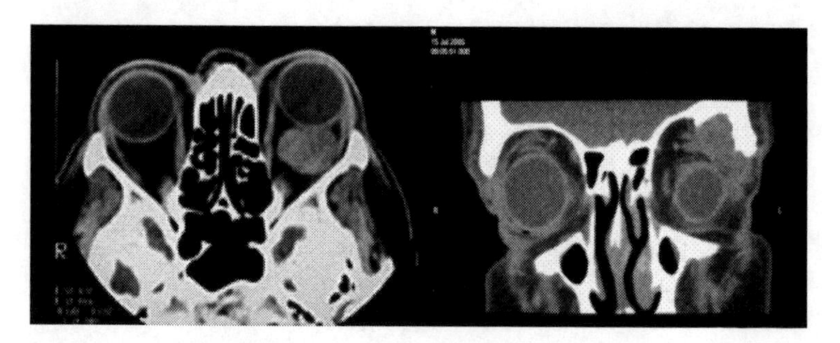

4 Quelle est la localisation de la masse orbitaire ?

a- Intra axiale.
b- Inféro-interne.
c- Supéro-externe.
d- Supéro-interne
e- Inféro-externe.
f- Frontale.

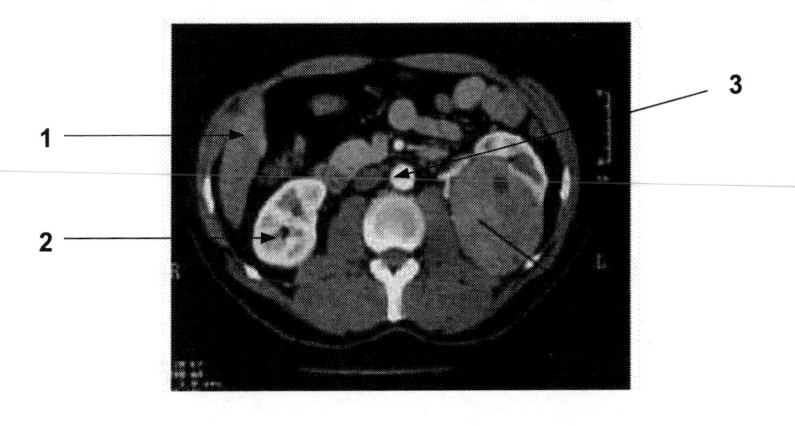

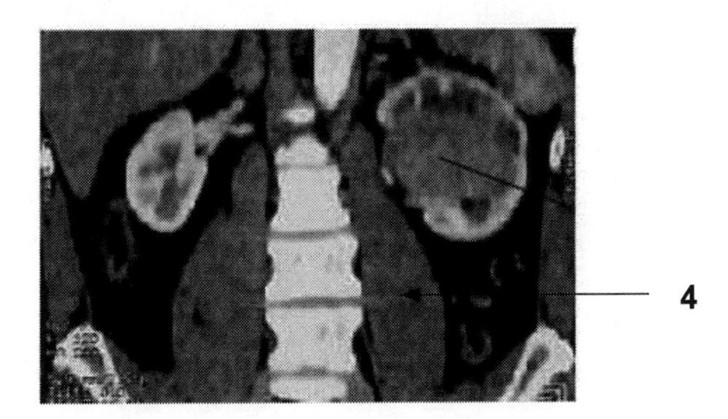

5 Vous effectuez l'examen ci-dessus. A quoi correspond la flèche N°1 ?

- a- **Rate.**
- b- **Rein droit.**
- c- **Diaphragme.**
- d- **Lobe inférieur droit pulmonaire.**
- e- **Foie.**
- f- **Colon droit.**

6 A quoi correspond la flèche N°2 ?

a- Rein gauche.
b- Foie.
c- Rein droit.
d- Rate.
e- Uretère gauche.
f- Vessie.

7 A quoi correspond la flèche N°3 ?

a- Artère iliaque gauche.
b- Artère mésentérique inférieure.
c- Veine cave inférieure.
d- Aorte abdominale.
e- Veine rénale gauche.
f- Veine mésentérique inférieure.

8 A quoi correspond la flèche N°4 ?

a- Muscle psoas.
b- Aorte abdominale.
c- Veine cave inférieure.
d- Muscle petit oblique.
e- Muscle grand oblique.
f- Muscle grand dorsal.

Une photographie de votre examen génital vous est présentée ci-dessous :

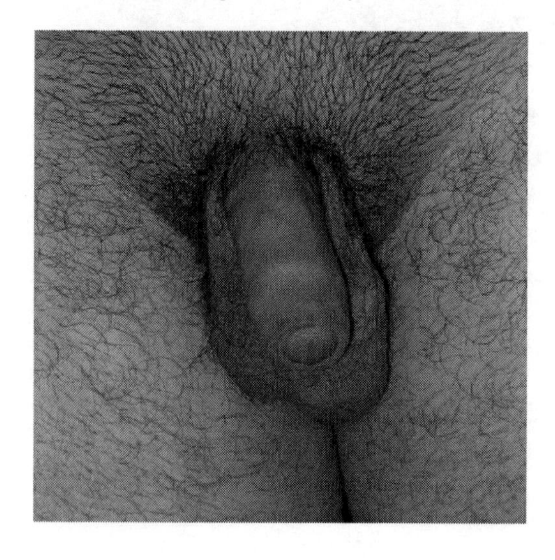

9 **Quelle anomalie constatez-vous ?**

a- Hydrocèle.
b- Varicocèle.
c- Hernie inguino-scrotale.
d- Torsion du cordon spermatique.
e- Hématome scrotal.
f- Phimosis.

10 **Quelle en est l'explication physiopathologique ?**

a- Les veines testiculaires droites et gauches se réunissent avant de se jeter dans la veine cave.
b- La veine testiculaire gauche se jette dans la veine cave inférieure.
c- La veine testiculaire gauche se jette dans la veine iliaque gauche.
d- La veine testiculaire gauche se jette dans la veine iliaque droite.
e- La veine testiculaire gauche se jette dans la veine mésentérique inférieure.
f- La veine testiculaire gauche se jette dans la veine rénale gauche.

2 semaines plus tard, votre patient consulte aux urgences ophtalmologiques pour un œil gauche rouge, douloureux avec flou visuel, survenu spontanément la nuit dernière. Il se plaint d'une importante photophobie.
Votre examen ophtalmologique est le suivant :
- **Acuité visuelle non corrigée : 10/10e (OD) / 4/10e (OG).**
- **Segment antérieur gauche : cercle périkératique, blepharospasme, chambre antérieure calme et profonde, reflexe photomoteur normal, cristallin clair.**
- **Pression intra oculaire : 12 mm Hg aux 2 yeux.**

Une photographie du segment antérieur gauche après instillation de fluorescéine vous est présentée ci-dessous :

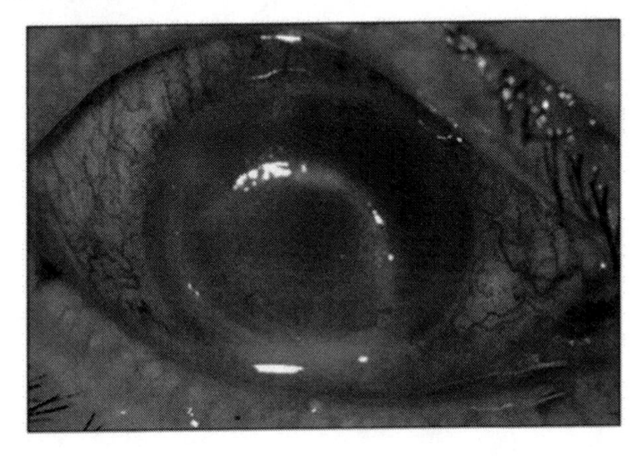

11 Quel est votre diagnostic ophtalmologique ?

a- Glaucome aigu par fermeture de l'angle.
b- Ulcération cornéenne.
c- Hémorragie sous conjonctivale.
d- Uvéite antérieure aigüe.
e- Sclérite aigüe.
f- Endophtalmie.

12 Quelle en est l'explication ?

a- Lagophtalmie.
b- Post traumatique.
c- Virale.
d- Parasitaire.
e- Port de lentilles de contact.
f- Paranéoplasique.

Corrigé QCM

PREMIERE LECTURE

Difficulté du dossier : 1/3

Dossier facile de cancer rénal avec métastase orbitaire avec exophtalmie.

A classer en 1ere position parmi les 3 dossiers de l'épreuve.

Méthodologie, réflexes, trucs et astuces en QCM :

Exophtalmie = protection oculaire (larmes artificielles, pommade vitamine A, occlusion nocturne).

GRILLE DE CORRECTION

1	a	V	**Exophtalmie massive.**
	b	F	**La myopie forte donne de gros yeux globuleux et peut faire évoquer à tort une exophtalmie.**
	c	F	**Une enophtalmie d'un oeil peut faire faussement évoquer une exophtalmie e l'autre œil.**
	d	F	**Exotropie = strabisme divergent.**
	e	F	**Aucun rapport.**
	f	F	**Esotropie = strabisme convergent.**
2	a	F	**Donne des exophtalmies bilatérales axiles.**
	b	F	**Non car non soufflante.**
	c	V	**Car importante, unilatérale, rapide, non axile.**
	d	F	**Pas le contexte.**
	e	F	**Non car pas inflammatoire.**
	f	F	**Non car pas inflammatoire.**
3	a	V	**Oui.**
	b	F	**Classiquement non axile sauf pour les tumeurs intra coniques (comme les tumeurs du nerf optique : gliome +++).**
	c	F	**En cas de fistule carotido-caverneuse.**
	d	V	**Oui.**
	e	V	**Oui.**
	f	V	**Oui.**
4	a	F	**Non.**
	b	F	**Non.**

	c	V	**Oui : question facile…**
	d	F	**Non.**
	e	F	**Non.**
	f	**F**	**Non.**
5	a	F	**Non.**
	b	F	**Non.**
	c	F	**Non.**
	d	F	**Non.**
	e	V	**Oui.**
	f	**F**	**Non.**
6	a	F	**Non, on est à droite.**
	b	F	**Non.**
	c	V	**Oui.**
	d	F	**Non elle est à gauche.**
	e	F	**Non.**
	f	**F**	**Elle est médiane.**
7	a	F	**Non, car on est au dessus de la bifurcation aortique.**
	b	F	**Non.**
	c	F	**Elle est à droite.**
	d	V	**Oui.**
	e	F	**Non.**
	f	F	**Non.**
8	a	V	**Oui car structure bilatérale partant du rachis vers le petit trochanter.**
	b	F	**Non.**
	c	F	**Non.**
	d	F	**C'est un muscle pariétal / superficiel.**
	e	F	**C'est un muscle pariétal / superficiel.**
	f	**F**	**C'est un muscle pariétal / superficiel.**
9	a	F	**Ce n'est pas le contexte => pensez au test de transillumination.**
	b	V	**Oui.**
	c	F	**Non.**
	d	F	**Douloureux.**
	e	F	**Pas d'hématome / ecchymose visible.**
	f	**F**	**Aucun rapport.**
10	a	F	**Non.**
	b	F	**Non.**
	c	F	**Non.**
	d	F	**Non.**
	e	F	**Non.**

	f	V	Oui, donc toute tumeur rénale envahissant la veine rénale gauche (ce qui est le cas ici) va bloquer le retour veineux du testicule gauche donc provoquera une varicocèle gauche +++ qui est parfois le 1er signe clinique alertant le patient.
11	a	F	Non.
	b	V	Oui car prise de fluorescéine arrondie correspondant aux limites de l'ulcère.
	c	F	Non.
	d	F	Non car pas de prise de fluorescéine dans les uvéites.
	e	F	Non car pas de prise de fluorescéine dans les sclérites.
	f	F	Ce n'est pas le contexte.
12	a	V	Malocclusion palpébrale due à l'exophtalmie => kératite sèche => ulcération cornéenne => perforation cornéenne.
	b	F	Oui c'est possible, mais il n'y a pas de notion de traumatisme.
	c	F	Se voit parfois avec l'herpes virus.
	d	F	Possible mais ce n'est pas le contexte.
	e	F	Possible mais pas de notion de port de lentilles.
	f	F	Non.

1 POINT PAR QCM ENTIER JUSTE. MAXIMUM : 12 POINTS

COMMENTAIRES

Questions	Commentaires
Général	• Dossier classique de métastase orbitaire compliquée de lagophtalmie avec ulcération cornéenne.
1	• L'exophtalmie est une protrusion du globe oculaire hors de l'orbite (en avant) liée à une augmentation du contenu de l'orbite, globe oculaire exclu.
2	• Devant une AEG, des signes systémiques et une exophtalmie unilatérale, la cause tumorale est la 1ere cause à évoquer.
3	• Exophtalmie : toujours préciser ses caractéristiques : • Uni- ou bilatérale : c'est le point clef +++. Retenir que si bilatéral, plutôt endocrine (mais on peut avoir 2 tumeurs !), si unilatérale plutôt les autres causes (mais un Basedow peut débuter et même rester unilatéral strict !). • Réductible ou irréductible : second point clef. Retenir que si réductible, plutôt non tumoral alors que si réductible plutôt tumoral (mais gare à l'exophtalmie "maligne" du Basedow qui ne se réduit plus !). • Axile (=directe) ou non axile (=indirecte) : retenir que les exophtalmies axiles sont plutôt dans le Basedow, les tumorales obliques (dans ce cas, noter la déviation du globe) sauf si la tumeur est dans le cône orbitaire.
4, 5, 6, 7,8	• Questions facile de radio anatomie.
9	• Varicocèle gauche = varice de la veine testiculaire gauche. Augmente à l'expiration et à la manœuvre de Valsalva. • La varicocèle peut être primitif (congénital, obésité, tabac...) ou secondaire (cancer du rein envahissant la veine rénale gauche).
10	• La veine testiculaire gauche se jette dans la veine rénale gauche (alors que la droite se jette directement dans la veine cave inférieure). • Par conséquent, un envahissement tumoral de la veine rénale gauche par un cancer du rein gauche donnera une varicocèle gauche. La varicocèle gauche est donc un facteur de mauvais pronostic.
11	• Ulcération cornéenne car prise de fluorescéine positive. • Le patient présente une baisse d'acuité visuelle car l'ulcération est centrale.
12	• L'exophtalmie entraine une telle protrusion que les paupières ne peuvent recouvrir le globe oculaire : c'est la lagophtalmie. Il en résulte que la cornée sèche (kératite ponctuée superficielle => puis ulcère cornéen => puis perforation cornéenne avec risque d'endophtalmie).

ITEMS ABORDEES

Items	Intitulés
158	• Tumeurs du rein.
212	• Œil rouge douloureux.

Dossier thématique transversal

QCM **3**

Vrai ou Faux ?

Enoncé QCM

QUIZ : A quoi correspondent les photographies présentées ?

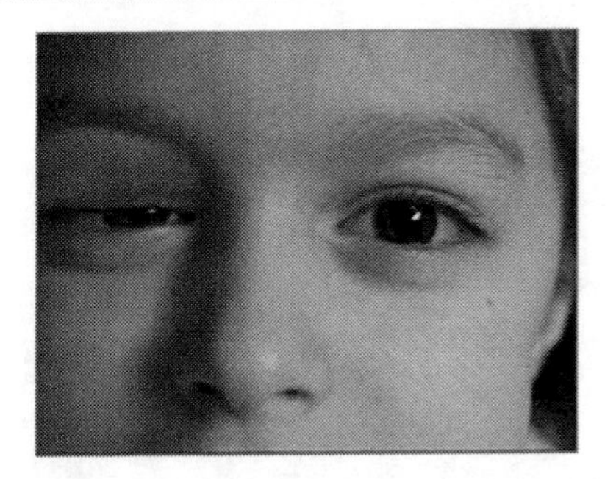

1 **Garçon de 2 ans amené en consultation par sa mère. Quelle complication redoutez-vous ?**

- a- **Hypermétropie.**
- b- **Retard mental.**
- c- **Myopie.**
- d- **Astigmatisme.**
- e- **Amblyopie.**
- f- **Rien.**

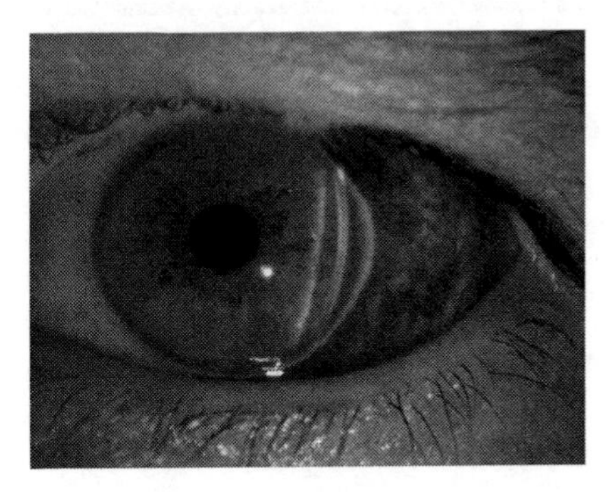

2	Homme de 29 ans, se présente en consultation pour baisse d'acuité visuelle bilatérale d'aggravation progressive depuis 2 semaines. Le patient se plaint en outre d'un œil gauche rouge mais indolore depuis hier et de céphalées diffuses avec asthénie. Il n'a pas d'antécédents particuliers, hormis une lettre de son médecin du travail vu il y a 2 jours qui signale une bandelette urinaire pathologique (3 croix de sang). Le patient vous signale qu'il a effectivement présenté plusieurs épisodes de sang dans les urines depuis 3 ou 4 ans, sans jamais consulter. Il ne prend pas de traitements. L'examen retrouve une acuité visuelle corrigée à 7/10e (OD) et 5/10e (OG). L'examen du segment antérieur droit est normal. Une photographie du segment antérieur gauche vous est présentée ci-dessus. La pression intra oculaire et normale : Quelle est la cause de son œil gauche rouge ?

a- Sclérite.

b- Conjonctivite.

c- Hémorragie sous conjonctivale.

d- Episclérite.

e- Kératite.

f- Uvéite.

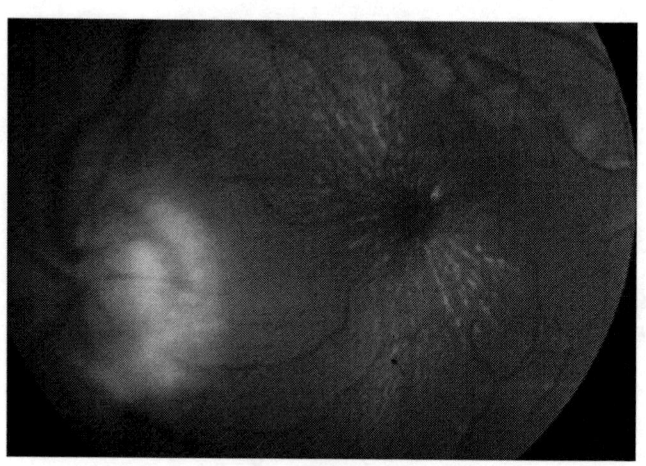

ŒIL GAUCHE

3	Le fond d'œil dilaté est présenté ci-dessus (œil droit et gauche identiques). Quelles sont les 2 principales anomalies visibles sur ce fond d'œil ?

a- Exsudats secs.

b- Nodules cotonneux.

c- Hémorragies rétiniennes.

d- Déchirure rétinienne.

e- Vascularite.

f- Œdème papillaire.

4 Quel est votre diagnostic ophtalmologique ?

a- Hypertension intra crânienne.
b- Décollement de rétine.
c- Occlusion de la veine centrale de la rétine.
d- Rétinopathie hypertensive.
e- Hémorragie intra vitréenne.
f- Thrombose du sinus caverneux gauche.

5 Quelle maladie sous jacente devez-vous suspecter par argument de fréquence ?

a- Maladie d'Ehler Danlos.
b- Sarcoïdose.
c- Syndrome paranéoplasique.
d- Maladie de Wegener.
e- Maladie de Berger.
f- Sclérodermie systémique.

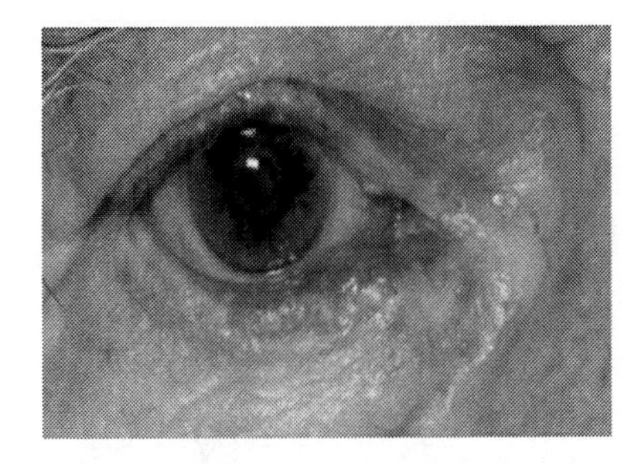

6 Patiente de 65 ans, consulte pour un œil droit qui pleure en permanence depuis 1 semaine. Elle vous explique que s'y associe une douleur oculaire droite avec photophobie depuis 2 jours.
Elle n'a pas d'antécédents particuliers, mais vous explique qu'elle présente des vertiges, des troubles de la marche, des troubles mnésiques et urinaires à type d'incontinence depuis quelques semaines.
Vous parvenez à comprendre difficilement tant la patiente vous demande de parler plus fort, qu'elle ne prend pas de médicaments et n'a pas d'allergies.
Une photographie de votre patient est présentée ci-dessus. Quelle anomalie palpébrale diagnostiquez-vous ?

a- Chalazion.
b- Carcinome basocellulaire.
c- Ectropion.
d- Ptosis.
e- Entropion.
f- Trichiasis.

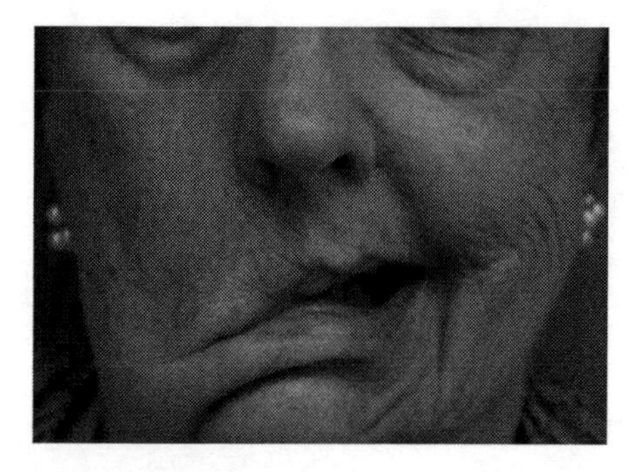

7 **Vous demandez à votre patiente de sourire. Vous constatez un signe de Charles Bell. Une photographie est jointe ci-dessus. Quel est votre diagnostic ?**

- a- **Paralysie faciale centrale.**
- b- **Mastoïdite.**
- c- **Maladie de Menière.**
- d- **Paralysie faciale périphérique.**
- e- **Choléstéatome.**
- f- **Otospongiose.**

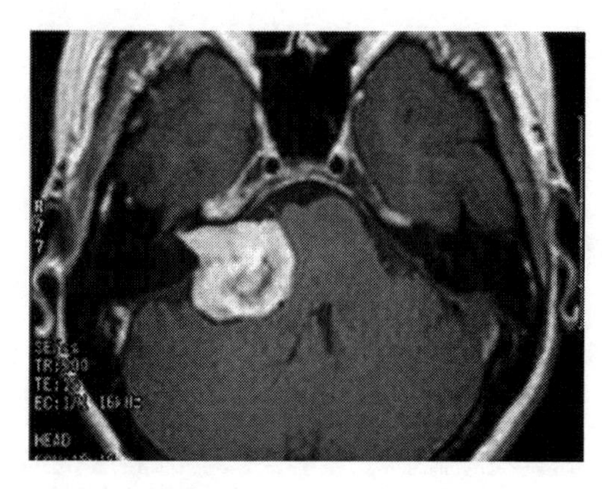

8 **Vous prescrivez une IRM cérébrale injectée. Une coupe sous tentorielle vous est présentée. Quel est le diagnostic le plus probable ?**

- a- **Ependymome.**
- b- **Médulloblastome.**
- c- **Méningiome.**
- d- **Métastase.**
- e- **Neurinome.**
- f- **Adénome.**

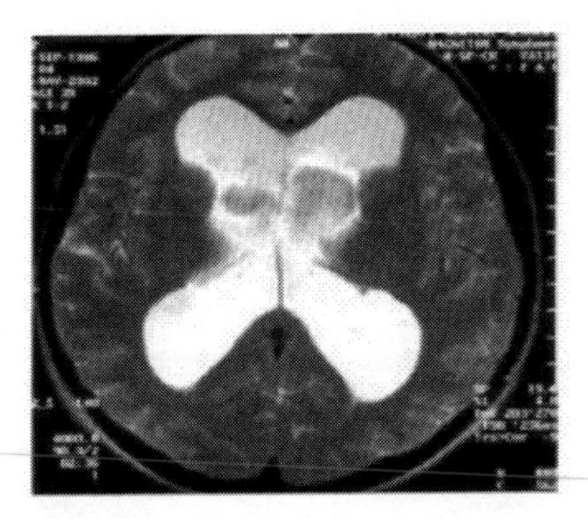

9	Une coupe sus tentorielle vous est également présentée. Quelle anomalie constatez-vous ?

a- Hémorragie méningée.
b- Abcès cérébral.
c- Hématome intra parenchymateux.
d- Hydrocéphalie obstructive.
e- Hydrocéphalie à pression normale.
f- Hémorragie intra ventriculaire.

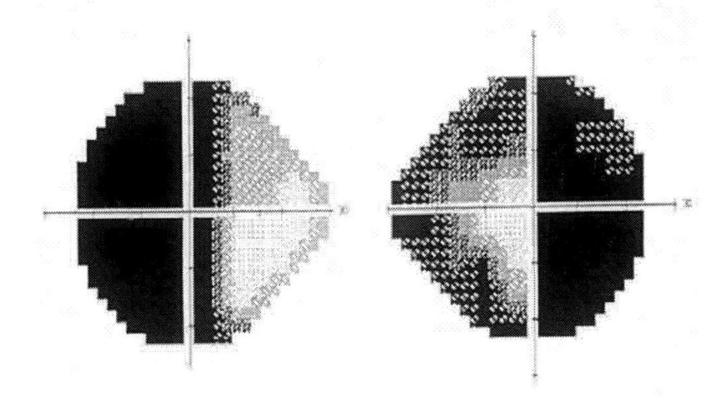

10	Patient de 35 ans, sans antécédents particuliers, se présente à votre consultation d'ophtalmologie pour une prescription de lunettes. En effet, il vous explique qu'il ne voit plus très bien depuis 1 an environ, mais que ses troubles s'aggravent depuis 1 mois et demi. Il vous explique que cela devient gênant car il a eu la semaine dernière son 3e accident de voiture en faisant un créneau en ville. Il ne comprend pas son problème et cela le rend un peu « dépressif » selon lui, d'autant qu'il ne parvient pas à faire d'enfant avec sa compagne actuelle. Il n'a pas de traitements et n'a pas d'allergie. Votre examen ophtalmologique (acuité visuelle, oculomotricité, segment antérieur, tonométrie et FO) est complètement normal. Vous poursuivez vos investigations par l'examen présenté ci-dessus. Quelle anomalie constatez-vous sur cet examen ?

a- Hémianopsie bitemporale.
b- Quadranopsie bitemporale.
c- Hémianopsie latérale homonyme gauche.
d- Scotome arciforme de Bjerrum.
e- Hémianopsie latérale homonyme droite.
f- Augmentation de la tache aveugle.

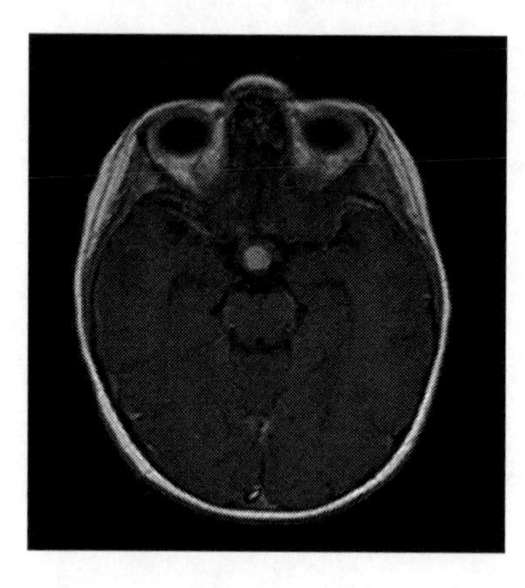

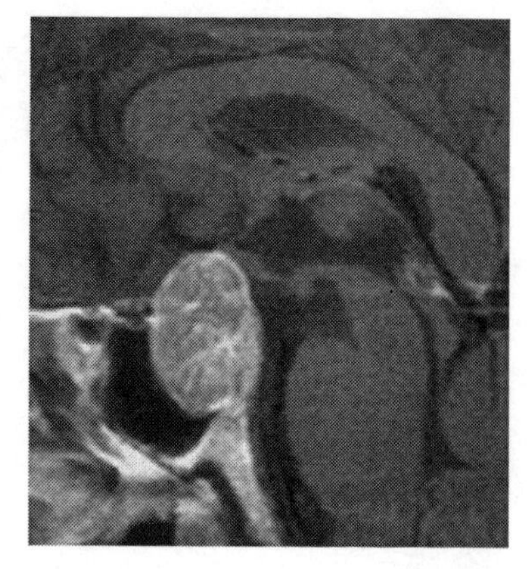

11 Vous prescrivez une IRM cérébrale sans et avec injection de Gadolinium. Un cliché vous est présenté ci-dessus. Quel diagnostic vous semble le plus probable ?

a- Neurinome.
b- Adénome hypophysaire.
c- Craniopharyngiome.
d- Anévrisme carotidien.
e- Thrombophlébite du sinus caverneux.
f- Méningiome.

12 Quelle est la cause la plus probable de son infertilité ?

a- Sa compagne.
b- Acromégalie.
c- Syndrome de Turner.
d- Hyperprolactinémie.
e- Hypothyroïdie.
f- Le préservatif.

Corrigé QCM

PREMIERE LECTURE

Difficulté du dossier : 3/3

Dossier transversal.

A classer en 3e position parmi les 3 dossiers de l'épreuve.

GRILLE DE CORRECTION

1	a	F	**Ne donne pas de ptosis mais des strabismes.**
	b	F	**Non.**
	c	F	**Non.**
	d	F	**Non.**
	e	V	**Oui : le ptosis entrave l'axe visuel donc risque d'amblyopie (avant l'âge de 6 ans).**
	f	**F**	**Non.**
2	a	F	**Pas de dilatation des vaisseaux scléraux.**
	b	F	**Non car pas de sécrétions.**
	c	V	**Oui, image typique.**
	d	F	**Pas de dilatation des vaisseaux épiscléraux.**
	e	F	**Non car pas de cercle périkératique.**
	f	**F**	**Non car pas de cercle périkératique.**
3	a	V	**Oui, en péri maculaire (étoile maculaire).**
	b	F	**Non.**
	c	F	**Pas d'hémorragies ici.**
	d	F	**Pas de déchirure, et ce n'est pas le contexte.**
	e	F	**Non.**
	f	**V**	**Oui, papille turgescente.**
4	a	F	**Possible mais le contexte n'est pas en faveur.**
	b	F	**Non.**
	c	F	**Donne un œdème papillaire unilatéral uniquement.**
	d	V	**Oui.**

	e	F	Non, car on voit bien la rétine.
	f	F	Donne un œdème papillaire unilatéral.
5	a	F	Non.
	b	F	Non.
	c	F	Pas de rapport.
	d	F	Donne des sclérites principalement.
	e	V	Maladie de BERGER => insuffisance rénale => HTA sévère => rétinopathie.
	f	F	Donne des épisclérites / sclérites.
6	a	F	Non, pas de nodule tarsal inflammatoire.
	b	F	Pas de tumeur visible ici.
	c	V	Oui, éversion de la paupière inférieure.
	d	F	Non.
	e	F	Non pas d'inversion de la paupière inférieure.
	f	F	Hors programme. Un trichiasis est une inflexion des cils vers l'œil, ce qui provoque une irritation de la cornée.
7	a	F	Non car atteinte du facial supérieur.
	b	F	Non.
	c	F	Ne donne pas de paralysie faciale périphérique.
	d	V	Oui.
	e	F	Non.
	f	F	Ne donne pas de paralysie faciale périphérique.
8	a	F	Surtout chez l'enfant.
	b	F	Surtout chez l'enfant.
	c	F	Tout à fait possible, sauf qu'ici il y a un prolongement dans le conduit auditif interne.
	d	F	Tout à fait possible, sauf qu'ici il y a un prolongement dans le conduit auditif interne.
	e	V	Oui, image typique.
	f	F	Ca n'existe pas en fosse postérieure.
9	a	F	Non.
	b	F	Non.
	c	F	Pas d'hématome visible.
	d	V	Oui, nette dilatation des 2 ventricules latéraux.
	e	F	Non, chez le sujet âgé => triade d'ADAM HAKIM (troubles de la marche + troubles mnésique + troubles sphinctériens).
	f	F	Non.
10	a	V	Oui, amputation des 2 champs visuels temporaux des 2 yeux. Donc, atteinte du chiasma optique.
	b	F	Non.
	c	F	HLH gauche : amputation du champ visuel temporal de l'œil gauche et nasal de l'œil droit.
	d	F	Non, se voit dans le glaucome.
	e	F	Non.

	f	F	Non.
11	a	F	Pas de neurinome intra sellaire => principalement dans l'angle ponto cérébelleux.
	b	V	Tumeur intra sellaire : l'adénome est le 1er diagnostic à évoquer +++.
	c	F	Tumeur surtout chez l'enfant, calcifiée et kystique.
	d	F	Non car tumeur médiane. Un anévrisme carotidien est toujours à évoquer (surtout si traitement chirurgical envisagé...risque d'hémorragie fatale).
	e	F	Non car tumeur médiane et symptômes trop chroniques.
	f	F	C'est le principal diagnostic différentiel ici. L'adénome est plus fréquent tout de même.
12	a	F	Toujours à évoquer !!!
	b	F	Non.
	c	F	Le Turner ne touche que les femmes.
	d	V	De déconnexion ou dans le cadre d'un adénome sécrétant.
	e	F	Non.
	f	F	Plus fréquent qu'on le croit...

1 POINT PAR QCM ENTIER JUSTE. MAXIMUM : 12 POINTS

COMMENTAIRES

Questions	Commentaires
Général	• Dossiers courts, transversaux, classiques.
1	• Il s'agit d'un ptosis, recouvrant en partie l'axe visuel. Le risque, avant l'âge de 6 ans, est l'amblyopie (baisse d'acuité visuelle définitive par mauvaise maturation rétinienne / cérébrale).
2	• En l'absence de BAV (ici, la BAV est due à la rétinopathie) : • Œil rouge indolore : hémorragie sous conjonctivale ou épisclérite. • Œil rouge qui pique ou fait peu mal : conjonctivite ou épisclérite. • Œil rouge (très) douloureux : sclérite. • L'hémorragie sous conjonctivale est un saignement en nappe souvent triangulaire (à sommet limbique) correspondant à une rupture d'un vaisseau sous conjonctival. L'épisclérite correspond à une vasodilatation vasculaire (ce n'est pas une rougeur en nappe). Etiologies : idiopathique, HTA, surdosage AVK, post traumatique. Traitement : aucun => étiologique +++. Se résorbe en 2 semaines environ.
3	• L'œdème papillaire est évident ici +++ (papille turgescente, œdémateuse). • On retrouve des exsudats péri maculaire en couronne => c'est « l'étoile maculaire ». • Causes d'œdème papillaire bilatéral : HTIC / rétinopathie hypertensive. • Causes d'œdème papillaire unilatéral : NOIAA, OVCR, NOIAA, uvéite postérieure, névrite optique.
4	• Céphalées avec œdème papillaire bilatéral : HTIC ou rétinopathie hypertensive. • Ici, le FO et l'histoire clinique sont en faveur d'une rétinopathie hypertensive. • Traitement : équilibration de la TA.
5	• Maladie de Berger devant l'HTA sur probable insuffisance rénale chronique méconnue. Classique découverte à la médecine du travail avec hématurie dépistée par la BU.
6	• Ectropion = éversion de la paupière inférieure. L'ectropion provoque un décollement du point lacrymal inférieur (qui draine 80% des larmes) donc les larmes ne s'éliminent plus par le canal lacrymo-nasal donc stagnent au niveau de la surface de l'œil d'où le larmoiement chronique = Epiphora.
7	• PFP = atteinte du territoire facial supérieur (signe de Charles Bell) ET inférieur. • Pensez à la protection oculaire +++.
8	• Image typique de neurinome du VIII : tumeur de l'angle ponto-cérébelleux avec extension dans le conduit auditif interne (classique image en bouchon de champagne).
9	• Il y a une dilatation des 2 ventricules latéraux. Il n'y a pas d'atrophie cortico sous corticale, donc il s'agit bien d'une hydrocéphalie. • Ici, elle est obstructive, due à la compression du 4e ventricule par le neurinome. • La prise en charge se fera en 2 temps : • 1 = traitement de l'hydrocéphalie par dérivation interne (dérivation ventriculo-péritonéale). • 2 = traitement du neurinome par chirurgie de l'angle ponto-cérébelleux. • En résumé : le neurinome a entrainé une atteinte du VIII (hypoacousie + troubles vestibulaires), il a comprimé / envahi le VII (paralysie faciale périphérique =>

	paralysie du muscle orbiculaire => ectropion paralytique => larmoiement => kératite d'exposition expliquant on œil douloureux) et a comprimé le 4e ventricule entrainant une hydrocéphalie tétra-ventriculaire expliquant le troubles de la marche, mnésiques et l'incontinence urinaire. Dossier transversal...
10	• Atteinte des 2 champs visuels temporaux = hémianopsie bitemporale qui explique parfaitement ses accidents de la route. • Cela traduit une atteinte du chiasma optique. (cause tumorale, anévrisme carotidienne, infectieuse (tuberculose), inflammatoire (sarcoïdose)...)
11	• Une tumeur intra sellaire est un adénome hypophysaire à l'ECN jusqu'à preuve du contraire. Le craniopharyngiome et le méningiome ou encore la métastase sont moins probables à l'ECN que l'adénome (plus transversal avec le bilan endocrinien).
12	• 2 étiologies à l'Hyperprolactinémie dans ce contexte : • De déconnexion ou • Macro adénome sécrétant à PRL. • La différence se fera sur le taux de PRL sérique (beaucoup plus élevé dans les adénomes à PRL).

ITEMS ABORDEES

Items	Intitulés
146	• Tumeurs intra crâniennes.
187	• Anomalies de la vision d'apparition brutale.
212	• Œil rouge douloureux.
271	• Pathologie des paupières.
293	• Altération de la fonction visuelle.

Dossier thématique transversal QCM 4

Vrai ou Faux

Enoncé QCM

QUIZ : A quoi correspondent les photographies suivantes ?

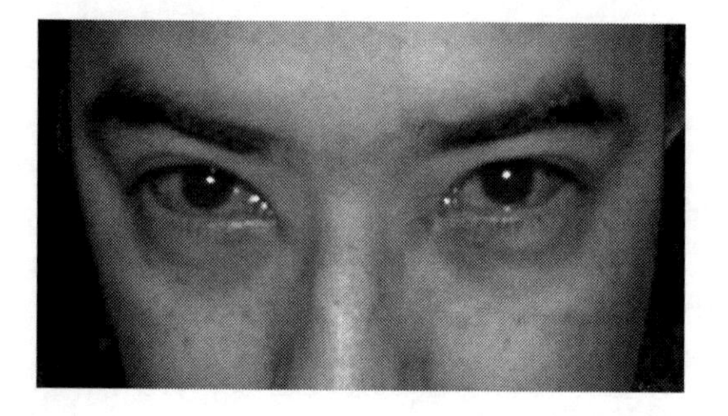

1	Homme de 23 ans, consulte pour yeux rouges, qui coulent (sécrétions claires), qui piquent comme s'il y avait des grains de sable dans les yeux. Ce matin, ses 2 yeux étaient collés au réveil. Il vous explique qu'il a la rhinite depuis 1 semaine. Il y a 2 jours, son œil gauche a présenté les 1ers symptômes. L'œil droit a été atteint hier soir. A l'examen, vous retrouvez une adénopathie pré tragienne gauche. L'acuité visuelle est de 10/10e bilatéral. Les segments antérieurs et postérieurs sont sans particularités. Diagnostic ?

a- Episclérite.
b- Conjonctivite allergique.
c- Hémorragie sous conjonctivale.
d- Kératite.
e- Conjonctivite virale.
f- Conjonctivite bactérienne.

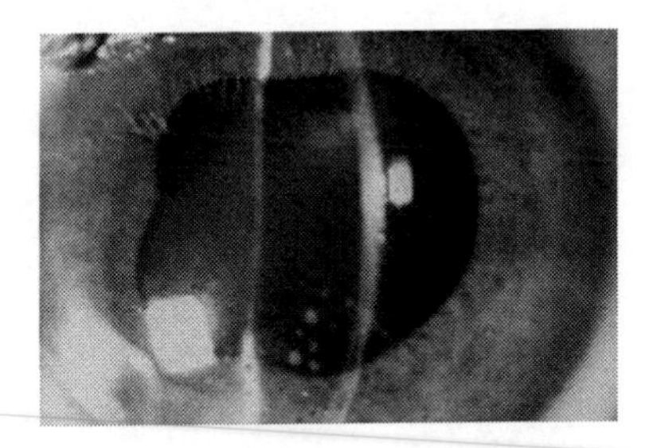

2 **Homme de 27 ans, lombalgies chroniques réveillant la nuit accompagnées de douleurs fessières bilatérales depuis 4 ans, consulte pour un œil gauche rouge douloureux avec acuité visuelle de 6/10e (contre 10/10e œil adelphe).**
Une photographie du segment antérieur gauche vous est présentée ci-dessous. Quelles sont les 2 anomalies visibles ?

a- **Opacités stromales.**
b- **Précipités rétro cornéens.**
c- **Hypopion.**
d- **Synéchie irido-cornéenne.**
e- **Synéchie irido-cristallinienne.**
f- **Hyphéma.**

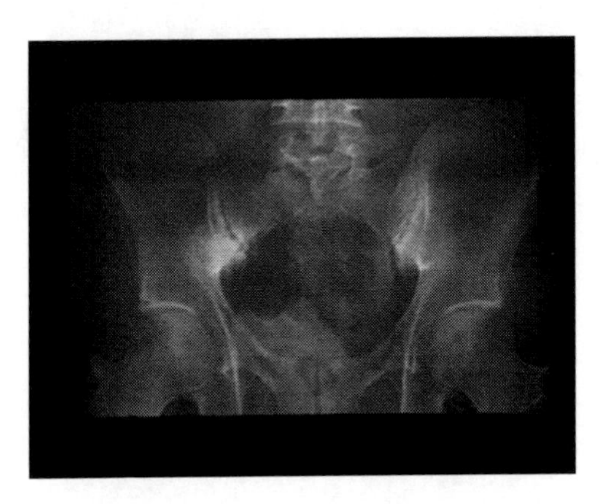

3 **Suite : vous réalisez la radiographie ci-dessus. Quelle anomalie diagnostiquez-vous ?**

a- **Arthrose sacro-iliaque.**
b- **Ostéonécrose sacro-iliaque.**
c- **Fracture de fatigue sacrée.**
d- **Ostéomyélite sacrée.**
e- **Métastase sacro-iliaque.**
f- **Sacro-iléite.**

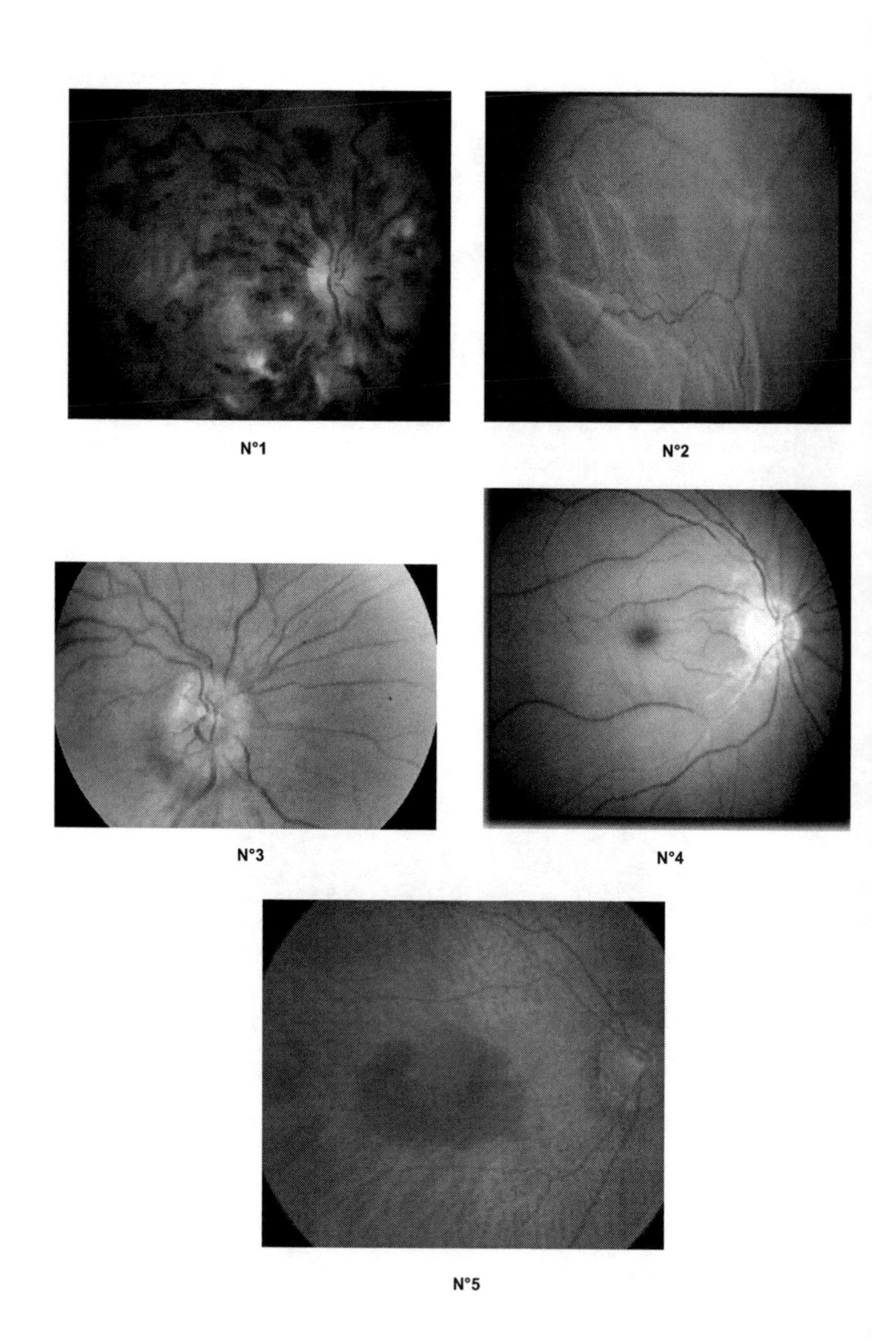
N°1
N°2
N°3
N°4
N°5

4	Patient de 63 ans, consulte pour baisse d'acuité visuelle indolore de l'œil droit survenue la veille au soir. L'examen retrouve une acuité visuelle à 1/10e OD, 10/10e OG. Le segment antérieur droit présente un déficit pupillaire afférent relatif. La pression intra oculaire et normale. Vous diagnostiquez une neuropathie optique ischémique antérieure aigue. Quel fond d'œil correspond à ce diagnostic ?

a- N°1.
b- N°2.
c- N°3.
d- N°4.
e- N°5.
f- Aucun.

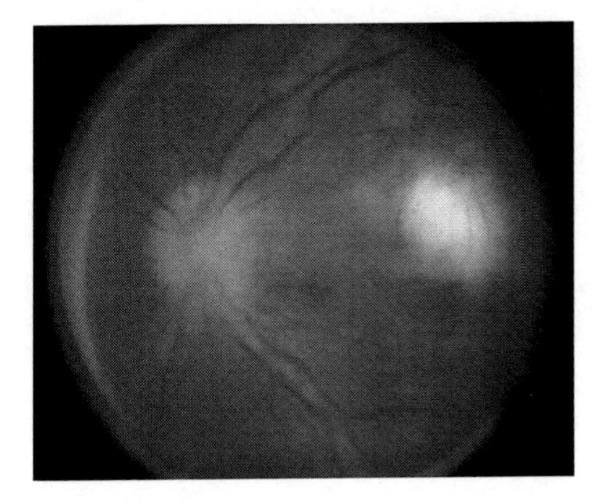

5	Homme jeune, 19 ans, baisse d'acuité visuelle indolore de l'œil gauche depuis 48H accompagnée de myodesopsies. Pas d'antécédent particulier. Examen ophtalmologique : acuité visuelle à 10/10e OD, 2/10e OG. Segment antérieur : fin Tyndall à gauche. Pas d'autres anomalies. Pression intra oculaire : 13 mm Hg aux 2 yeux. FO : normal à droite. A gauche, hyalite à 2+. Le FO gauche est présenté ci-dessus. Citez les 2 anomalies vues sur ce fond d'œil.

a- Atrophie optique.
b- Occlusion branche veine centrale de la rétine.
c- Excavation papillaire.
d- Œdème papillaire.
e- Décollement de rétine.
f- Foyer choriorétinien.

6 Quelle est l'étiologie la plus probable ?

a- Maladie des griffes de chat.
b- Toxoplasmose.
c- Tuberculose.
d- Syphilis.
e- Nécrose rétinienne aigue virale (herpes virus).
f- Borréliose de Lyme.

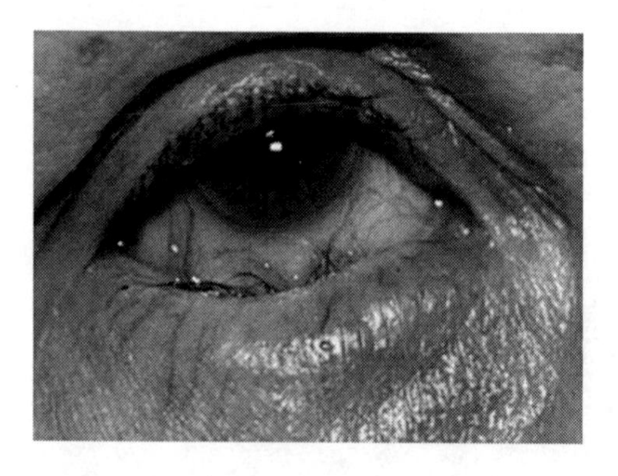

7 Patient de 82 ans, consulte pour gène oculaire droite chronique. Son œil droit pique en permanence. Quelle anomalie palpébrale constatez-vous ?

a- Entropion.
b- Ectropion.
c- Chalazion.
d- Orgelet.
e- Carcinome baso cellulaire.
f- Trichiasis.

8 Quelle est la cause probable de sa gène oculaire ?

a- Kératite.
b- Conjonctivite.
c- Episclérite.
d- Sclérite.
e- Blépharite.
f- Crises de glaucome par fermeture de l'angle.

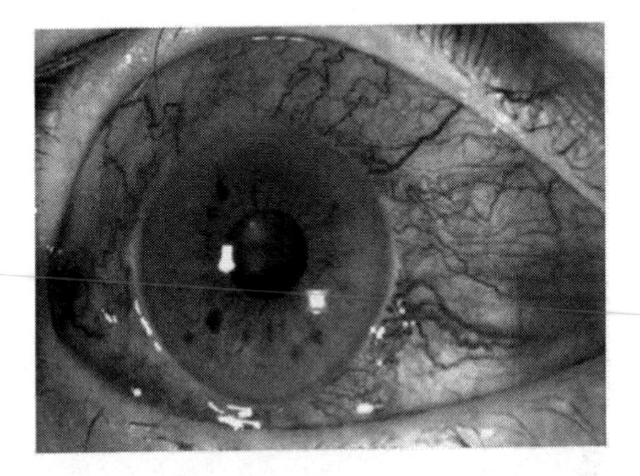

9 Homme de 45 ans, consulte pour une importante douleur de l'œil droit évoluant depuis 24H survenue spontanément.
Ses antécédents sont une rhinite crouteuse nécrosante avec hypoacousie, une toux chronique avec 2 épisodes d'hémoptysie actuellement en cours de bilan.
A l'examen, acuité visuelle de 10/10e aux 2 yeux. Segments antérieurs et postérieurs sans anomalies notables. Persistance de la rougeur oculaire malgré instillation de néosynéphrine.
Quel est votre diagnostic ophtalmologique ?

a- Hémorragie sous conjonctivale.
b- Sclérite aiguë.
c- Uvéite antérieure aiguë.
d- Episclérite aiguë.
e- Kératite aiguë.
f- Hypermétropie.

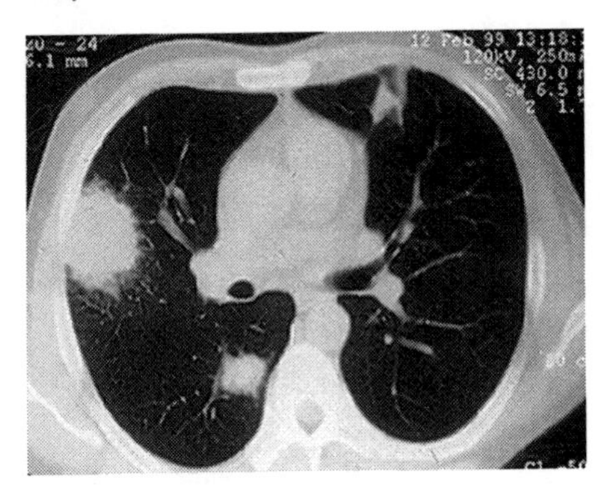

10 Même patient : un scanner thoracique non injecté a été réalisé. Quelle maladie sous jacente suspectez-vous ?

a- Lupus.
b- Tuberculose.
c- Maladie de Wegener.
d- Lymphome.
e- Syndrome de Churg Strauss.
f- Maladie de Behcet.

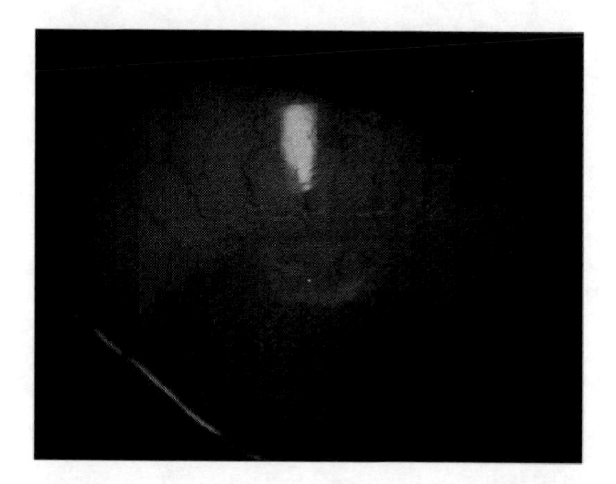

11 En ce beau jour de mistral sur Nice, le jeune Léo, 5 ans, est amené par ses parents en urgence car il présente depuis 2 heures un œil droit rouge très douloureux. Léo n'arrive plus à ouvrir l'œil droit. Il n'y pas eu de traumatisme selon ses parents.
L'acuité visuelle semble conservée.
Vous instillez une goutte de fluorescéine dans l'œil droit et regardez son œil à l'aide d'une lumière bleue (photo ci-dessus). Quelle anomalie constatez-vous ?

a- Perforation cornéenne.
b- Corps étranger cornéen.
c- Œil sec.
d- Kératite supérieure.
e- Uvéite antérieure aigue.
f- Kératite inférieure.

12 Quelle est la cause la plus probable de cette anomalie ?

a- Corps étranger cornéen.
b- Conjonctivite allergique.
c- Contusion oculaire.
d- Corps étranger sous palpébral supérieur.
e- Maltraitance.
f- Corps étranger sous palpébral inférieur.

Corrigé QCM

PREMIERE LECTURE

Difficulté du dossier : 1/3

Dossier très transversal mais sans pièges.
A classer en 1ere position parmi les 3 dossiers de l'épreuve.

GRILLE DE CORRECTION

1	a	F	Ne donne pas de sécrétions. L'épisclérite est rarement bilatérale. En revanche, elle peut être à bascule.
	b	F	Une étiologie virale est plus probable, en témoigne l'adénopathie pré tragienne quasi pathognomonique.
	c	F	Non, ne donne pas de sécrétions, rhinorhée, adénopathie...
	d	F	Non, car pas de douleur, pas de photophobie, pas de BAV.
	e	V	Oui.
	f	F	Non car pas de sécrétions purulentes. Les conjonctivites virales sont beaucoup plus fréquentes que les bactériennes.
2	a	F	Ce n'est pas un signe d'uvéite.
	b	V	Ce sont les points blancs en arrière de la cornée.
	c	F	Non.
	d	F	Non.
	e	V	Oui, déformation de la pupille.
	f	F	Non.
3	a	F	Non, et ce n'est pas du tout le contexte.
	b	F	Non, et ce n'est pas du tout le contexte.
	c	F	Non, et ce n'est pas du tout le contexte.
	d	F	Non, et ce n'est pas du tout le contexte.
	e	F	Non, et ce n'est pas du tout le contexte.
	f	V	Oui, spondylarthrite ankylosante compliquée d'uveite antérieure. Dossier typique.
4	a	F	OVCR.
	b	F	Décollement de rétine temporal rhegmatogéne.

	c	V	NOIAA typique : œdème papillaire pâle sectoriel.
	d	F	OACR.
	e	F	Hématome maculaire dans le cadre d'une DMLA exsudative.
	f	F	Non.
5	a	F	Non, œdème papillaire.
	b	F	Non.
	c	F	Le rapport cup/disc ne peut pas s'évaluer en cas d'œdème papillaire.
	d	V	Oui : papille turgescente et floue.
	e	F	Non. Ici, on aurait pu rechercher un décollement de rétine exsudatif.
	f	V	Oui, c'est le foyer blanchâtre aux limites floues para maculaire.
6	a	F	Ne donne pas de foyer choriorétinien.
	b	V	Oui, c'est la 1ere cause d'uvéite postérieure.
	c	F	Non.
	d	F	C'est possible, mais beaucoup plus rare que la toxoplasmose. La syphilis peut donner tous les tableaux cliniques.
	e	F	Non, et hors programme de toute façon.
	f	F	Non.
7	a	V	Malposition palpébrale avec inversion de la paupière inférieure : les cils vont frotter contre la cornée et l'irriter.
	b	F	Non, c'est l'inverse.
	c	F	Non, pas de nodule tarsal inflammatoire.
	d	F	Non, correspond à une infection aigue d'un cil.
	e	F	Pas de tumeur.
	f	F	Non, même si un trichiasis peut être associé à l'entropion et aggraver encore l'irritation cornéenne.
8	a	V	Oui : classiquement kératite inférieure due aux cils.
	b	F	Non.
	c	F	Non.
	d	F	Non.
	e	F	Le patient a bien une blépharite (rougeur palpébrale avec télangiectasie cutanée...mais n'est pas responsable des douleurs oculaires.
	f	F	Aucun rapport.
9	a	F	Non, pas d'hémorragie visible, mais dilatation des vaisseaux épiscléraux et scléraux.
	b	V	Oui : aspect typique => œil rouge avec dilatation vaisseaux scléraux, très douloureux, sans BAV.
	c	F	Non, pas de BAV et segment antérieur normal.
	d	F	Non, car la rougeur persiste malgré instillation de néosynéphrine (sympathicomimétique donc vasoconstricteur).
	e	F	Non, pas de BAV.
	f	F	Non, donne parfois un œil blanc avec douleurs péri ou rétro oculaires.
10	a	F	Non, donne des sclérites mais pas des nodules pulmonaires granulomateux.
	b	F	Tout à fait possible, mais ne donne pas de rhinite crouteuse ou d'hypoacousie.

	c	V	Triade classique : signes ORL (rhinite, hypoacousie), pulmonaires (nodules granulomateux) et sclérite.
	d	F	Non.
	e	F	Pas de notion d'asthme.
	f	F	Ne donne pas de nodules pulmonaires. Donne plus rarement des sclérites (plutôt responsable d'uvéites postérieures).
11	a	F	Non. Pas de signe de SEIDEL donc pas de perforation cornéenne.
	b	F	Pas de corps étranger visible.
	c	F	Non.
	d	V	Oui, prise de fluorescéine sur la partie supérieure de la cornée.
	e	F	Non.
	f	F	Non, la kératite est supérieure.
12	a	F	Non, pas de corps étranger cornéen.
	b	F	Non, même si certaines conjonctivites allergiques peuvent se compliquer d'atteintes cornéennes (ulcère immunitaire...).
	c	F	Non, pas de notion de traumatisme.
	d	V	Oui, à chaque clignement palpébral, le corps étranger va frotter contre la partie supérieure de la cornée. Il faut retourner la paupière supérieure et le retirer.
	e	F	Pas de rapport.
	f	F	Non, supérieur.

1 POINT PAR QCM ENTIER JUSTE. MAXIMUM : 12 POINTS

COMMENTAIRES

Questions	Commentaires
Général	• Transversalité.
1	• Conjonctivite virale : contexte épidémique +++, syndrome viral (rhinite, pharyngite bronchite ...), atteinte d'un œil puis l'autre. Adénopathie pré tragienne quasi pathognomonique +++. • Etiologie : adénovirus +++. • Complication : kératite stromale ++++ qui, si elle est centrale, peut donner une baisse d'acuité visuelle, potentiellement irréversible. • Traitement : lavage oculaire au sérum physiologique, antiseptique, +/- AINS gouttes, lavage des mains (contagiosité +++), consulter en urgence si œil très douloureux (kératite stromale).
2	• Il s'agit, sans surprises, d'une uvéite antérieure aiguë.
3	• Il s'agit d'une sacro-iléite bilatéral dans le cadre d'une spondylarthrite ankylosante compliquée d'uvéite antérieure aiguë.
4	• 1 = OVCR. • 2 = DR. • 3 = NOIAA. • 4 = OACR. • 5 = DMLA exsudative (hématome maculaire).
5 et 6	• Toxoplasmose : 1ere étiologie d'uvéite postérieure. • Etiologie : réactivation chez l'immunocompétent et immunodépression. • Foyer choriorétinien blanchâtre souvent situé en périphérie d'une cicatrice pigmentée témoin dune poussée précédente. Importante réaction inflammatoire vitréenne (Tyndall vitréen intense) => classique aspect de «phare dans le brouillard ». (le phare = le foyer choriorétinien). Attention, réaction vitréenne absente en cas d'immunodépression (VIH +++). • Paraclinique : diagnostic clinique. Si besoin, sérologie toxoplasmose, ponction de chambre antérieure (calcul du coefficient de desmonts). • Complication : si atteinte maculaire (comme ici). • Traitement : antiparasitaires (Pyriméthamine + sulfadiazine ou Azythromycine). Corticothérapie à 48H. • Indications : systématique chez l'immunodéprimé. Seulement si foyer menaçant chez l'immunocompétent.
7 et 8	• Ectropion = éversion (vers l'extérieur) paupière inférieure. • Entropion = inversion (vers l'intérieur) de la paupière inférieure => les cils vont venir frotter contre la partie inférieure de la cornée => kératite inférieure mécanique. Peut parfois aboutir à une ulcération cornéenne...voire une perforation cornéenne avec enophtalmie (rare).
9	• Sclérite = œil très rouge, très douloureux, sans baisse d'acuité visuelle. La rougeur ne disparait pas après instillation de la néosynéphrine (contrairement à l'épisclérite). • Etiologies : multiples : PR +++, lupus, vascularites (Wegener, Churg Strauss...). • Signes de gravité : sclérite postérieure (hors programme), sclérite nécrosante (nécrose de la sclère avec risque de perforation sclérale = perforation du globe). • Paraclinique : bilan étiologique à débuter dès le 1er épisode de sclérite

	(contrairement à l'épisclérite qui ne nécessite pas de bilan lors du 1er épisode). • Traitement : AINS per os. Corticoïdes per os si échec...voire immunosuppresseurs. (fonction de l'étiologie).
10	• **Maladie de WEGENER :** • La granulomatose de Wegener est une vascularite nécrosante des vaisseaux de petit calibre associant une inflammation de la paroi vasculaire et des granulomes, péri- et extravasculaires. • Il s'agit d'une maladie rare. • Son incidence annuelle varie de 2 à 12 cas par million. Elle intéresse les deux sexes. L'âge moyen de survenue est de 45 ans, mais des formes ont été décrites chez le sujet très âgé et chez l'enfant. • Cliniquement, elle se caractérise, dans sa forme complète, par des signes ORL chez 70 à 100% des patients (obstruction nasale persistante, sinusite, rhinite hémorragique et/ou croûteuse, otite moyenne séreuse, hypoacousie et/ou déformation nasale en selle), par une atteinte pulmonaire (nodules, infiltrats, hémorragies alvéolaires) et par une atteinte rénale (typiquement glomérulonéphrite nécrosante extra-capillaire). Des signes généraux (asthénie, fièvre, arthralgies, myalgies et/ou amaigrissement) sont fréquents. Une neuropathie périphérique (surtout multinévrite) est présente chez 11 à 68% des malades et des manifestations neurologiques centrales (céphalées, déficit sensitivomoteur, hémiplégie, épilepsie) sont observées dans 6 à 13% des cas. Des lésions cutanées (purpura, papules, ulcérations) sont retrouvées chez 10 à 50% des patients. Les atteintes oculaires sont fréquentes (14 à 60%). Les atteintes cardiaques sont plus rares (moins de 10%) et souvent asymptomatiques. • L'étiologie est inconnue. • Le diagnostic repose sur la combinaison des signes cliniques et de la détection d'anticorps sériques dirigés contre le cytoplasme des polynucléaires neutrophiles, les ANCA, et principalement les C-ANCA anti-PR3. Une biopsie cutanée, nasale, pulmonaire ou rénale permet, dans l'idéal, de confirmer le diagnostic. • Le traitement des formes systémiques repose sur une corticothérapie associée à du cyclophosphamide par voie intraveineuse, toutes les 2 semaines puis toutes les 3 semaines jusqu'à obtention de la rémission. Un autre immunosuppresseur (méthotrexate ou azathioprime) est ensuite utilisé en phase d'entretien. Les biothérapies (rituximab, anti-TNF alpha...) sont en cours d'étude et semblent prometteuses. Grâce au traitement, la rémission est obtenue dans plus de 85% des cas, mais des rechutes surviennent chez la moitié des patients durant les 5 années suivant le diagnostic.
11 et 12	• Classique : avec le vent, de nombreux corps étrangers peuvent venir se coller sous la paupière supérieure. Ce corps étranger va venir frotter la partie supérieure de la cornée lors de chaque clignement palpébral ce qui va occasionner une kératite classiquement SUPERIEURE. • Le diagnostic est confirmé en éversant la paupière supérieure et en retirant le corps étranger. • La localisation d'une kératite donne une idée de son étiologie : • Supérieure : corps étranger sous palpébral. • Centrale : non spécifique. • Inférieure : syndrome sec, blépharite chronique, ectropion, entropion. • Seule une kératite centrale entraine une baisse visuelle.

ITEMS ABORDEES

Items	Intitulés
212	• Œil rouge douloureux.
271	• Pathologie des paupières.
293	• Altération de la fonction visuelle.

Dossier thématique transversal QCM 5

Vrai ou Faux ?

Enoncé QCM

QUIZ : A quoi correspondent les photographies présentées ?

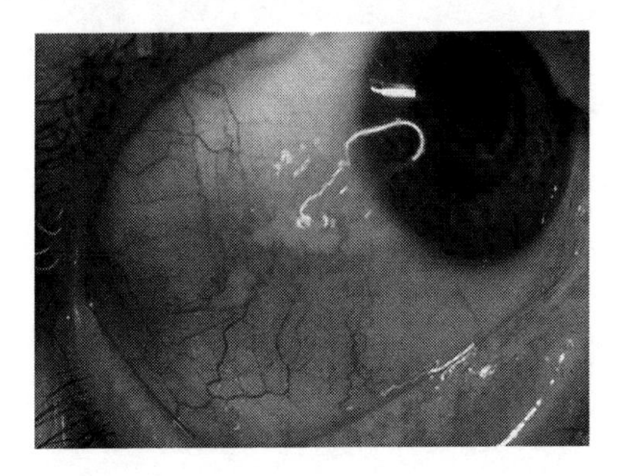

1 Femme jeune, Antécédent de polyarthrite rhumatoïde, consulte pour œil droit rouge, légèrement sensible, sans sécrétions. Acuité visuelle : 10/10e.

- a- Kératite.
- b- Sclérite.
- c- Conjonctivite.
- d- Uvéite.
- e- Episclérite.
- f- Corps étranger conjonctival.

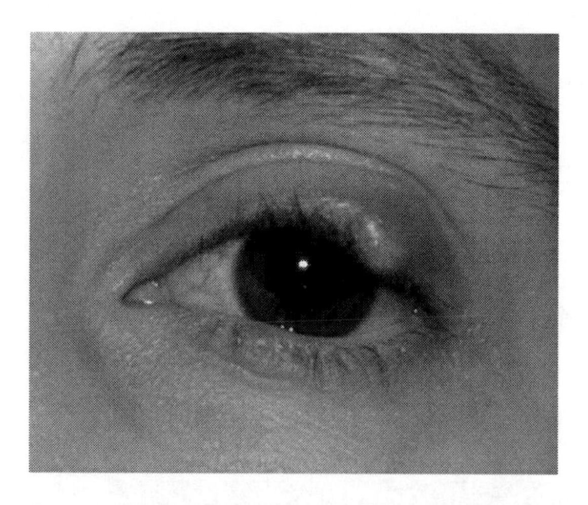

2 **Femme jeune se présente pour une boule douloureuse de la paupière supérieure gauche. L'examen ophtalmologique est sans particularités.**

a- **Orgelet.**

b- **Carcinome spino cellulaire.**

c- **Carcinome baso cellulaire.**

d- **Chalazion.**

e- **Blépharite postérieure.**

f- **Conjonctivite.**

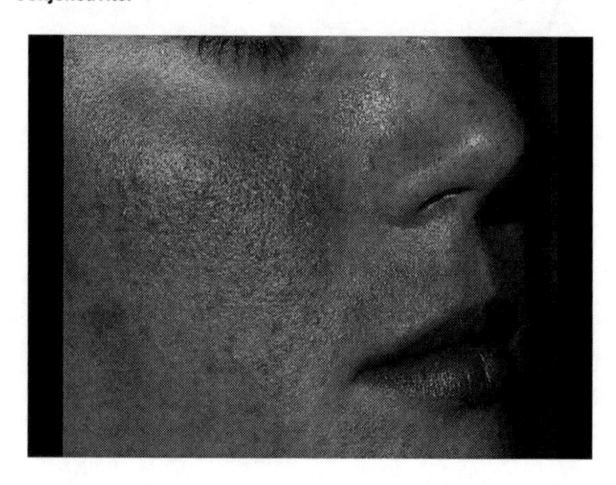

3 Même patiente. Quel diagnostic dermatologique posez-vous ?

a- Rosacée.
b- Dermite séborrhéique.
c- Sarcoïdose.
d- Eczéma.
e- Lichen plan.
f- Acné.

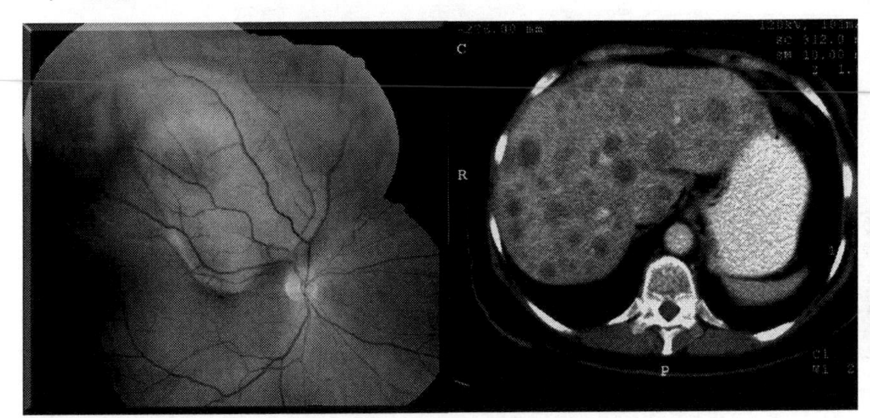

4 Homme de 65 ans, consulte pour amputation du champ visuel nasal inférieur de l'œil droit depuis 3 jours, associé à une baisse d'acuité visuelle depuis 12H. Un scanner abdominal a été effectué devant la présence d'une altération de l'état général et d'une douleur de l'hypochondre droit. Quelle est l'anomalie du fond d'œil ?

a- Décollement de rétine exsudatif.
b- Occlusion de branche veineuse rétinienne.
c- Décollement de rétine tractionnel.
d- Choroidite toxoplasmique.
e- DMLA.
f- Décollement de rétine rhegmatogéne.

5 Quelle en est l'étiologie ?

a- Carcinome hépatocellulaire.
b- Déchirure rétinienne.
c- Néovaisseau choroïdien.
d- Hémangiome choroïdien.
e- Toxoplasmose.
f- Mélanome choroïdien.

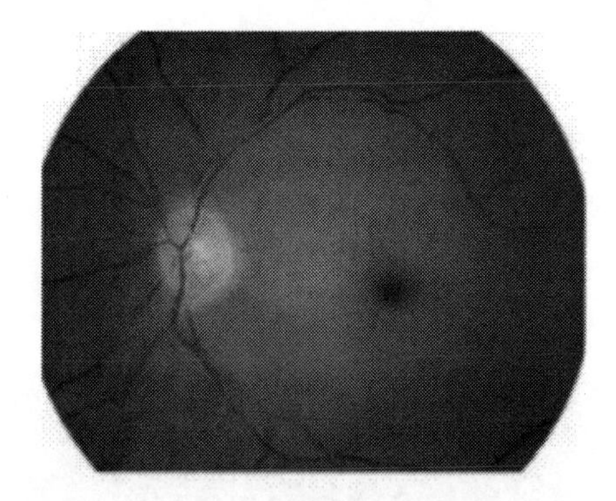

6	Femme de 62 ans, découverte fortuite d'un anévrisme de la portion terminale de la carotide interne gauche sur une IRM réalisée dans le cadre de céphalées. Réalisation d'une embolisation en radiologie interventionnelle. 6 heures plus, tard, la patiente présente une baisse d'acuité visuelle intense indolore. L'examen ophtalmologique retrouve une acuité visuelle à 10/10e (OD), absence de perception lumineuse (OG), déficit pupillaire afférent relatif de l'œil gauche, FO présenté ci-dessus. Quel est votre diagnostic ?

a- Occlusion veine centrale de la rétine.
b- DMLA.
c- Neuropathie optique ischémique antérieure aigue.
d- Occlusion artère centrale de la rétine.
e- Névrite optique rétro bulbaire.
f- Uvéite postérieure.

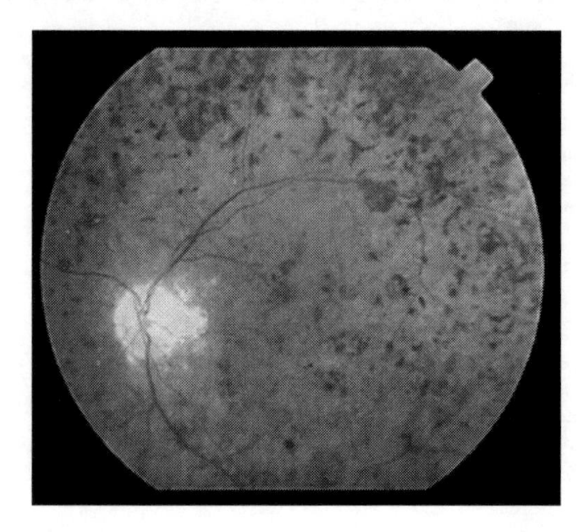

7 Patient de 30 ans, consulte pour une gène oculaire bilatérale depuis plusieurs mois à type d'héméralopie (baisse visuelle nocturne) et rétrécissement du champ visuel. Il n'a aucun antécédent particulier.

a- Maladie de Best.
b- Rétinite pigmentaire.
c- DMLA précoce.
d- Rétinite médicamenteuse.
e- Daltonisme.
f- Névrite optique de Leber.

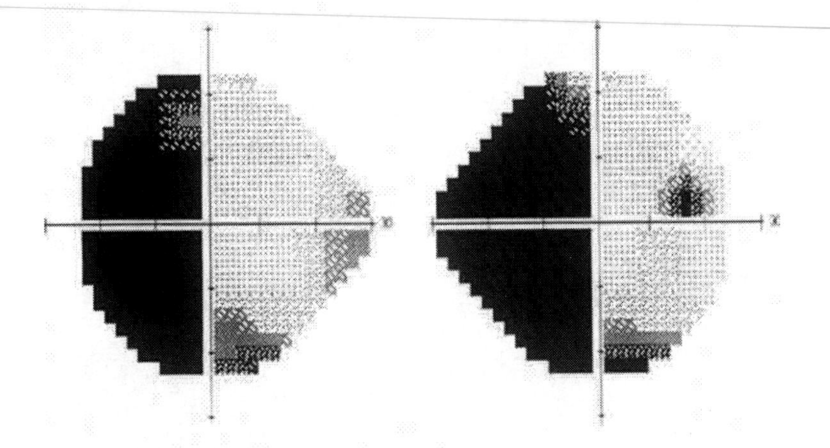

8 Patient de 55 ans, consulte pour une amputation du champ visuel depuis 1 mois. Vous réalisez un champ visuel statique de HUMPHREY. Quelle anomalie diagnostiquez-vous ?

a- Scotome arciforme de Bjerrum bilatéral.
b- Scotome coecocentral bilatéral.
c- Hémianopsie latérale homonyme gauche.
d- Hémianopsie croisée.
e- Hémianopsie latérale homonyme droite.
f- Hémianopsie bitemporale.

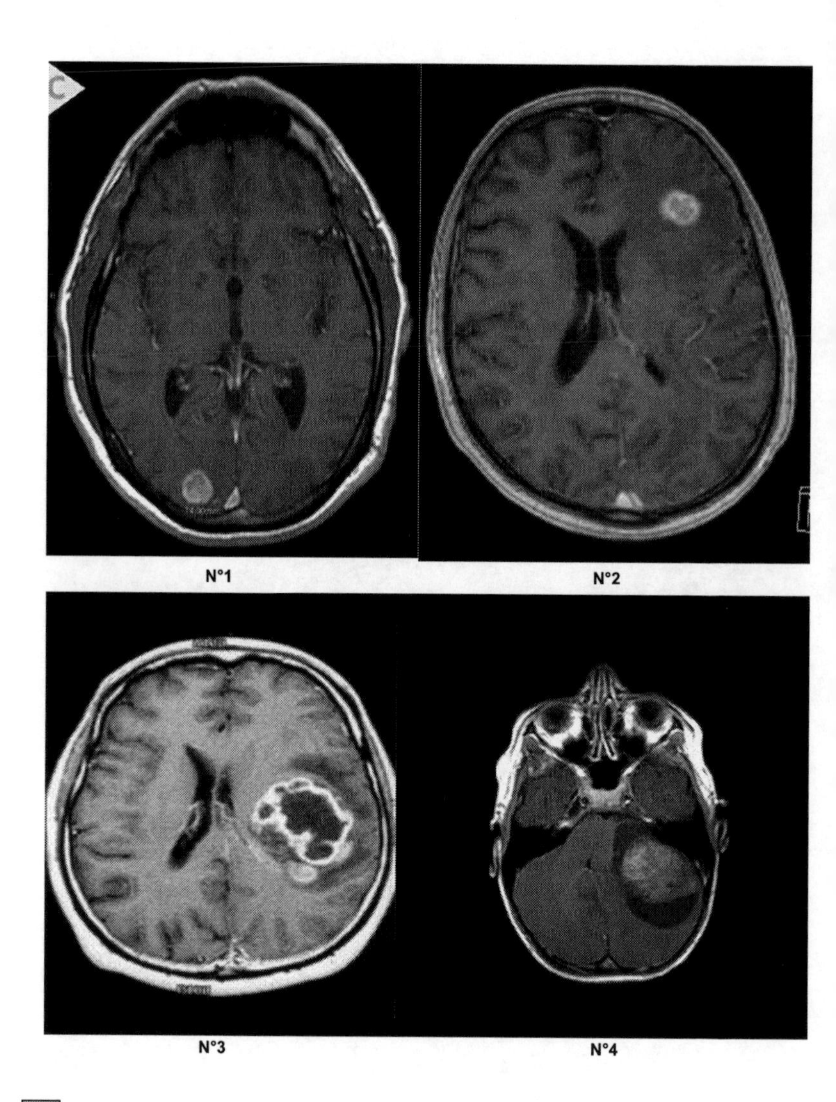

N°1 N°2

N°3 N°4

9 **Parmi les examens d'imagerie ci-dessus, lequel correspond à l'atteinte du champ visuel ?**

a- N°1.
b- N°2.
c- N°3.
d- N°4.
e- Aucun.

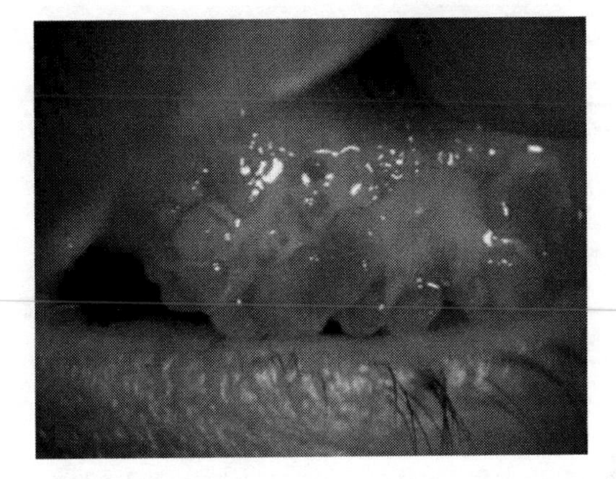

10 **Enfant de 10 ans, antécédent familial d'asthme, antécédent personnel d'asthme et de dermatite atopique, consulte pour rougeur oculaire bilatérale, picotements oculaires gênants, et prurit palpébral chronique.**
L'acuité visuelle est de 10/10e bilatéral. Les segments antérieurs sont normaux. Vous retournez la paupière supérieure droite. Quelle anomalie identifiez-vous ?

a- **Nodules.**
b- **Follicules.**
c- **Entropion.**
d- **Papilles.**
e- **Papules.**
f- **Chalazion.**

11 **Quelle en est l'étiologie ?**

a- **Conjonctivite virale.**
b- **Conjonctivite bactérienne.**
c- **Conjonctivite allergique.**
d- **Kératoconjonctivite virale.**
e- **Trachome.**
f- **Rosacée oculaire.**

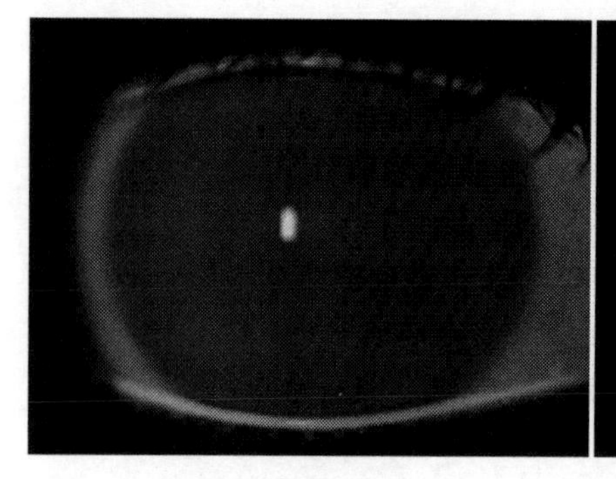

Instillation de fluorescéine

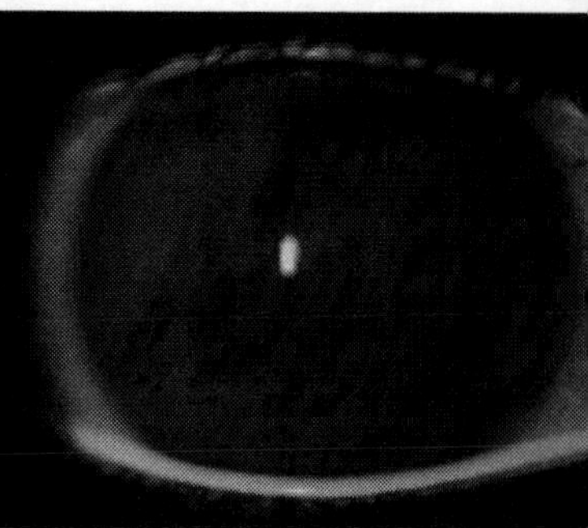

aspect à 3 secondes

12 **Vous instillez une goutte de fluorescéine et constatez l'aspect au bout de 3 secondes. Quel est ce test et quel est votre diagnostic ?**

- **a- Test : Schirmer.**
- **b- Test : break up time.**
- **c- Test : rose bengale.**
- **d- Diagnostic : syndrome sec qualitatif.**
- **e- Diagnostic : syndrome sec quantitatif.**
- **f- Diagnostic : syndrome de Gougerot Sjogren.**

Corrigé QCM

PREMIERE LECTURE

Difficulté du dossier : 2/3

Dossier facile, sans piège particulier.

A classer en 2e position parmi les 3 dossiers de l'épreuve.

GRILLE DE CORRECTION

1	a	F	Non, pas de cercle périkératique ni de BAV.
	b	F	Non, car pas assez douloureux.
	c	F	Non, pas de sécrétions et la rougeur est localisée.
	d	F	Non, pas de cercle périkératique ni de BAV.
	e	V	Dilatation des vaisseaux épiscléraux localisée. Le nodule épiscléral est classique dans l'épisclérite : épisclérite nodulaire.
	f	F	Pas de corps étranger visible.
2	a	F	Non, on confond souvent (voire toujours) orgelet et chalazion. Le chalazion est un nodule tarsal alors que l'orgelet est localisé à la base d'un cil. Retenez que le chalazion est très fréquent, alors que l'orgelet est rare.
	b	F	Pas d'aspect tumoral.
	c	F	Pas d'aspect tumoral.
	d	V	Oui. Chalazion en phase inflammatoire.
	e	F	Une blépharite postérieure est souvent la cause du chalazion.
	f	F	Non.
3	a	V	Oui : rosacée stade 2 (érythémato-télangiectasique) => blépharite postérieure => chalazion.
	b	F	Non, pas de squames dans les zones séborrhéique.
	c	F	Non.
	d	F	Non car pas de notion de prurit.
	e	F	Non, pas de lichénification.
	f	F	Non, pas de cholédon ni de papules-pustules.
4	a	V	Oui, c'est un décollement de rétine blanchâtre donc suspect. Pas de déchirure vue. Donc, ce n'est pas un DR rhegmatogéne mais exsudatif.
	b	F	Non.

	c	F	Non. Se voit principalement dans les rétinopathies diabétiques proliférantes, ce qui n'est pas le cas ici.
	d	F	Non, pas de foyer choriorétinien jaunâtre. Ici, la rétine est clairement décollée.
	e	F	Non, pas d'atrophie ni d'hématome maculaire.
	f	F	Non, car la rétine décollée n'est pas rouge / orangée et PAS DE DECHIRURE VUE.
5	a	F	Non, les lésions hépatiques semblent secondaires et pas primitives. Il s'agit donc plutôt d'un primitif oculaire ayant métastasé. Les métastases choroïdiennes sont rares (cancer du sein +++, poumon).
	b	F	Non, pas de déchirure.
	c	F	Non.
	d	F	Possible, mais hors programme.
	e	F	Non.
	f	V	Oui : 1ere cause de tumeur oculaire. 1er site métastatique : le foie.
6	a	F	Non, pas d'hémorragies, ni de dilatation et tortuosité veineuse…
	b	F	Non, la macula rose cerise ne correspond pas à une hémorragie maculaire.
	c	F	Non, pas d'œdème papillaire.
	d	V	Oui : rétrécissement artériel, macula rose cerise, œdème rétinien (rétine blanchâtre).
	e	F	Non car le fond d'œil n'est pas normal.
	f	F	Non.
7	a	F	Non, pathologie du pole postérieur (accumulation de matériel vitellin au niveau de la macula et en péri maculaire). Hors programme.
	b	V	Oui. Dépôts pigmentaires noirs au niveau de l'épithélium pigmentaire. Débute en périphérie rétinienne (atteinte des bâtonnets) et migration centripète.
	c	F	Non, pas de drusen.
	d	F	Non.
	e	F	Non.
	f	F	Non, papille normale (maladie génétique responsable d'une névrite optique irréversible).
8	a	F	Non.
	b	F	Non, pas d'atteinte maculaire.
	c	V	Oui, atteinte du champ visuel temporal de l'oeil gauche et nasal de l'oeil droit.
	d	F	Ca n'existe pas.
	e	F	Non, gauche.
	f	F	Non.
9	a	V	Oui, car atteinte occipitale droite donc hémianopsie gauche.
	b	F	Non car localisé à gauche.
	c	F	Non car localisé à gauche.
	d	F	Non car localisé à gauche.
	e	F	Non.
10	a	F	Non.
	b	F	Surélévations bordées par des vaisseaux. Se voit dans les conjonctivites virales.

	c	F	Non.
	d	V	Surélévations centrées pas des vaisseaux. Typique des conjonctivites allergiques.
	e	F	Non.
	f	F	Non, pas de nodule tarsal.
11	a	F	Non, atteinte aigue et plutôt présence de follicules.
	b	F	Non, pas de sécrétions purulentes.
	c	V	Oui.
	d	F	Pas d'atteinte cornéenne.
	e	F	Non et hors programme.
	f	F	Non.
12	a	F	Non, c'est le test avec les bandelettes. Pour le diagnostic de syndrome sec quantitatif (xérophtalmie).
	b	V	Oui. C'est le test de rupture du film lacrymal visualisé via l'instillation d'une goutte de fluorescéine.
	c	F	Non, ne se fait pas en pratique quotidienne.
	d	V	Oui.
	e	F	Non, le diagnostic se fait avec le test de Schirmer.
	f	F	Non.

1 POINT PAR QCM ENTIER JUSTE. MAXIMUM : 12 POINTS

COMMENTAIRES

Questions	Commentaires
Général	• Transversalité.
1	• Episclérite : œil rouge peu douloureux sans BAV. Dilatation des vaisseaux épiscléraux. Disparait après instillation de néosynéphrine, alors que la sclérite est très douloureuse et ne disparait pas après néosynéphrine. • Etiologie : idiopathique +++, maladies auto immunes, maladies rhumatismales (PR +++), allergie... • Bilan étiologique si récidivante. • Traitement : AINS en gouttes.
2	• **Chalazion :** • Sténose d'une glande de Meibomius => accumulation de sécrétions => boule tarsale. • 2 phases : inflammatoire (rougeur, douleur, gonflement => traitement = antibio-corticoïde = STERDEX®) puis phase kystique (boule non inflammatoire tarsale : traitement = abstention ou incision). • Etiologie : idiopathique, cause locale (blépharite postérieure, rosacée, conjonctivite allergique, œil sec, hypermétropie...), cause générale (diabète..). • Complication : récidive +++, cellulite pré septale... • En pratique quotidienne, le chalazion est TRES fréquent +++ alors que l'orgelet est exceptionnel.
3	• **Rosacée :** • 4 phases : Flush / couperose (télangiectasies) / papulo-pustuleuse / rhinophyma. • La rosacée provoque une blépharite postérieure (inflammation siégeant en arrière des cils, au niveau de l'abouchement des canaux des glandes de Meibomius, ce qui provoque leur sténose et donc le chalazion. • Retenez que la rosacée entraine souvent des chalazions (rosacée oculaire).
4	• Pas de DR tractionnel car pas de néovaisseaux. • Pas de DR rhegmatogéne car pas de déhiscence (déchirure) vue. • DR exsudatif : DR du à un processus choroïdien actif (mélanome +++).
5	• Le mélanome choroïdien est le 1er cancer primitif de l'œil. Il provoque des DR exsudatifs (responsable d'une amputation du champ visuel, voire d'une BAV si décollement maculaire). • Le 1er site métastatique du mélanome choroïdien est hépatique.
6	• OACR car BAV massive, déficit pupillaire afférent relatif, rétrécissement artériel diffus, œdème rétinien diffus (aspect blanc) et macula rose cerise. • L'OACR est ici iatrogène : probables emboles de cholestérol dans l'artère ophtalmique lors de la montée du guide.
7	• Rétinites pigmentaires : • Etiologies : idiopathique, génétique (tous les modes de transmission sont possibles : autosomique dominant, récessif, lié à l'X... • Clinique : héméralopie (car atteinte des bâtonnets), photophobie par atteinte de l'épithélium pigmentaire, rétrécissement concentrique du champ visuel car l'atteinte est initialement périphérique. Le champ visuel devient tubulaire comme dans le glaucome avancé. L'atteinte centrale est plus tardive (atteinte des cônes). • Maladie grave sans traitement. Les premiers symptômes arrivent vers 10-20 ans.

	L'handicap visuel survient vers 30 ans. La cécité vers 40 ans. • Traitement : recherche +++. Les premières prothèses rétiniennes commencent à se développer.
8	• Tracé typique d'HLH gauche (déficit du champ visuel temporal de l'œil gauche et du champ visuel nasal de l'œil droit). • L'HLH témoigne d'une atteinte rétro chiasmatique des voies visuelles (tractus optique, radiations optiques, cortex occipital).
9	• HLH gauche = atteinte droite sus tentorielle rétro chiasmatique donc réponse N°1.
10 et 11	• Conjonctivite virale => follicules. • Conjonctivite allergique => papilles. • Pensez à éverser la paupière supérieure +++ : c'est là que les anomalies sont les plus flagrantes. • Il existe plusieurs types de conjonctivite allergique (aigue, saisonnière, atopique vernale…) : un peu hors programme.
12	• Le Schirmer dépiste les syndromes secs quantitatifs (xérophtalmie). • Le BUT (break up time) dépiste les syndromes secs qualitatifs. • Toute irritation chronique de la surface oculaire (hypermétropie non corrigée, blépharite chronique, conjonctivites chroniques allergiques…) provoque une instabilité du film lacrymal = syndrome sec qualitatif : les larmes vont s'évaporer trop vite, ce qui se voit après instillation d'une goutte de fluorescéine : cette dernière va se rompre avant 10 secondes (3 secondes ici). • Cliniquement, le patient va se plaindre de picotements oculaires. • La principale complication est la kératite sèche, qui peut parfois se compliquer d'ulcérations cornéennes, voire même de perforations cornéennes (se voit surtout dans le syndrome sec sévère comme le syndrome de Gougerot Sjogren …).
BONUS	• J'ai essayé de couvrir un maximum d'items et de traiter des cas de la pratique quotidienne. • Quelques items n'ont pas été abordés : • **Brûlures oculaires** : peu de choses à savoir. Ce n'est pas rare. 90% sont totalement bénignes. Les brulures chimiques sont les plus fréquentes. Retenez que les brulures par base (Destop…) sont les plus graves (car pénètrent dans la cornée insidieusement jusqu'à 48H). La clinique est celle d'une kératite. Les signes de gravité sont l'ischémie limbique et l'atteinte cornéenne (desepithélialisation cornéenne visualisée après instillation de fluorescéine, œdème de cornée par atteinte du stroma). Je ne pense pas que la classification pronostique de Roper Hall soit à connaitre. Le traitement : un mot clé : LAVAGE OCULAIRE +++ précoce avec du sérum physiologique. Le reste du traitement (antibiotiques, corticoïdes…) n'est pas à savoir. N'oubliez pas la déclaration d'accident du travail. • **Maculopathies** : il existe des pathologies de la macula autres que la DMLA. Ce sont les membranes épimaculaires (membrane adhérente à la face interne de la macula et qui va la plisser), les trous maculaires (trou dans la macula) ou encore les syndromes de traction vitréo-maculaire (le vitré est physiologiquement adhérent à la macula et parfois en se détachant il va tracter la macula avec lui). Ces pathologies me semblent un peu trop spécialisées pour les ECN mais elles sont responsables d'un syndrome maculaire et sont donc des diagnostics différentiels de la DMLA et des œdèmes maculaires. L'OCT est l'examen de référence. Traitement : abstention surveillance ou chirurgie. • **Les maladies rétiniennes héréditaires** : il en existe schématiquement deux. Soit on a une rétinite pigmentaire avec une atteinte de la périphérie rétinienne (atteinte des bâtonnets avec héméralopie) évoluant inexorablement de manière centripète vers le pôle postérieur avec un champ visuel tubulaire / en canon de fusil, soit atteinte de la macula et de ses cônes dans la maladie de Stargardt.

	Aucun traitement disponible. Pensez au conseil génétique. • **<u>La maculopathie aux APS</u>** (anti paludéens de synthèse) : tombable en fin de dossier de rhumatologie. L'atteinte dépend de la durée et de la posologie des APS. Les APS s'accumulent en péri fovéolaire puis au niveau de la fovéa (au niveau de l'épithélium pigmentaire). L'objectif est de la dépister avant que les lésions ne soient visibles au FO (maculopathie en œil de bœuf) car irréversibles. La surveillance avant et après prescription repose sur : la clinique (acuité visuelle, syndrome maculaire, FO) et la paraclinique (champ visuel statique à la recherche d'un scotome central, une vision des couleurs à la recherche d'une dyschromatopsie d'axe bleu-jaune, un électro oculogramme ou un ERG (électro rétinogramme) multifocal. La fréquence est d'environ une fois par an (fonction de la durée et de la posologie). En cas d'anomalie aux examens complémentaires ou, bien sûr au fond d'œil, il faut immédiatement arrêter le traitement par APS et débuter un autre traitement.

ITEMS ABORDEES

Items	Intitulés
187	• Anomalies de la vision d'apparition brutale.
212	• Œil rouge et/ou douloureux.
232	• Dermatoses faciales.
271	• Pathologie des paupières.
293	• Altération de la fonction visuelle.

ABREVIATIONS

ABREVIATIONS	DETAILS
ACFA	Arythmie cardiaque par fibrillation auriculaire
ARA 2	Antagoniste des récepteurs à l'angiotensine 2
AVC	Accident vasculaire cérébral
BAT	Biopsie artère temporale
CAT	Conduite à tenir
DEP	Décollement épithélium pigmentaire
DSR	Décollement séreux rétinien
DMLA	Dégénérescence maculaire liée à l'âge
DR	Décollement de rétine
DVE	Dérivation ventriculaire externe
ECG	Electrocardiogramme
EP	Embolie pulmonaire
GAFA	Glaucome Aigu par Fermeture de l'Angle
GPAO	Glaucome Primitif à Angle Ouvert
HIV	Hémorragie intra vitréenne
HLH	Hémianopsie latérale homonyme
HTIC	Hypertension intra crânienne
IEC	Inhibiteur de l'enzyme de conversion
IVT	Injection intra vitréenne
MICI	Maladies inflammatoires chroniques intestinales
NOIAA	Neuropathie optique ischémique antérieure aigue
NORB	Névrite optique rétro bulbaire
OACR	Occlusion artère centrale de la rétine
OCT	Tomographie en cohérence optique
OD	Orientation Diagnostique
OVCR	Occlusion veine centrale de la rétine
PEC	Prise en charge
RxT	Radiographie thoracique
TP	Taux de prothrombine
TCA	Temps céphaline activateur
VEGF	Vascular Endothélial groth factor